examens & épreuves
diagnostiques

examens & épreuves
diagnostiques

DÉCARIE ÉDITEUR

- - -

Examens et épreuves diagnostiques

Dépôt légal : 4ᵉ trimestre 2001
Bibliothèque nationale du Québec
Bibliothèque nationale du Canada

Maquette de couverture : Nathalie Ménard
Infographie : Interscript, Québec

Décarie Éditeur Inc.
233, avenue Dunbar, Bureau 201
Montréal (Québec)
H3P 2H4

ISBN 2-89137-123-2

Nous reconnaissons l'aide financière du gouvernement du Canada par l'entremise du Programme d'Aide au Développement de l'Industrie de l'Édition pour nos activités d'édition.

IMPRIMÉ AU CANADA   2   3   4   5   IG   05   04   03   02

Collaboration scientifique

Marco Argouin, B. Sc. inf.
Infirmier, Centre universitaire de santé de l'Estrie,
Université de Sherbrooke
Conseiller en soins et services spécialisés, Hôpital Sainte-Anne-de-Beaupré

Robert Delage, M.D., FRCP(C)
Professeur agrégé, faculté de médecine,
Université Laval
Hématologiste, Hôpital Saint-Sacrement, Québec

Denis Phaneuf, M.D., Ph.D.
Professeur agrégé, faculté de médecine,
Université de Montréal
Microbiologiste infectiologue, Hôtel-Dieu de Montréal

Julie Saint-Cyr, M.D., FRCP(C)
Professeur adjoint, faculté de médecine,
Université McGill
Biochimiste, Centre hospitalier de St-Mary

Caroline Samson, M.D., FRCP(C)
Chargée d'enseignement clinique, faculté de médecine,
Université de Montréal
Radiologiste, Hôpital du Sacré-Cœur de Montréal

Jean-Paul Soucy, M.D., M.Sc.
Professeur-adjoint, faculté de médecine,
Université d'Ottawa
Service de médecine nucléaire, Hôpital d'Ottawa

Introduction

*L*e présent ouvrage est conçu pour constituer un aide-mémoire à l'usage des personnes qui ont à manipuler, à traiter, à examiner, à interpréter de façon sommaire dans la pratique de leur profession des données de laboratoire et d'examens paracliniques. Comme la pratique d'une profession commence, virtuellement, dès le stade de la formation, il devrait servir, également, aux étudiants des différentes disciplines des sciences de la santé.

Pour chaque examen on trouvera d'abord, sous forme d'encadré, un sommaire des valeurs de référence, des résultats pathologiques et des facteurs affectant les résultats. Cet encadré est placé au début pour en faciliter un accès rapide, comme cela est souvent apprécié dans le feu de l'action. Cependant, ces données ne prennent tout leur sens qu'à la lumière des notions théoriques et pratiques qui leur font suite et que le lecteur devrait s'assurer de posséder dans la mesure de ses besoins.

Des précautions s'imposent quant à l'utilisation de cet aide-mémoire, en regard de chacune des sections :

VALEURS DE RÉFÉRENCE

Lorsque les résultats d'un examen sont exprimés sous forme quantitative, on les compare à des valeurs dites de référence. Les valeurs de référence, que l'on appelle aussi à tort «résultats normaux», ne sont suggérées dans cet ouvrage qu'à titre indicatif. Elles représentent des moyennes ou des marges à l'intérieur desquelles se retrouvent la majorité des individus sans problème spécifique en regard de l'examen ou du test en question. Ce sont des données auxquelles on compare les résultats de l'examen.

Cependant, ces données quantitatives peuvent varier : 1) d'une méthode d'analyse à l'autre, 2) d'un laboratoire à l'autre, 3) d'une population à l'autre. De plus, le sujet lui-même a des caractéristiques biologiques naturelles qui lui sont propres et qui font qu'il peut se situer plutôt à droite ou plutôt à gauche dans une courbe de distribution normale des individus, tout en demeurant parfaitement «normal».

Il faut donc prendre la précaution essentielle : 1) de comparer les résultats des tests aux valeurs de référence fournies par le laboratoire et non à celles suggérées dans cet ouvrage, 2) de laisser place à l'interprétation, qui découle du jugement clinique et de la connaissance globale de la situation clinique du sujet.

RÉSULTATS ANORMAUX, OU RÉSULTATS PATHOLOGIQUES

Sous ce titre sont présentées les significations cliniques possibles d'écarts à la hausse ou à la baisse par rapport aux valeurs de référence ou à un résultat normal. Seules sont évoquées les pathologies les plus typiques associées à ces écarts. Cependant, il ne faut jamais faire l'erreur d'associer aveuglément une pathologie à un résultat d'examen, la connaissance globale de la situation clinique d'un patient étant nécessaire à l'interprétation des résultats.

FACTEURS AFFECTANT LES RÉSULTATS

La machine humaine étant d'une grande complexité, d'innombrables facteurs peuvent faire dévier ou affecter à la hausse ou à la baisse les résultats d'une épreuve de laboratoire ou d'un examen clinique. Ces facteurs sont liés aux caractéristiques naturelles de l'individu (âge, sexe, taille, poids, race, habitudes de vie), à des situations pathologiques de base (diabète, immunodéficience, etc.), à sa médication actuelle ou récente (contraceptifs oraux, diurétiques, etc.). D'autres facteurs, liés à l'examen lui-même, peuvent aussi jouer un rôle, à un moment ou à un autre : méthodes de prélèvement en biochimie et en hématologie, technique aseptique en bactériologie, manutention et conservation des spécimens, technique de laboratoire, artéfacts en imagerie médicale etc.

Dans cet ouvrage ne sont suggérés qu'un certain nombre de facteurs parmi les plus typiquement évoqués. Il est particulièrement difficile, entre autres, de tenir compte de tous les médicaments pouvant affecter les résultats des tests et examens, compte tenu de l'évolution rapide de la pharmacologie, des réactions spécifiques à chaque individu, et sans compter que l'on ne peut pas toujours savoir de quels médicaments, exactement, le patient fait ou a fait usage.

RAPPEL THÉORIQUE (sans titre dans la page)

Ce très bref rappel des notions théoriques sous-jacentes a pour objectif de placer dans son contexte biologique et clinique l'examen ou le test afin de lui donner un sens qui va au-delà de sa seule utilité pratique. Il peut, entre autres, inspirer le lecteur dans sa tâche d'enseignement au patient, s'il y a lieu.

INTÉRÊT CLINIQUE, OU INDICATIONS

On trouvera ici un aperçu des objectifs cliniques poursuivis et qui justifient que l'on fasse appel à ce type d'examen. Ces objectifs peuvent être d'ordre diagnostique (investigation), thérapeutique (décision quant à un traitement, suivi du traitement) ou épidémiologique (dépistage).

CONTRE-INDICATIONS

À titre d'information, et pour certains examens, sont présentés les risques spécifiques associés à la pratique de l'examen lui-même dans des circonstances précises et qui commandent l'abstention ou à tout le moins la plus grande prudence et une surveillance accrue du patient qui aura à subir l'examen.

ENSEIGNEMENT AU PATIENT

Sous cette rubrique sont exposés les renseignements de base à fournir au patient en regard de l'exécution du test ou de l'épreuve, ou qui faciliteront sa collaboration. Dans une perspective plus large, on y trouvera quelques éléments d'information qui peuvent ou qui pourraient, selon les circonstances, aider le patient à mieux comprendre ce qui lui arrive et ainsi bonifier son attitude vis à vis de son problème de santé. Dans la pratique moderne des soins de santé, ce devoir d'informer s'avère de plus en plus évident pour les professionnels qui œuvrent auprès des patients.

PROTOCOLE

Il s'agit des étapes préparatoires à l'examen, telles le prélèvement d'un spécimen, la préparation du patient et la mobilisation des ressources, qui sont habituellement la responsabilité de l'infirmière ou de l'équipe de soins entourant le patient.

Toutes les étapes du protocole, dans leurs moindres détails, ne pourraient pas être présentées dans le cadre d'un ouvrage comme celui-ci ; elles sont seulement évoquées, avec insistance, ici et là, sur des aspects importants en vue du succès de l'examen. De plus, les ressources disponibles, les choix matériels et donc les marches à suivre varient d'une institution à l'autre.

SOINS ET SURVEILLANCE APRÈS L'EXAMEN

Certains examens, de par leur nature, nécessitent un suivi plus serré du patient et dans les cas les plus évidents l'objet de cette surveillance accrue est ici noté.

COMPLICATIONS POSSIBLES

Aucun examen clinique, même le plus anodin, n'est dans l'absolu sans risque. Dans les cas de risque évident de complications, celles-ci sont notées, ainsi que les indications pour une surveillance accrue.

Table des matières analytique

BIOCHIMIE

HÉMATOLOGIE

IMAGERIE MÉDICALE

MICROBIOLOGIE ET SÉROLOGIE

MÉDECINE NUCLÉAIRE

Acide delta-aminolévulinique – Urine

VALEURS DE RÉFÉRENCE
10-60 µmol/24 h

RÉSULTATS ANORMAUX
⇑ Porphyries (dont la porphyrie hépatique congénitale), intoxication au plomb ; aussi : hépatite, alcoolisme, diabète

FACTEURS AFFECTANT LES RÉSULTATS
Mauvaise technique de collecte et de préservation des urines ; retard à acheminer les urines au laboratoire, certains médicaments

L'acide delta-aminolévulinique est un précurseur métabolique des porphyrines de l'hémoglobine, de la myoglobine et des cytochromes et sa présence est augmentée dans l'urine dans certaines porphyries (voir Porphyrines) ainsi que dans l'intoxication au plomb. (Les porphyrines sont les précurseurs de l'hème, qui est la portion non protéique de l'hémoglobine, de la myoglobine et des cytochromes.)

INTÉRÊT CLINIQUE
Diagnostic des porphyries, des maladies hépatiques, de l'intoxication au plomb

ENSEIGNEMENT AU PATIENT
Expliquer au patient que ce test sert à déceler un trouble de la formation de l'hémoglobine ou à détecter une intoxication au plomb. Le patient devra se prêter à une collecte des urines de 24 heures. Expliquer la technique au patient, en insistant sur la nécessité d'un prélèvement propre et sans contamination.

PROTOCOLE
Procéder à la collecte des urines de 24 heures. Maintenir les spécimens ou le sac de drainage urinaire sur de la glace et protéger les spécimens ou le sac de la lumière ; un préservatif est recommandé : ajouter 25 ml d'acide acétique à 50 % pour acidifier le pH ; de préférence utiliser des récipients opaques. Expédier au laboratoire dès la période de 24 heures passée.

Acide folique (folates) – Sang

L'acide folique est une vitamine présente dans l'alimentation (foie, rognons, levures, œufs, épinards, lait) qui, comme la vitamine B_{12}, est nécessaire à la production de quantités suffisantes de globules rouges fonctionnels. Sans cette substance, les globules rouges sont gros, sphériques (mégalocytes) et diminués dans leur fonction de transporteurs d'oxygène. On parle alors d'anémie mégaloblastique, anémie se traduisant par des globules rouges de grande taille.

L'acide folique est également nécessaire à la production des leucocytes, au métabolisme des acides nucléiques et à la croissance.

Pour un niveau sanguin adéquat d'acide folique, il faut qu'il soit présent en quantités suffisantes dans l'alimentation et que son absorption par la muqueuse intestinale soit adéquate.

INTÉRÊT CLINIQUE
Diagnostic différentiel des anémies

ENSEIGNEMENT AU PATIENT
Expliquer, si nécessaire, que l'acide folique est essentiel à la formation de globules rouges fonctionnels. Le test requiert un prélèvement sanguin et le patient doit être à jeun 8 heures auparavant et s'abstenir d'alcool.

PROTOCOLE
Prélever du sang veineux dans un tube de 5 ou 7 ml à bouchon rouge ou doré. Protéger le tube de la lumière vive et expédier immédiatement au laboratoire.

Acide lactique – Sang

VALEURS DE RÉFÉRENCE
0,5 – 2,2 mmol/l

RÉSULTATS ANORMAUX
⇑ Ischémie/hypoxie tissulaire, empoisonnement au monoxyde de carbone, diabète sucré, dysfonction hépatique, intoxication à l'alcool éthylique ou à l'alcool méthylique, maladie métabolique

FACTEURS AFFECTANT LES RÉSULTATS
⇑ Fortes doses d'acétaminophène, d'aspirine, d'alcool, activité physique intense

'acide lactique est le produit de la dégradation du glucose en absence d'oxygène. Dans des conditions normales d'oxygénation, les cellules métabolisent le glucose en $CO_2 + H_2O$, avec production de grandes quantités d'énergie. En absence ou en déficience d'oxygène (hypoxie), cette réaction est avortée, avec production d'acide lactique et accumulation de ce produit acide dans le sang: c'est l'acidose lactique.

INTÉRÊT CLINIQUE
Déterminer la cause d'une acidose métabolique

ENSEIGNEMENT AU PATIENT
Expliquer que ce test permet de vérifier le degré d'oxygénation des tissus. Aucun jeûne pré-test n'est nécessaire, mais le patient devra rester au repos une heure avant le test.

PROTOCOLE
Prélever du sang veineux dans un tube de 5 ou 7 ml à bouchon vert ou gris. Demander au patient d'éviter de fermer le poing durant le prélèvement et ne laisser le garrot serré que le temps qu'il faut.

Acide 5–hydroxyindole acétique – Urine

L'acide 5–hydroxyindole acétique est un produit du métabolisme de la sérotonine. Certaines tumeurs dites carcinoïdes, à l'état avancé, produisent de grandes quantités de sérotonine et d'autres neurohormones responsables du syndrome carcinoïde, avec élévation notoire de l'acide 5–hydroxyindole acétique dans les urines de 24 heures. Ces carcinoïdes s'installent aux sites des cellules entérochromaffines de la paroi du tube digestif, de la trachée, des bronches, des canaux pancréatiques et des canaux hépatiques.

INTÉRÊT CLINIQUE
Détection, confirmation de tumeurs carcinoïdes et suivi du traitement

ENSEIGNEMENT AU PATIENT
Si nécessaire, expliquer que ce test sert à déceler la présence de tissus producteurs de sérotonine, substance possiblement responsable des malaises du patient. Il y aura collecte des urines de 24 heures; expliquer la technique de collecte s'il y a lieu; le patient doit éviter de consommer, 48 heures avant le prélèvement, les aliments suivants: avocat, banane, aubergine, ananas, tomate, noix de grenoble, pruneaux, kiwis.

PROTOCOLE
Instaurer la collecte des urines de 24 heures. Maintenir les urines sous agent de conservation (25 ml d'acide acétique à 50% pour ajuster le pH à 2,0–4,0) et au froid. Expédier au laboratoire dès la période de collecte terminée.

Acide urique – Sang

*L'*acide urique est une substance azotée issue du catabolisme des purines, qui sont des constituants des acides nucléiques tels l'ADN. Il y a dans l'organisme un roulement constant D'ADN (synthèse, dégradation), qui est normal. L'acide urique issu de la dégradation de l'ADN est normalement excrété par le rein, ce qui maintient sa présence dans le sang à un niveau normal.

Une augmentation de la concentration sanguine de l'acide urique (hyperuricémie) peut donc résulter de sa surproduction (augmentation du catabolisme des acides nucléiques) ou de sa mauvaise excrétion par le rein. Différentes autres causes, mal comprises, peuvent occasionner l'hyperuricémie. Ainsi, une forme fréquente d'hyperuricémie, la goutte, est probablement associée au régime alimentaire, mais aussi à d'autres causes que l'on explique mal.

INTÉRÊT CLINIQUE

Goutte, dysfonction rénale, autres

ENSEIGNEMENT AU PATIENT

Expliquez au patient ce qu'il en est, au besoin. Dites-lui que l'épreuve nécessite une ponction veineuse et qu'il doit, ou non, être à jeun, selon les instructions du laboratoire.

PROTOCOLE

Prélevez du sang veineux dans une éprouvette de 5 ou 7 ml à bouchon rouge, jaune ou tigré. Manipulez l'échantillon doucement pour éviter l'hémolyse.

Acide urique – Urine

L'acide urique est une substance azotée issue du catabolisme des purines, qui sont des constituants des acides nucléiques tels l'ADN. Il y a dans l'organisme un roulement constant d'ADN (synthèse, dégradation), qui est normal. L'acide urique issu de la dégradation de l'ADN est normalement excrété par le rein, ce qui maintient sa présence dans le sang à un niveau normal.

La concentration urinaire de l'acide urique (uricosurie) dépend des effets combinés de sa concentration dans le sang et de son degré d'élimination au rein. Elle est donc associée aux facteurs causant l'uricémie (voir Acide urique – sang). De plus, une grande quantité d'acide urique dans le filtrat rénal peut causer l'apparition de cristaux (des «pierres», de taille plus ou moins importante) au rein ou ailleurs dans le tractus urinaire; c'est ce que l'on craint notamment dans les cas de goutte. Le risque d'apparition de ces cristaux est d'autant plus élevé que le pH de l'urine est bas (acide).

INTÉRÊT CLINIQUE
Investigation et suivi de patients ayant des calculs rénaux

ENSEIGNEMENT AU PATIENT
Expliquer au patient l'intérêt que présente le dosage urinaire de l'acide urique. Expliquez la technique du prélèvement des urines de 24 heures. Le patient n'a pas à se priver de boire ni de manger.

PROTOCOLE
Instaurez la technique du prélèvement des urines de 24 heures: le sujet doit d'abord vider sa vessie, après quoi les prélèvements se font systématiquement sur une période de 24 heures; régler les détails de la collecte.

Indiquer sur le contenant et sur la formule du laboratoire l'heure de la première collecte. Expédier l'urine au laboratoire sans tarder. NB: il peut être important d'acidifier l'urine avec 25 ml d'acide acétique à 50%; vérifier auprès du laboratoire.

ACTH (Corticotrophine) – Sang

VALEURS DE RÉFÉRENCE

2, 2–13, 2 pmol/l

RÉSULTATS ANORMAUX

⇑ Hyperadrénalisme (Cushing) d'origine hypophysaire

Hypoadrénalisme (Addison): il y a hyperproduction d'ACTH par l'hypophyse
en réponse à un faible taux de cortisol

⇓ Hypoadrénalisme d'origine hypophysaire

Hyperplasie des surrénales

FACTEURS AFFECTANT LES RÉSULTATS

⇑ Stress, dépression, lithium

⇓ Médication (stéroïdes et autres)

'ACTH (*AdrenoCorticoTropic Hormone*), ou corticotrophine, est une hormone produite par l'hypophyse qui agit sur le cortex des glandes surrénales et y stimule la production de cortisol (principalement). Le cortisol ainsi produit agit sur le métabolisme des glucides, des lipides et des protides.

Le dosage de cette hormone sert à comprendre l'origine d'un dysfonctionnement des glandes surrénales, et en particulier les deux grands syndromes impliqués: le syndrome de Cushing (hyperadrénalisme) et le syndrome d'Addison (hypoadrénalisme).

Il importe de noter que chez les sujets normaux l'ACTH est déversée dans le sang selon un rythme circadien, avec un pic le matin et un creux en fin d'après-midi. Chez les sujets atteints à l'hypophyse ou aux surrénales, ce rythme disparaît.

L'ACTH est produite par l'hypophyse sous l'effet d'une substance hypothalamique, l'ACTH-RF (*AdrenoCorticoTropic Hormone Releasing Factor*); la production d'ACTH s'ajuste à la baisse à l'accumulation de cortisol dans le sang, créant une boucle de rétroaction:

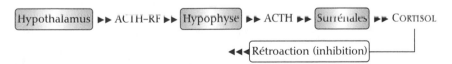

Il est donc fréquent d'observer une surproduction d'ACTH dans les cas où il y a déficience ou absence de fonction surrénalienne.

INTÉRÊT CLINIQUE

Diagnostic différentiel et suivi de l'hyperadrénalisme et de l'hypoadrénalisme. Investigation d'une pathologie de l'hypophyse; distinguer entre hypocorticismes primaire et secondaire.

ENSEIGNEMENT AU PATIENT

Expliquer si demandé que l'ACTH est une hormone régulatrice de l'activité métabolique et que ce test mesure la fonction de deux glandes importantes, l'hypophyse et les surrénales. Le patient devra subir une ponction veineuse.

PROTOCOLE

Prélever du sang veineux dans un tube de 5 ou 7 ml à bouchon lavande et mettre sur glace. Expédier immédiatement au laboratoire.

ADH, ou hormone antidiurétique, ou vasopressine – Sang

VALEURS DE RÉFÉRENCE
0–5 µmol/l

RÉSULTATS ANORMAUX
⇑ Syndrome de sécrétion inappropriée d'ADH de diverses origines

⇓ Diabète hypophysaire

Normal, mais avec signes de diabète insipide : diabète insipide rénal (par indif–férence des tubules à la présence d'ADH)

FACTEURS AFFECTANT LES RÉSULTATS
Stress et douleur (⇓), bière et café (⇓), médication, examen récent aux radio-isotopes

*L'*ADH (*AntiDiuretic Hormone*) est une neurohormone fabriquée par des neu-rones de l'hypothalamus et libérée au niveau de l'hypophyse. Elle exerce son action sur le rein où elle favorise la réabsorption tubulaire de la plus grande partie de l'eau perdue au glomérule, rendant ainsi le filtrat urinaire plus concen-tré et moins volumineux, c'est à dire de l'urine à proprement parler. C'est donc une hormone «antidiurétique» en ce qu'elle a pour effet de diminuer le volume urinaire. C'est donc aussi une hormone hypervolémiante, en ce qu'elle favorise la retenue d'eau par le sang. Par ailleurs, l'ADH augmente le tonus des fibres mus-culaires lisses de la paroi des petites artères, engendrant une augmentation de la pression sanguine (d'où le nom de «vasopressine»).

La production d'ADH par les neurones hypothalamiques est stimulée par une augmentation de l'osmolalité du sang (sang trop concentré) et inhibée par une baisse de l'osmolalité du sang (sang trop dilué), créant ainsi une boucle de rétroaction :

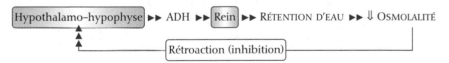

Notons que ce mécanisme de régulation est quelquefois brisé, dans certains cas de dysfonction rénale, alors que les cellules tubulaires du rein ne répondent plus au signal de l'ADH. Par ailleurs, des incidents survenant au cerveau peuvent affecter directement le centre hypothalamique producteur d'ADH : stress, tumeurs, inflammation, etc.

INTÉRÊT CLINIQUE
Diagnostic différentiel du diabète insipide (hypophysaire ou rénal), syndrome de sécrétion inappropriée d'hormone antidiurétique (SIADH) ; cette épreuve perd de sa vogue et a tendance à être remplacée par l'étude de l'osmolalité urinaire (voir Osmolalité – urine).

ENSEIGNEMENT AU PATIENT

Expliquer que ce test permet de comprendre le fonctionnement de l'hypophyse et de ses dérangements possibles. Le test nécessite une prise de sang. Le patient devra s'abstenir de nourriture et d'activité physique 10 heures avant le prélèvement.

PROTOCOLE

Prélever du sang veineux dans un tube de plastique à bouchon rouge. Expédier immédiatement au laboratoire.

Agglutinines froides – Sang

RÉSULTATS NORMAUX
Négatif

RÉSULTATS POSITIFS
Pneumonie primaire atypique, maladie des agglutinines froides, cancer lymphoréticulaire; aussi: mononucléose infectieuse, cytomégalovirus, myélome multiple, sclérodermie, syphilis, malaria, cirrhose, influenza.

FACTEURS AFFECTANT LES RÉSULTATS
Grossesse, conservation au froid de l'échantillon, médication

Les agglutinines froides ou cryoagglutinines sont des autoanticorps dirigés contre la membrane des globules rouges; ils en provoquent l'agglutination puis l'hémolyse. Ces agglutinines sont dites froides parce qu'elles agissent à des températures de moins de 37 °C (T° optimale entre 0 °C et 10 °C).

Ces agglutinines froides sont présentes en petites quantités chez un sujet normal. On en observe des élévations temporaires lors de certaines maladies infectieuses, notamment la pneumonie primaire atypique, une maladie due à une bactérie, *Mycoplasma pneumoniae.*

Les personnes ayant tendance à fabriquer ces agglutinines froides risquent de développer de l'anémie hémolytique chronique (maladie de Waldenström, ou maladie des agglutinines froides).

NB: Ne pas confondre agglutinines froides (cryoagglutinines) et cryoglobulines – voir cette épreuve)

INTÉRÊT CLINIQUE
Diagnostic de la pneumonie primaire atypique, de la maladie des agglutinines froides

ENSEIGNEMENT AU PATIENT
Expliquer au patient que ce test détecte des substances produites en cas de pneumonie et d'anémie. Le test nécessitera une ou plusieurs prises de sang à quelques jours d'intervalle. Le patient n'a pas à se priver de boire ni de manger avant les prélèvements.

PROTOCOLE
Prélever du sang veineux dans un tube de 5 ou 7 ml à bouchon rouge pré-chauffé à 37°. Éviter l'hémolyse. Ne pas réfrigérer! Expédier immédiatement au laboratoire.

Alanine aminotransférase, ou ALT – Sang

L'alanine aminotransférase est une enzyme du cycle de Krebs, que l'on s'attend donc à trouver partout, notamment dans les muscles squelettiques, dans le muscle cardiaque et au rein. Cependant, c'est au niveau du tissu hépatique qu'il s'en produit le plus et une augmentation de la concentration sérique de cette enzyme est presque toujours due à un problème hépatique. Cliniquement, l'ALT est essentiellement un marqueur de nécrose hépato–cellulaire.

INTÉRÊT CLINIQUE

Cet examen est indiqué dans l'investigation de maladies hépatiques telles l'hépatite virale, la mononucléose infectieuse, l'hépatite alcoolique, l'hépatite d'origine médicamenteuse, l'obstruction biliaire, les tumeurs.

ENSEIGNEMENT AU PATIENT

Expliquer au patient que ce test sert à étudier son foie. Il devra se soumettre à une ponction veineuse mais n'aura pas à se priver de boire ni de manger avant le prélèvement.

PROTOCOLE

Prélever du sang veineux dans un tube de 5 ou 7 ml à bouchon rouge ou doré. Expédier le spécimen au laboratoire.

Aldostérone – Sang, urine

L'aldostérone est une hormone produite par le cortex des glandes surrénales. Sa sécrétion est contrôlée par le système rénine–angiotensine du rein (voir Rénine) : la rénine, produite par l'effet d'une baisse du sodium et de la pression sanguine, stimule la production d'aldostérone.

L'effet principal de l'aldostérone est de favoriser la rétention de sodium au rein, et par voie de conséquence la rétention d'eau dans le sang, le tout produisant une augmentation de la pression sanguine. Pour compenser la rétention de sodium, le sang cède du potassium au rein. En résumé, les effets principaux de l'aldostérone sur le sang sont :

$$⇑ Na, ⇓ K, ⇑ H_2O, ⇑ Pression$$

L'hyperaldostéronisme primaire est habituellement dû à une tumeur du cortex surrénalien. L'hyperaldostéronisme secondaire peut être dû à une hypovolémie, à une hyponatrémie ou à des dysfonctions rénales, hépatiques, cardiaques, qui ont pour effet de stimuler le système rénine–angiotensine.

INTÉRÊT CLINIQUE

Investigation de sujets montrant des signes d'hyperaldostéronisme primaire ou secondaire : hypertension, hypokaliémie, etc.

ENSEIGNEMENT AU PATIENT

Expliquer au patient que ce test sert à vérifier la fonction de ses glandes surrénales. Lui donner clairement les consignes diététiques et médicamenteuses prescrites s'il y a lieu. Il aura à rester dans une position couchée (ou debout, selon le cas) deux heures avant le prélèvement.

Test urinaire
Une collecte des urines de 24 heures est nécessaire; enseigner au patient comment l'effectuer

Test sanguin
Le test nécessite une prise de sang et le patient n'a pas à être à jeun.

PROTOCOLE

Test urinaire
Procéder à la collecte des urines de 24 heures puis y ajouter un agent de conservation (25 ml d'acide acétique à 50%) et mettre sur de la glace; expédier au laboratoire sans délai dès la fin de la collecte.

Test sanguin couché
Pour un test couché, le patient reste couché deux heures avant le prélèvement. Prélever du sang veineux dans un tube à bouchon rouge ou doré; indiquer sur le tube «couché».

Test sanguin debout
Pour un test debout, le patient reste debout deux heures avant le prélèvement. Prélever du sang veineux dans un tube à bouchon rouge ou doré; indiquer sur le tube «debout».

(Si un test couché et un test debout sont demandés, faire le test couché d'abord, puis le test debout, quelques heures plus tard)

Alpha$_1$-antitrypsine, ou ATT – Sang

VALEURS DE RÉFÉRENCE
1,26–2,26 g/l

RÉSULTATS ANORMAUX

⇑ Processus inflammatoires et infection

⇓ Risque d'emphysème pulmonaire, emphysème pulmonaire familial, syndrome néphrotique, malnutrition, certaines cirrhoses hépatiques

FACTEURS AFFECTANT LES RÉSULTATS

⇑ Grossesse, contraceptifs oraux, stéroïdes, tabac, non–observance du jeûne de 8 heures

L'alpha$_1$-antitrypsine est une protéine fabriquée au foie. Cette protéine est un puissant inhibiteur des protéases, inhibant l'activité de la trypsine, et aussi de l'élastase au niveau des tissus, par exemple. L'absence ou la diminution d'alpha$_1$-antitrypsine laisse libre cours à l'élastase, entraînant des dégâts tissulaires plus ou moins importants, particulièrement au poumon. Cette protéine est quantitativement importante puisqu'elle constitue 90% des alpha$_1$-globulines mesurées à l'électrophorèse des protéines sériques.

Son absence ou sa déficience prédispose à l'emphysème pulmonaire; cette déficience est souvent familiale (hérédité liée au chromosome 14); elle peut aussi être acquise: c'est le cas de sujets dont la protéinémie est diminuée: malnutrition, syndrome néphrotique, maladies hépatiques et syndrome de détresse respiratoire du nouveau-né.

Son absence ou sa déficience est également liée à certaines formes de cirrhose hépatique, pour des raisons que l'on connaît mal.

Par ailleurs, l'alpha$_1$-antitrypsine sanguine augmente en cas d'inflammations aiguës ou chroniques, de nécrose tissulaire ou d'infections graves.

INTÉRÊT CLINIQUE

Dépistage de la prédisposition à l'emphysème; diagnostic de l'emphysème précoce ou familial. Des alpha$_1$-globulines diminuées, à l'électrophorèse des protéines, sont aussi une indication presque certaine de déficience d'alpha$_1$-antitrypsine.

ENSEIGNEMENT AU PATIENT

Expliquer que ce test sert à mesurer les risques d'emphysème. Une prise de sang sera nécessaire.

PROTOCOLE

Prélever du sang veineux dans un tube de 5 ou 7 ml à bouchon rouge. Voir à éviter l'hémolyse et expédier le spécimen au laboratoire dès que possible.

Ammoniac sanguin ou ammoniémie

VALEURS DE RÉFÉRENCE
11–35 µmol/l

RÉSULATS ANORMAUX
⇑ Cirrhose, coma hépatique, hémorragie digestive, syndrome de Reye, certaines maladies métaboliques héréditaires

FACTEURS AFFECTANT LES RÉSULTATS
Hémolyse de l'échantillon, délai dans le transport, médicaments

L'ammoniac de l'organisme résulte de l'action des bactéries intestinales sur les protéines alimentaires ainsi que du métabolisme des acides aminés. Cet ammoniac est traité au foie, où il se transforme en urée, qui sera excrétée au rein.

Si le foie est dysfonctionnel ou que la circulation du sang y est obstruée, le traitement de l'ammoniac y sera diminué et sa concentration dans le sang augmentera. Le premier organe qui en souffrira est le cerveau, entraînant des troubles neurologiques à divers degrés : c'est l'encéphalopathie d'origine hépatique, ou encéphalopathie hépatique. Une forme particulière d'encéphalopathie hépatique est le syndrome de Reye, marqué également par une augmentation de l'ammoniémie.

INTÉRÊT CLINIQUE
À toutes fins utiles, le dosage de l'ammoniémie sert au diagnostic de l'encéphalopathie hépatique et de la maladie de Reye.

ENSEIGNEMENT AU PATIENT
Expliquer que ce test sert à suivre l'évolution d'une maladie hépatique et de son traitement. Il y aura prélèvement de sang mais le jeûne pré-test n'est pas obligatoire.

PROTOCOLE
Prélever du sang veineux dans un tube à bouchon vert. Éviter l'hémolyse. Mettre le spécimen dans de la glace et l'expédier immédiatement au laboratoire.

Amylase totale – Sang, urine

VALEURS DE RÉFÉRENCE
Les normales varient beaucoup d'un laboratoire à l'autre et sont exprimées en U/l (unités par litre).

RÉSULTATS ANORMAUX

Sang

⇑ Pancréatite: l'amylase sérique augmente typiquement dans les 4 à 12 heures suivant le début d'une pancréatite aiguë et revient à la normale dans les deux ou trois jours

   Parotidite (oreillons)

Urine

Sauf exception, l'amylase urinaire suit l'amylase sérique. Il est utile de rappeler que suite à une pancréatite aiguë, l'amylase urinaire augmente plus tard que l'amylase sérique mais demeure élevée plus longtemps.

FACTEURS AFFECTANT LES RÉSULTATS

⇑ Consommation d'alcool dans les 24 heures précédant le test

   Médicaments: salicylates, hormones corticostéroïdiennes, contraceptifs oraux, diurétiques, certains antibiotiques, narcotiques, prednisone

   Chirurgie abdominale récente

⇓ Solutés glucosés, diabète sucré, lipides sériques élevés

'amylase est une enzyme qui digère l'amidon et le glycogène (des polysaccharides) en glucose, un sucre simple et assimilable.

Elle est sécrétée dans la bouche par les glandes salivaires et dans le petit intestin par le pancréas. Chez l'individu normal, cette enzyme demeure à l'intérieur du tube digestif, quoiqu'une petite quantité se retrouve aussi dans le sang circulant.

S'il y a inflammation du tissu pancréatique (pancréatite) ou des glandes salivaires (parotidite), des quantités inhabituelles de l'enzyme gagnent la circulation sanguine. D'autres pathologies peuvent augmenter l'amylase sérique: ulcère perforé de l'intestin, chocs abdominaux, dysfonction rénale, etc.

Les méthodes biochimiques courantes dosent l'amylase sanguine totale, c'est à dire l'amylase d'origine pancréatique et l'amylase d'origine salivaire.

Le dosage de l'amylase urinaire sert surtout dans les cas où l'on soupçonne une macroamylasémie, c'est à dire une situation où une partie de l'amylase sérique est liée à un anticorps, formant un complexe moléculaire trop volumineux pour être filtré au rein: dans ce cas, en principe, l'amylase sanguine augmente et l'amylase urinaire reste normale.

INTÉRÊT CLINIQUE
Douleurs abdominales, pancréatite, cancer du pancréas

ENSEIGNEMENT AU PATIENT

Expliquer au patient que ce test aide à déterminer l'origine de douleurs abdominales. Le test nécessite une ponction veineuse mais le patient n'a pas à se priver de boire ni de manger, devant seulement s'abstenir de prendre de l'alcool.

PROTOCOLE

Sang

Prélever du sang veineux dans un tube de 5 ou 7 ml à bouchon rouge.

Urine

Si l'amylase urinaire est demandée, elle se fait sur l'urine des 24 heures.

NOTES SUR LES VALEURS DE RÉFÉRENCE

Lorsque les résultats d'un examen sont exprimés sous forme quantitative, on les confronte à des valeurs dites de référence. Celles-ci représentent des moyennes ou des marges à l'intérieur desquelles se retrouvent la majorité des individus sans problème spécifique en regard de l'examen ou du test en question. Ce sont des données auxquelles on compare les résultats de l'examen en vue de son interprétation.

Cependant, ces valeurs de référence peuvent varier: 1) d'une méthode d'analyse à l'autre, 2) d'un laboratoire à l'autre, 3) d'une population à l'autre.

De plus, elles peuvent être exprimées de façons différentes d'une institution à l'autre, bien que l'on tende aujourd'hui à la plus grande uniformité possible.

Ces valeurs de référence, que l'on appelle aussi à tort «résultats normaux», ne sont suggérées dans cet ouvrage qu'à titre indicatif.

Il faut donc prendre la précaution essentielle de comparer les résultats des tests aux valeurs de référence fournies par le laboratoire et non à celles suggérées dans cet ouvrage.

Analyse d'urine de routine

RÉSULTATS NORMAUX TYPIQUES

Analyse macroscopique

Couleur: jaune, de très pâle à ambré, selon la densité
Turbidité: aucune ou légère: l'urine est habituellement transparente
Odeur: légère, sans caractère particulier
Densité: 1,005 à 1,030
pH: 4,5 à 8,0
Protéines: nég.
Glucose: nég.
Corps cétoniques: nég.
Bilirubine: nég.
Urobilinogène: petites quantités
Hémoglobine: nég.

Analyse microscopique (au 400X)

Globules rouges: 0-3
Globules blancs: 0-4
Cellules épithéliales: nég. ou très peu
Cylindres: 0-1
Cristaux:-nég. ou peu
Bactéries: nég.
Levures: nég.
Parasites: nég.

ÉCARTS NORMAUX ET PATHOLOGIQUES

Couleur: Rouge: sang venant des voies urinaires, anémie hémolytique, médica-
ments, betteraves
Orangé: médicaments
Jaune foncé: bilirubine, médicaments, carottes
Jaune vif: vitamines (complexe B)
Brun: atteinte hépatique, sang venant du rein, médicaments, rhubarbe
Bleu-vert: bleu de méthylène

Turbidité: Normale: due à des cristaux d'urates ou de phosphates, ou à des
graisses (lié au régime alimentaire)
Pathologique: due à la présence de pus (infection), de sang (atteinte
des voies urinaires), de bactéries (infection)

Odeur: Odeur d'acétone (cétoacidose diabétique), de sirop d'érable (leucinose),
odeur fétide, nauséabonde (infection urinaire), odeur fécale (fistule
entéro-cystique), odeur d'herbe coupée (asperges), d'ammoniac (vieille
urine)

Densité: ⇓ Maladies rénales chroniques, surhydratation, bière, café
⇑ Syndrome néphrotique, hypovolémie

pH: ⇑ Alcalose respiratoire ou métabolique, acidose tubulaire rénale, infection
urinaire, syndrome de Fanconi, alimentation de type végétarien, certains
médicaments dont les diurétiques
⇓ Acidose respiratoire ou métabolique, tuberculose rénale, régime alimentaire
riche en viandes

Protéines (albumine): Atteintes glomérulaires (dont le syndrome néphrotique), diabète sucré, myélome multiple, stress intense, sécrétions vaginales mêlées à l'urine, médicaments

Glucose: Diabète sucré, phéochromocytome, Cushing, repas riche en sucres

Corps cétoniques: Diabète sucré, alcoolisme, jeûne prolongé, déficience nutritive, régime sans sucre, régime riche en protéines, médicaments

Bilirubine: Atteinte hépatique

Urobilinogène: Hémolyse

Hémoglobine: Voir globules rouges plus bas

Glogules rouges (> 3): Presque toutes les affections rénales et uro-génitales, lithiases

Globules blancs (> 4): Infections rénales et urinaires

Cellules épithéliales: Dégénérescence tubulaire, nécrose tubulaire aiguë, rejet post-greffe

Cylindres: Pratiquement toutes les affections rénales sont productrices de cylindres: hyalins, granuleux, épithéliaux, graisseux, cireux, cylindres de globules rouges et de globules blancs selon la nature de l'atteinte rénale.
En plus, les maladies suivantes s'accompagnent de production de cylindres: empoisonnement au plomb (granuleux), intoxications aux métaux lourds et à l'éthylène glycol (épithéliaux), fièvre, stress, déficience cardiaque (hyalins), anémie falciforme et lupus (globules rouges), diabète sucré (graisseux et cireux)

Cristaux: Lithiases rénales (selon le type de lithiase), hypercalcémie (oxalate de calcium), certains médicaments

Bactéries: Infection rénale, urinaire ou vaginale

Parasites: Le plus fréquent est *Trichomonas vaginalis* (vaginite, urétrite)

L'urine est le produit de la filtration du sang par les reins. Elle recèle donc de nombreuses indications sur le fonctionnement normal et pathologique de l'organisme. De plus, elle peut fournir de précieux renseignements sur l'état du système urinaire lui-même: reins, conduits urinaires, vessie, urètre. L'analyse de routine comprend de nombreux tests et observations faciles à réaliser et peu coûteux, et qui peuvent mettre sur la piste d'investigations plus poussées.

INTÉRÊT CLINIQUE

L'analyse d'urine de routine sert principalement au dépistage et au diagnostic de pathologies rénales et urinaires.

ENSEIGNEMENT AU PATIENT

Expliquer si nécessaire à quoi sert l'analyse d'urine de routine. Enseigner la technique du mi-jet.

PROTOCOLE

Recueillir ou demander au patient de recueillir un spécimen mi-jet d'environ 10 ml, de préférence le matin au lever. Si nécessaire, expliquer la technique du mi-jet. Le patient n'a pas à être à jeun, ni à se priver de boire avant le prélèvement. Réfrigérer le spécimen s'il n'est pas acheminé immédiatement au laboratoire.

Androstènedione – Sang

L'androstènedione est une hormone produite par les surrénales, les testicules et les ovaires, et qui peut se convertir en testostérone et autres hormones masculinisantes.

Une tumeur ou une hyperplasie ovarienne ou surrénalienne produit souvent de grandes quantités de cette substance, ce qui se traduit par un excès de testostérone. Chez la femme, cet excès d'hormone masculinisante peut entraîner des dérangements du cycle menstruel, de l'endométriose, de l'hirsutisme et la stérilité. Chez la fillette, il cause des altérations des caractères sexuels secondaires pouvant aller jusqu'à des formes de pseudohermaphrodisme; chez le garçon on note une puberté précoce.

Les femmes atteintes du syndrome de Cushing et du syndrome de Stein-Leventhal (ovaires polykystiques) auront aussi souvent un taux d'androstènedione élevé.

INTÉRÊT CLINIQUE
Troubles du développement sexuel, troubles menstruels, ovariens, surrénaliens

ENSEIGNEMENT AU PATIENT
Expliquer à la patiente, au patient, aux parents, que ce test sert à trouver la source des symptômes observés. Le test nécessite un prélèvement intraveineux, sans jeûne préalable nécessaire.

PROTOCOLE
Prélever du sang veineux dans un tube de 5 ou 7 ml à bouchon rouge. Identifier et expédier immédiatement au laboratoire.

Angiographie cérébrale

IMAGES PATHOLOGIQUES POSSIBLES

Affections au niveau des vaisseaux proprement dits : thrombose, sclérose, anévrisme, sténose, occlusion, malformation artério–veineuse

Déplacements vasculaires : tumeur, abcès, hématome, malformations, méningiome

L'angiographie cérébrale est une épreuve consistant à examiner aux rayons X les gros vaisseaux du cerveau après injection d'un opacifiant radiologique à base d'iode. Les vaisseaux en cause sont les artères carotides et vertébrales et leurs ramifications, jusqu'au niveau des artères de petite taille ; peu de temps après l'injection du colorant, le réseau veineux est visible également. L'injection de l'iode se fait par cathétérisme artériel et le cathéter est habituellement acheminé par l'artère fémorale (mais aussi parfois par l'artère humérale).

La méthode suppose l'installation d'une ligne intra–veineuse périphérique et d'une ponction artérielle au niveau inguinal, précédée d'une anesthésie locale

INDICATIONS

Identification de problèmes affectant directement les artères (anévrisme, thrombose, constriction, occlusion, malformation artério–veineuse) ; tumeur, suivi post-opératoire, vasospasmes.

ENSEIGNEMENT AU PATIENT

Expliquer la pertinence de cette épreuve compte tenu de la situation particulière du patient. En exposer le déroulement. Un anesthésique local lui sera administré au site d'installation du cathéter.

Le prévenir des effets possibles de l'injection de l'opacifiant à base d'iode : sensation de chaleur au moment de l'injection, légère céphalée, goût salin ou métallique au niveau de la bouche, nausée légère après l'injection. Un exposé détaillé des risques et bénéfices lui sera fait au service de radiologie et on lui demandera un consentement écrit.

L'examen sera passé au service de radiologie ; il nécessite un jeûne depuis minuit la veille et il peut durer au delà d'une heure.

PROTOCOLE

L'examen est effectué par l'équipe du service de radiologie (voir plus haut).

Préparer le patient en fonction des directives du service de radiologie. Le patient doit être à jeun depuis 8 heures et il doit vider sa vessie avant de se rendre à la salle d'examen.

SOINS ET SURVEILLANCE APRÈS L'EXAMEN

Maintenir le patient alité, le membre injecté immobilisé, et surveiller les signes vitaux pour les six heures suivant l'examen. Surveiller le site d'insertion du cathéter et les signes d'hypersensibilité à l'iode ou à l'anesthésique local.

Angiographie cœliomésentérique

IMAGES PATHOLOGIQUES POSSIBLES

Hémorragies : ulcères, gastrites hémorragiques, rupture œsophagienne,

Traumatismes : effusion de colorant extravasculaire

Néoplasies : carcinoïdes, adénomes, leiomyomes, angiomes, angiocarcinomes (par distorsion ou déplacement des vaisseaux voisins ou par développement de vaisseaux à l'intérieur de ces masses)

Signes d'hypertension portale : réseau veineux portal dilaté, tortueux, développement de veines collatérales

Traumatismes abdominaux : signes vasculaires de rupture de la rate et d'atteintes mécaniques au foie

Atteintes vasculaires comme telles : atrésies, angiodysplasie, occlusions, anévrismes, thrombi, emboli

L'angiographie cœliomésentérique est une épreuve consistant à examiner aux rayons X les vaisseaux abdominaux après injection d'un opacifiant radiologique à base d'iode. Les vaisseaux en cause sont les artères cœliaque, mésentérique supérieure et mésentérique inférieure. L'injection de l'iode se fait par cathétérisme artériel et le cathéter est acheminé par l'artère fémorale vers l'aorte abdominale puis dévié dans l'une ou l'autre de ces trois artères. L'opacifiant, lorsque injecté, colore tout l'arbre artériel en aval de ce point. L'examen de régions plus spécifiques permet des examens encore plus sélectifs (angiographie suprasélective).

La méthode suppose l'installation d'une ligne intra-veineuse périphérique et d'une ponction artérielle au niveau inguinal, précédée d'une anesthésie locale

INDICATIONS

Localisation de zones d'hémorragie, détection de tumeurs, évaluation d'hypertension portale, évaluation de dommages suite à un traumatisme, détection d'anomalies vasculaires ; l'examen peut aussi être l'occasion d'interventions au niveau vasculaire telle l'occlusion mécanique ou pharmacologique de sites d'hémorragies.

ENSEIGNEMENT AU PATIENT

Expliquer la pertinence de cette épreuve compte tenu de la situation particulière du patient. En exposer le déroulement. Un anesthésique local lui sera administré au site d'installation du cathéter. Le prévenir des effets possibles de l'injection de l'opacifiant à base d'iode : sensation de chaleur au moment de l'injection, légère céphalée, goût salin ou métallique au niveau de la bouche, nausée légère après l'injection. L'examen sera passé au service de radiologie ; il nécessite un jeûne depuis minuit la veille et il peut durer au delà d'une heure.

PROTOCOLE

L'examen est effectué par l'équipe du service de radiologie (voir plus haut). Préparer le patient en fonction des directives du service de radiologie. Le patient doit normalement être à jeun depuis 8 heures et il doit vider sa vessie avant de se rendre à la salle d'examen.

SOINS ET SURVEILLANCE APRÈS L'EXAMEN

Maintenir le patient alité, la jambe injectée immobilisée, et surveiller les signes vitaux pour les six heures suivant l'examen. Surveiller le site d'insertion du cathéter et les signes d'hypersensibilité à l'iode ou à l'anesthésique local.

NOTES SUR LES FACTEURS AFFECTANT LES RÉSULTATS

La machine humaine étant d'une grande complexité, d'innombrables facteurs peuvent faire dévier ou affecter à la hausse ou à la baisse les résultats d'une épreuve de laboratoire ou d'un examen clinique. Ces facteurs sont liés aux caractéristiques naturelles de l'individu, à des situations pathologiques de base ou à sa médication actuelle ou récente.

D'autres facteurs, liés à l'examen lui-même, peuvent aussi interférer, à un moment ou à un autre : technique de prélèvement en biochimie et en hématologie, technique aseptique en bactériologie, manutention et conservation des spécimens, manipulation au laboratoire, artéfacts en imagerie médicale etc.

Dans cet ouvrage ne sont suggérés qu'un certain nombre de facteurs parmi les plus typiques. Il est particulièrement difficile, entre autres, de tenir compte de tous les médicaments pouvant affecter les résultats des tests et examens, compte tenu de l'évolution rapide de la pharmacologie, des réactions spécifiques à chaque individu, et sans compter que l'on ne peut pas toujours savoir de quels médicaments, exactement, le patient fait ou a fait récemment usage.

Angiographie pulmonaire

IMAGES PATHOLOGIQUES POSSIBLES
Embolie pulmonaire; anomalies de l'arbre vasculaire

L'angiographie pulmonaire consiste à examiner le réseau vasculaire des poumons aux rayons X après injection d'un opacifiant radiologique à base d'iode.

L'injection du colorant se fait par cathéter. Le cathéter est inséré dans la veine fémorale puis acheminé vers l'artère pulmonaire en passant par l'oreillette droite puis le ventricule droit.

Les vaisseaux mis en évidence sont les ramifications de l'artère pulmonaire droite puis de l'artère pulmonaire gauche jusqu'à leurs dernières ramifications avant les bronchioles.

L'examen s'effectue au service de radiologie, sous monitoring cardiaque.

La méthode suppose l'installation d'une ligne intra-veineuse périphérique et d'une ponction veineuse au niveau inguinal, précédée d'une anesthésie locale

INTÉRÊT CLINIQUE

Recherche d'embolie pulmonaire ou d'anomalies du réseau vasculaire pulmonaire

ENSEIGNEMENT AU PATIENT

Expliquer la pertinence de ce type d'examen dans sa situation particulière. Le sujet doit être à jeun 8 heures avant l'examen. L'examen sera effectué au service de radiologie (voir plus haut). Une anesthésie locale au site d'insertion du cathéter sera pratiquée, ainsi qu'un monitoring cardiaque.

Le prévenir des effets possibles de l'injection de l'opacifiant à base d'iode : sensation de chaleur au moment de l'injection, légère céphalée, goût salin ou métallique dans la bouche, nausée légère après l'injection.

PROTOCOLE

L'examen est effectué par l'équipe du service de radiologie (voir plus haut).

Préparer le patient en fonction des directives du service de radiologie. Le patient doit être à jeun depuis 8 heures et il doit vider sa vessie avant de se rendre à la salle d'examen.

SOINS ET SURVEILLANCE APRÈS L'EXAMEN

Maintenir le patient alité, le membre injecté immobilisé, et surveiller les signes vitaux pour les six heures suivant l'examen. Surveiller le site d'insertion du cathéter et les signes d'hypersensibilité à l'iode ou à l'anesthésique local.

Angiographie rénale

IMAGES PATHOLOGIQUES POSSIBLES
- Tumeurs, pseudotumeurs et kystes
- Sténose, dysplasie de l'artère rénale
- Anévrismes
- Fistules artério–veineuses
- Signes d'infarctus rénal (absences localisées de vascularisation)
- Signes d'inflammation, d'abcès
- Traumatismes : signes d'hématomes, de zones d'infarctus

L'angiographie rénale est une épreuve consistant à examiner aux rayons X le réseau vasculaire rénal après injection d'un opacifiant radiologique à base d'iode. Les vaisseaux en cause sont l'artère rénale (droite, puis gauche) et ses embranchements. L'injection de l'iode se fait par cathétérisme artériel et le cathéter est acheminé par l'artère fémorale vers l'aorte abdominale puis dévié dans l'une ou l'autre des deux artères rénales. L'opacifiant, lorsque injecté, colore tout l'arbre artériel en aval de ce point.

La méthode suppose l'installation d'une ligne intra–veineuse périphérique et d'une ponction artérielle au niveau inguinal, précédée d'une anesthésie locale.

INDICATIONS

Détection d'anomalies vasculaires (sténose, thrombi, emboli, anévrismes) causant de l'hypertension réno–vasculaire ; détection de malformations vasculaires, de tumeurs et pseudotumeurs ; suivi d'une transplantation rénale ; documentation de la conformation rénale avant une chirurgie

ENSEIGNEMENT AU PATIENT

Expliquer la pertinence de cette épreuve compte tenu de la situation particulière du patient. En exposer le déroulement. Un anesthésique local lui sera administré au site d'installation du cathéter.

Le prévenir des effets possibles de l'injection de l'opacifiant à base d'iode : sensation de chaleur au moment de l'injection, légère céphalée, goût salin ou métallique au niveau de la bouche, nausée légère après l'injection.

L'examen sera passé au service de radiologie ; il nécessite un jeûne depuis minuit la veille et il peut durer au delà d'une heure.

PROTOCOLE

L'examen est effectué par l'équipe du service de radiologie (voir plus haut).

Préparer le patient en fonction des directives du service de radiologie. Le patient doit normalement être à jeun depuis 8 heures et il doit vider sa vessie avant de se rendre à la salle d'examen.

SOINS ET SURVEILLANCE APRÈS L'EXAMEN

Maintenir le patient alité, la jambe injectée immobilisée, et surveiller les signes vitaux pour les six heures suivant l'examen. Surveiller le site d'insertion du cathéter et les signes d'hypersensibilité à l'iode ou à l'anesthésique local.

Anticorps anticardiolipines – Sang

RÉSULTAT NORMAL
Négatif

RÉSULTAT POSITIF
Lupus érythémateux disséminé, thrombocytopénie, thromboses, risque d'avortements répétés.

FAUX POSITIFS
Personnes âgées, sujets syphilitiques actifs ou anciens

*L*es anticorps anticardiolipines sont trouvés chez environ 40% des patients atteints de lupus érythémateux disséminé et chez certains de ceux qui en manifestent partiellement les symptômes (thrombocytopénie, thromboses, avortements spontanés à répétition). Ces anticorps sont des immunoglobulines G et des immunoglobulines M dirigées contre des phospholipides membranaires tels les cardiolipines.

INTÉRÊT CLINIQUE
Évaluer le risque de thrombose chez les sujets atteints de L.E. ou qui en manifestent partiellement les symptômes; évaluation de patientes présentant des avortements à répétition; patients avec des épisodes de thrombophlébites.

ENSEIGNEMENT AU PATIENT
Expliquer, si demandé, la pertinence de cette épreuve dans la situation clinique du patient. Le patient devra subir un prélèvement intraveineux mais n'aura pas à se priver de manger ni de boire avant le prélèvement.

Anticorps anti–double hélice d'ADN – Sang

VALEURS DE RÉFÉRENCE

Négatif: < 70 U/l

Borderline: 70–200 U/l

Positif: > 200 U/l

RÉSULTATS ANORMAUX

Lupus érythémateux disséminé, arthrite rhumatoïde, mononucléose infectieuse, cirrhose biliaire

FACTEURS AFFECTANT LES RÉSULTATS

Examen aux radioisotopes passé récemment, médication

*C*et anticorps est aussi nommé anticorps anti–ADN ou anti–désoxyribonucléique. C'est un des anticorps décelés dans le groupe des anticorps antinucléaires (voir ce test). L'anticorps anti–ADN est typiquement produit dans le lupus érythémateux disséminé (80% des malades en phase active) mais aussi quelquefois dans d'autres maladies auto–immunes du genre arthrite rhumatoïde ainsi que dans la mononucléose infectieuse, l'hépatite chronique et la cirrhose biliaire.

INTÉRÊT CLINIQUE
Étude et suivi du lupus érythémateux disséminé; suivi du traitement

ENSEIGNEMENT AU PATIENT
Expliquer au patient l'intérêt de ce test; le test nécessite un prélèvement sanguin mais aucun jeûne préalable n'est nécessaire.

PROTOCOLE
Prélever du sang veineux dans un tube de 7 ml à bouchon rouge.

Anticorps antimitochondriaux – Sang

RÉSULTAT NORMAL
Négatif

RÉSULTAT POSITIF
Cirrhose biliaire primitive, syndrome de CREST, autres maladies autoimmunes

*L*es anticorps antimitochondriaux sont des auto-anticorps dirigés contre des lipoprotéines de la membrane des mitochondries (constituants du cytoplasme normal des cellules). On en ignore totalement la signification et il est probable qu'ils n'ont en soi aucun rôle physiopatholologique. Normalement, ces anticorps sont absents ou présents à très faible titre.

INTÉRÊT CLINIQUE
Au delà de 90% des sujets atteints de cirrhose biliaire ont des anticorps antimitochondriaux en quantité notable. Les autres types d'hépatites sont aussi quelquefois accompagnés de ce signe.

ENSEIGNEMENT AU PATIENT
Expliquer au patient que ce test sert à étudier la fonction hépatique, en rapport avec sa maladie. Il y aura prélèvement de sang mais le patient n'a pas à être à jeun.

PROTOCOLE
Prélever du sang veineux dans un tube de 7 ml à bouchon rouge.

Anticorps anti-muscle lisse

RÉSULTAT NORMAL
Négatif

RÉSULTAT POSITIF
Hépatite chronique active

*L*es anticorps anti-muscle lisse sont des auto-anticorps réagissant spécifiquement avec l'actine, une molécule présente dans le muscle lisse et, en moindre quantité, dans le cytoplasme des autres cellules. On ne connaît pas la signification biologique de cet auto-anticorps et aucun mécanisme physiopathologique ne lui est attribué.

INTÉRÊT CLINIQUE
Ce signe clinique accompagne souvent des maladies hépatiques et en premier lieu l'hépatite chronique active ; élimination de l'hépatite autoimmune

ENSEIGNEMENT AU PATIENT
Expliquer au patient que cette épreuve aidera à découvrir l'origine de ses symptômes. Une prise de sang est nécessaire mais le patient n'a pas à être à jeun préalablement.

PROTOCOLE
Prélever du sang veineux dans un tube de 7 ml à bouchon rouge.

Anticorps antinucléaires – Sang

RÉSULTAT NORMAL
Absence d'anticorps antinucléaires

RÉSULTAT POSITIF
Lupus érythémateux disséminé, sclérodermie, syndrome de Sjögren, arthrite rhumatoïde; aussi: polyartérite noueuse, dermatomyosite, hépatite chronique, mononucléose infectieuse, maladie de Raynaud, leucémie, myasténie

*L*es sujets atteints de lupus érythémateux et de certaines autres maladies auto-immunes ou infectieuses forment souvent des anticorps qui se trouvent à être spécifiques aux constituants des noyaux cellulaires humains: ADN, nucléoles, protéines du noyau, etc. et que l'on nomme anticorps antinucléaires. Cette propriété en soi n'est pas nécessairement dommageable mais elle aide à diagnostiquer les maladies en question. L'étude se fait par un examen en microscopie fluorescente de cellules mises en contact avec le sérum du malade.

En plus de mettre en évidence ces anticorps antinucléaires, l'examen au microscope permet de déterminer la spécificité des anticorps (anti-ADN, anti-nucléole, etc.) en examinant le pattern de fluorescence.

INTÉRÊT CLINIQUE
Éliminer un diagnostic de lupus érythémateux disséminé: 95% des L.E. produisent des anticorps antinucléaires; suivre les effets du traitement d'un L.E.; dépistage de la présence d'auto-anticorps.

ENSEIGNEMENT AU PATIENT
Expliquer au patient ce qu'il en est, au besoin. Il y aura prélèvement de sang mais sans jeûne préalable nécessaire.

PROTOCOLE
Prélever du sang veineux dans un tube de 7 ml à bouchon rouge.

Anticorps anti-récepteurs d'acétylcholine – Sang

*L*es anticorps anti-récepteurs d'acétylcholine sont des auto-anticorps dirigés contre les récepteurs musculaires de l'acétylcholine, ce neuromédiateur qui transmet l'influx nerveux aux fibres musculaires squelettiques et déclenche leur contraction. En présence de cet anticorps, les sites récepteurs sont bloqués et ne sont plus stimulés par des décharges d'acétylcholine, causant la faiblesse musculaire caractéristique de la myasthénie grave (aussi appelée myasthénie auto-immune, myasthénie acquise, ou syndrome de Gold–Oppenheim–Goldflam).

INTÉRÊT CLINIQUE
La très vaste majorité des malades atteints de myasthénie grave montrent une augmentation de l'anticorps ; un test positif indique presque toujours une M.G. ; il permet aussi de suivre l'efficacité du traitement aux immunosuppresseurs.

ENSEIGNEMENT AU PATIENT
Expliquer que ce test permet de confirmer la myasthénie grave ou d'en suivre le traitement. Le test nécessite un prélèvement de sang mais le patient n'a pas à se priver de manger ni de boire au préalable.

PROTOCOLE
Prélever du sang veineux dans un tube de 7 ml à bouchon rouge ou doré.

Anticorps anti–RNP, anti–Sm et anti SS (Anti–ENA)

RÉSULTATS NORMAUX
Négatif ou borderline

RÉSULTATS POSITIFS
Anti–RNP: connectivite mixte
Anti–Sm: lupus érythémateux disséminé
Anti–SSA: syndrome de Sjögren ou combinaison de Sjögren et de lupus
Anti–SSB: lupus érythémateux disséminé

*C*es trois auto–anticorps sont dirigés contre des substances spécifiques présentes dans le noyau des cellules: l'anti–RNP est dirigé contre les ribonucléoprotéines, l'anti–Sm est dirigé contre l'antigène de Smith et l'anti–SS (A ou B) est dirigé contre les antigènes du syndrome de Sjögren. On connaît encore mal la signification physiopathologique de ces auto–anticorps mais ils sont plus ou moins spécifiques de l'une ou l'autre des maladies auto–immunes du type lupus et on peut très bien les mettre en évidence par des techniques de titrage immuno-enzymatiques (ELISA).

INTÉRÊT CLINIQUE
Diagnostic différentiel du lupus érythémateux, du syndrome de Sjögren, de la connectivite mixte et de l'arthrite rhumatoïde; suivi de la progression de la maladie

ENSEIGNEMENT AU PATIENT
Expliquer au patient, si nécessaire, que ce test aide à cerner avec précision la cause de sa maladie. Il y aura prise de sang, mais le patient n'aura pas à se priver de boire ni de manger.

PROTOCOLE
Prélever du sang veineux dans un tube de 7 ml à bouchon rouge. Expédier immédiatement le spécimen au laboratoire.

Anticorps antithyroglobuline – Sang

RÉSULTAT NORMAL
Négatif

RÉSULTAT POSITIF
Thyroïdite d'Hashimoto, thyroïdite lymphocytaire chronique, myxoedème maladie de Grave

FACTEURS AFFECTANT LES RÉSULTATS
Les femmes, surtout âgées, et d'autres adultes ont parfois des quantités mesurables d'anticorps anti-thyroglobuline sans signes de thyroïdite

*L*es anticorps anti-thyroglobuline sont des auto-anticorps dirigés contre la thyroglobuline, molécule qui sert à entreposer l'hormone thyroïdienne dans la thyroïde en attendant qu'elle soit relâchée dans le sang. Normalement la thyroglobuline est emprisonnée dans les vésicules de colloïde de la thyroïde et n'en sort pas. Si par irritation de la thyroïde la thyroglobuline apparaît dans le sang, le sujet répond par la production d'anticorps, qui vont causer une inflammation de la thyroïde telle la maladie d'Hashimoto en réagissant avec la thyroglobuline.

INTÉRÊT CLINIQUE
Les personnes atteintes de la thyroïdite d'Hashimoto et de la thyroïdite lymphocytaire chronique sont positives à ce test dans une proportion importante, bien que ces anticorps ne soient pas absolument spécifiques à ces deux maladies.

ENSEIGNEMENT AU PATIENT
Expliquer au patient que ce test sert à expliquer des troubles de la thyroïde. Un prélèvement de sang sera nécessaire mais le sujet n'a pas à être à jeun.

PROTOCOLE
Prélever du sang veineux dans un tube de 7 ml à bouchon rouge.

Antigène prostatique spécifique (APS, PSA) – Sang

VALEURS DE RÉFÉRENCE
< 4 µg/l (peut dépasser cette valeur après 60 ans, jusqu'à atteindre 7 µg/l)

RÉSULTATS ANORMAUX
⇑ Prostatite, hypertrophie bénigne de la prostate, cancer de la prostate, métastases prostatiques

FACTEURS AFFECTANT LES RÉSULTATS
Examen rectal récent, manipulation prostatique récente

*L'*antigène prostatique spécifique est une substance protéique fabriquée spécifiquement par les cellules de la prostate. On en trouve normalement des petites quantités dans le sang des sujets normaux de sexe masculin.

Sa présence dans le sang augmente légèrement en présence de prostatite et d'hypertrophie bénigne de la prostate. Elle augmente fortement en cas de cancer de la prostate, de façon proportionnelle à la gravité de l'atteinte cancéreuse. Elle est aussi augmentée dans les cas de métastases prostatiques.

INTÉRÊT CLINIQUE
Suivi de l'évolution de cancers de la prostate et de l'efficacité du traitement. Plusieurs croient en l'efficacité de ce test, couplé au toucher rectal, pour le dépistage du cancer de la prostate, d'autres pas.

ENSEIGNEMENT AU PATIENT
Expliquer au sujet que ce test permet de détecter ou de suivre l'évolution d'anomalies de la prostate. Le sujet devra se prêter à un prélèvement sanguin, sans jeûne préalable nécessaire.

PROTOCOLE
Prélever du sang veineux dans un tube de 7 ml à bouchon rouge. Mettre sur glace et expédier le spécimen au laboratoire sans délai.

NB : Les valeurs de référence des tests quantitatifs et leur expression varient d'un laboratoire à l'autre ; toujours s'en remettre aux normales apparaissant sur la feuille de rapport.

Antigènes d'histocompatibilité (HLA)

RÉSULTATS SOUHAITÉS

Selon le contexte clinique

PATHOLOGIES ASSOCIÉES À CERTAINS ANTIGÈNES

HLA-A13 : psoriasis

HLA-A3 : sclérose multiple

HLA-B8 : myasthénie, diabète juvénile, maladie cœliaque, hépatite autoimmune, maladie de Grave

HLA-B17 : psoriasis

HLA-B18 : sclérose multiple

HLA-B27 : spondylarthrite ankylosante, sclérose multiple, syndrome oculo-urétro-synovial (s. de Reiter), uvéite antérieure aiguë, maladie de Grave, arthrite rhumatoïde juvénile

HLA-Bw15 : diabète juvénile

HLA-Dr5 : thyroïdite d'Hashimoto

HLA-Dw3 : maladie de Grave

*L*es antigènes d'histocompatibilité ou antigènes leucocytaires ou HLA (*Human Leucocyte Antigens*) sont des molécules présentes à la surface des cellules humaines nucléées. On les appelle antigènes leucocytaires parce que c'est avec les leucocytes qu'il est le plus facile de les mettre en évidence. On les appelle antigènes d'histocompatibilité parce qu'ils sont responsables au premier chef du rejet des greffes ; ils forment ce que l'on appelle aussi le complexe majeur d'histocompatibilité.

Ces antigènes du système HLA sont nombreux et ils sont directement déterminés par des gènes situés sur le chromosome 6. On distingue dans ce complexe quatre groupes d'antigènes, A, B, C et D, déterminés par autant de gènes.

INTÉRÊT CLINIQUE

Comme ces antigènes sont responsables du rejet des greffes, il est important de les déterminer préalablement à une greffe, chez le donneur et chez le receveur. Par ailleurs, il se trouve que certains d'entre eux sont associés à des maladies spécifiques ; ainsi, l'antigène HLA B27 est présent chez 80 % des sujets atteints du syndrome de Reiter, une forme d'arthrite. Également, comme ces antigènes sont hérités, on peut les mettre à contribution dans les études de paternité et dans le counselling génétique.

ENSEIGNEMENT AU PATIENT

Expliquer au sujet l'intérêt de cette recherche dans sa situation particulière. Il y aura prélèvement de sang intraveineux mais sans jeûne préalable nécessaire.

PROTOCOLE

Prélever 10 à 20 ml (selon le laboratoire) de sang veineux dans un tube contenant une solution anticoagulante et expédier au laboratoire.

Antistreptolysine O

RÉSULTATS NORMAUX
< 200 UI/l

RÉSULTATS PATHOLOGIQUES
Des titres supérieurs à 200 UI, à répétition sur des périodes de 10 à 14 jours, sont déterminants

FACTEURS AFFECTANT LES RÉSULTATS
- Des titres élevés se retrouvent chez des individus sans maladie post–streptococcique
- Des niveaux élevés de bêta–lipoprotéines donnent des résultats faussement positifs
- Certains antibiotiques et des stéroïdes diminuent le titre des antistreptolysines O

Les streptocoques bêta–hémolytiques du groupe A comme *Streptococcus pyogenes* sont responsables de maladies telles des pharyngites aiguës, des pneumonies et la scarlatine. Pis encore, ils prédisposent incontestablement au rhumatisme articulaire aigu (RAA), à l'endocardite, à la pyélonéphrite et à la chorée de Sydenham, par des mécanismes encore mal compris.

Après la phase aiguë de l'infection, apparaissent dans l'organisme de la personne atteinte des anticorps dirigés contre certaines enzymes du streptocoque telles la streptolysine O, la DNase B, l'hyaluronidase du streptocoque, etc.

La mise en évidence de ces anticorps n'est à peu près pas utile pour le diagnostic de l'infection à streptocoque car ils apparaissent tardivement dans le cours de la maladie. Cependant, elle est très utile pour déterminer si une personne a été infectée, et donc si elle est à risque de développer le RAA, l'endocardite ou la glomérulonéphrite. La présence de ces anticorps dans le plasma est utilisée, conjointement avec d'autres éléments, comme indicateur diagnostique de ces maladies et peut contribuer à leur diagnostic différentiel.

L'anticorps le plus fréquemment titré au laboratoire aujourd'hui est l'antistreptolysine O.

INTÉRÊT CLINIQUE
Diagnostic différentiel du RAA et de la glomérulonéphrite, en complément d'autres signes cliniques.

ENSEIGNEMENT AU PATIENT
Expliquer au patient que cette épreuve sert à déterminer s'il est sous le coup d'une infection à streptocoques ou s'il l'a déjà été, indiquant une prédisposition à d'autres maladies telles le rhumatisme articulaire aigu ou une affection rénale. On devra effectuer un prélèvement intraveineux mais aucune forme de jeûne n'est nécessaire préalablement.

PROTOCOLE
Prélever du sang veineux dans un tube de 5 ml à bouchon rouge.

Antithrombine III (AT III)

VALEURS DE RÉFÉRENCE
Anti–thrombine III : 0,80–1,20 fois le standard
Complexe thrombine–anti–thrombine III : 3,2 µg/l

RÉSULTATS ANORMAUX

⇑ Hépatite aiguë
  Transplantation de rein

⇓ Déficience familiale (Augmente le risque de thrombose)
  Déficience secondaire : • maladie hépatique (cirrhose)
                          • cancers
                          • syndrome néphrotique

FACTEURS AFFECTANT LES RÉSULTATS

⇓ Grossesse, contraceptifs oraux
  Nouveau–né
  Traitement aux anticoagulants
  Post–opératoire

ette épreuve est un élément de l'analyse de la coagulation.

L'anti–thrombine III est une protéine fabriquée par le foie et présente normalement dans le sang. Elle agit comme inhibiteur des facteurs II, IX, X, XI et XII de la coagulation (voir Facteurs de la coagulation) et son effet net est une diminution de la production de thrombine. L'anti–thrombine est considérée comme un co–facteur de l'héparine, étant requise pour l'activité naturelle ou thérapeutique de celle–ci.

L'anti–thrombine III agit donc comme anticoagulant et contribue à maintenir l'équilibre dynamique nécessaire entre la coagulation et son inhibition. L'absence ou la diminution d'antithrombine III entraîne des problèmes de thromboses et de coagulation non contrôlée.

Une déficience d'antithrombine III est souvent congénitale, ou familiale ; on croit qu'elle est due à un gène récessif ou à l'interaction de quelques gènes. Par ailleurs, comme cette protéine est synthétisée au foie, il se trouve des cas de déficience acquise ou même d'excès reliés à des troubles hépatiques.

INTÉRÊT CLINIQUE

Dépistage de la déficience en anti–thrombine III ; diagnostic différentiel de problèmes de coagulation non contrôlée ; évaluation du risque de thrombose

ENSEIGNEMENT AU PATIENT

Expliquer au patient que cette épreuve sert à éliminer une cause possible de problèmes de coagulation non contrôlée. Le test nécessite une prise de sang mais aucune restriction alimentaire n'est indiquée.

PROTOCOLE

Prélever du sang veineux dans un tube de 7 ml à bouchon bleu. Remplir le tube à capacité; mêler, délicatement mais complètement, le sang et l'anticoagulant du tube. Expédier immédiatement au laboratoire, sur glace. Surveiller le site de ponction après le prélèvement.

NOTES SUR LES RÉSULTATS ANORMAUX OU PATHOLOGIQUES

Sous ce titre sont présentées les significations cliniques possibles d'écarts à la hausse ou à la baisse par rapport aux valeurs de référence ou à un résultat normal. Seules sont évoquées les pathologies les plus fréquemment associées à ces écarts.

Cependant, il ne faut jamais faire l'erreur d'associer aveuglément un résultat d'examen à une pathologie, la connaissance globale de la situation clinique du patient étant nécessaire à l'interprétation des résultats.

Artériographie périphérique

IMAGES PATHOLOGIQUES POSSIBLES
- Anévrismes
- Sténoses, occlusions, embolies
- Compression vasculaire due à une tumeur
- Malformations vasculaires
- Dysplasie fibromusculaire
- Maladie de Buerger

Une artériographie périphérique consiste à examiner aux rayons X le réseau formé par une artère dans un membre après injection d'un opacifiant radiologique à base d'iode. Les vaisseaux observés sont l'artère elle-même et ses ramifications jusqu'aux artérioles et aux capillaires, puis le réseau veineux correspondant. L'injection de l'iode se fait par cathétérisme artériel et le cathéter est acheminé par l'artère fémorale, par l'artère radiale ou autre vers sa destination spécifique. L'opacifiant, lorsque injecté, colore tout l'arbre artériel en aval de ce point, puis les voies veineuses correspondantes.

La méthode suppose l'installation d'une ligne intra-veineuse périphérique et d'une ponction artérielle au niveau inguinal, précédée d'une anesthésie locale.

INDICATIONS

Détection de maladies et d'anomalies vasculaires et possiblement d'anomalies des régions traversées (tumeurs, dysplasie fibromusculaire)

ENSEIGNEMENT AU PATIENT

Expliquer la pertinence de cette épreuve compte tenu de la situation particulière du patient. En exposer le déroulement. Un anesthésique local lui sera administré au site d'installation du cathéter.

Le prévenir des effets possibles de l'injection de l'opacifiant à base d'iode : sensation de chaleur au moment de l'injection, légère céphalée, goût salin ou métallique au niveau de la bouche, nausée légère après l'injection.

L'examen sera passé au service de radiologie ; il nécessite un jeûne depuis minuit la veille et il peut durer au delà d'une heure.

PROTOCOLE

L'examen est effectué par l'équipe du service de radiologie (voir plus haut).

Préparer le patient en fonction des directives du service de radiologie. Le patient doit normalement être à jeun depuis 8 heures et il doit vider sa vessie avant de se rendre à la salle d'examen.

SOINS ET SURVEILLANCE APRÈS L'EXAMEN

Maintenir le patient alité, le membre injecté immobilisé, et surveiller les signes vitaux pour les six heures suivant l'examen. Surveiller le site d'insertion du cathéter et les signes d'hypersensibilité à l'iode ou à l'anesthésique local.

Arthrographie

IMAGES PATHOLOGIQUES POSSIBLES
- Déchirure méniscale
- Déchirement de ligaments
- Kystes synoviaux
- Atteintes osseuses (ostéochondrite, chondromalacie, anomalies du cartilage)
- Atteinte de la capsule articulaire

Une arthrographie consiste à examiner une région articulaire aux rayons X après y avoir injecté un agent de contraste radiologique (iode, air ou les deux). Les articulations habituellement étudiées sont le genou (le plus fréquent), la hanche, l'épaule, le coude, le poignet, etc.

Les principales étapes de l'examen sont : 1) désinfection de la région ; 2) injection d'un agent anesthésique local dans la région entourant l'articulation ; 3) aspiration d'effusions liquidiennes s'il y en a (l'échantillon est envoyé au laboratoire) ; 4) injection de l'agent de contraste ; 5) manipulations de la région pour permettre une bonne diffusion de l'opacifiant ; 6) clichés ; 7) installation d'un bandage.

Cet examen permet de déterminer la cause de douleurs articulaires.

INDICATIONS
Identification de la cause de douleurs articulaires : déchirures de ménisques, atteintes osseuses, kystes synoviaux, etc. ; infiltration de stéroïdes

ENSEIGNEMENT AU PATIENT
Expliquer la pertinence de cette épreuve compte tenu de la situation particulière du patient. En exposer le déroulement.

L'examen sera passé au service de radiologie ; aucune préparation particulière n'est indiquée.

PROTOCOLE
L'examen est effectué par l'équipe du service de radiologie (voir plus haut).

SOINS ET SURVEILLANCE APRÈS L'EXAMEN
Demander au patient de porter son bandage plusieurs jours ; lui enseigner comment l'enlever et le remettre. Éviter la surutilisation du membre concerné.

Arylsulfatase A – Urine, leucocytes

VALEURS DE RÉFÉRENCE
Urine : > 1 U/l
Leucocytes : > 2,5 U/10^{10} globules blancs

RÉSULTATS ANORMAUX
⇑ Cancer de la vessie, du colon, du rectum, certaines leucémies
⇓ Leucodystrophie métachromatique

FACTEURS AFFECTANT LES RÉSULTATS
⇑ Chirurgie récente
⇓ Technique de collecte (collecte incomplète, contamination, conservation à la T° de la pièce)

L'arylsulfatase est une enzyme présente dans les lysosomes de toutes les cellules de l'organismes et elle agit particulièrement au foie, au pancréas et au rein où elle intervient dans des processus cataboliques. Il existe trois formes d'importance médicale de cette enzyme (A, B, C).

Une déficience de la forme A de cette enzyme entraîne la leucodystrophie métachromatique. Les formes B et C, plus rarement demandées au laboratoire, entraînent respectivement la maladie de Maroteaux–Lamy et une ichtyose liée au chromosome X.

Son augmentation dans l'urine accompagne certaines formes de cancer tels le cancer de la vessie, le cancer colo–rectal et des formes de leucémie, sans que l'on sache quelle est la relation de cause à effet. Elle peut aussi être dosée dans les leucocytes.

INTÉRÊT CLINIQUE
Diagnostic de la leucodystrophie métachromatique (une sphingolipidose)

ENSEIGNEMENT AU PATIENT
Expliquer au patient que cette épreuve mesure la présence ou la déficience d'une enzyme présente dans toutes les cellules de l'organisme, en vue de détecter certaines pathologies spécifiques. Le test nécessite un échantillon d'urine ou un prélèvement intraveineux (pas nécessairement à jeun) selon le cas.

PROTOCOLE
Obtenir un spécimen d'urine ou effectuer un prélèvement de sang veineux (7 ml dans un tube à bouchon jaune); expédier immédiatement au laboratoire ou mettre sur glace.

Aspartate aminotransférase, ou AST – Sérum

L'aspartate aminotransférase est une enzyme importante du métabolisme énergétique et se trouve pratiquement dans toute cellule active. Cependant, elle est particulièrement présente dans les cellules musculaires cardiaques et dans les cellules hépatiques, puis dans les cellules du rein, du pancréas et dans les globules rouges. Lorsque ces structures sont lésées, leurs cellules se brisent, libérant dans le sang des quantités anormales de l'enzyme.

INTÉRÊT CLINIQUE
Dans le passé, le dosage de cette enzyme dans le sérum aidait à diagnostiquer et à suivre l'évolution de lésions cardiaques de type infarctus. À cette fin, il a maintenant été remplacé par le dosage de la créatine kinase (CK), puis de la troponine.

L'AST est utile maintenant seulement comme marqueur de nécrose hépatocellulaire, en combinaison avec l'ALT. De plus, une augmentation plus importante de l'AST relativement à l'ALT peut indiquer une atteinte hépatique de type cirrhose.

ENSEIGNEMENT AU PATIENT
Expliquer au patient la pertinence de ce test dans son contexte clinique. Lui dire que l'on devra lui faire un prélèvement de sang, ou même quelques-uns étalés sur deux ou trois jours et lui expliquer pourquoi. Il n'a pas à se priver de boire ni de manger avant le test.

PROTOCOLE
Prélever du sang veineux dans un tube de 5 ou 7 ml à bouchon rouge aux intervalles prescrits. Éviter l'hémolyse.

Bilirubine – Sang, urine

VALEURS DE RÉFÉRENCE

Bilirubine totale : 3–21 µmol/l

Bilirubine non conjuguée («indirecte») : < 19 µmol/l

Bilirubine conjuguée («directe») : < 3,4 µmol/l

Chez le nouveau-né : Bilirubine totale : 17–21 µmol/l

SIGNIFICATION DE RÉSULTATS ANORMAUX

Bilirubine non conjuguée («indirecte») :

⇑ Maladie hémolytique du nouveau-né, érythroblastose fœtale, anémie hémo-lytique, réaction post-transfusionnelle, maladie de Gilbert

Bilirubine conjuguée («directe») :

⇑ Obstruction des canaux biliaires, métastases hépatiques, hépatite

Bilirubine totale chez le nouveau-né :

⇑ Maladie hémolytique du nouveau-né

*L*a bilirubine est un pigment jaune que l'on trouve dans la bile et qui lui donne sa couleur caractéristique. Elle provient de la dégradation de l'hémo-globine contenue dans les globules rouges. Telle quelle, elle est déversée dans le sang par des organes, tels la rate, où s'opère la destruction des globules rouges, ou hémolyse. Cette bilirubine provenant immédiatement de l'hémolyse est appelée bilirubine non conjuguée, ou «indirecte» (ce mot fait référence à la méthode tradi-tionnellement utilisée pour son dosage).

Dans le foie, cette bilirubine libre se conjugue à un métabolite (plus précisément un glucuronide) et sous cette forme conjuguée est libérée dans les canaux hépa-tiques puis dans la bile, acheminée dans la vésicule biliaire et enfin déversée dans le petit intestin. On l'appelle bilirubine conjuguée, ou «directe» (méthode de dosage). Si elle est produite en grandes quantités ou s'il y a obstruction hépatique, elle reflue dans le sang.

En bref : Bilirubine provenant de l'hémolyse = *Bilirubine non conjuguée* ; (test de *Bili-rubine indirecte*)

Bilirubine après traitement au foie = *Bilirubine conjuguée*, (test de *Bilirubine directe*)

La somme des deux = *Bilirubine totale*

C'est la bilirubine, sous ses deux formes, qui cause l'ictère, c'est à dire la «jaunisse».

INTÉRÊT CLINIQUE

Ictère, troubles de la fonction hépatique et des canaux biliaires, hémolyse de diverses origines (dont l'ictère hémolytique du nouveau-né). Idéalement, on procède d'abord à un dépistage à l'aide du test de bilirubine totale avant d'effec-tuer les tests de bilirubines directe et indirecte.

ENSEIGNEMENT AU PATIENT

Expliquer au patient l'intérêt de ce type d'analyse, selon les circonstances du moment. Le patient doit être à jeun depuis quatre heures (sauf les nouveau-nés) mais il peut boire tant qu'il veut. Le patient devra subir une ponction veineuse. Chez le nouveau-né, une petite ponction au talon sera pratiquée.

PROTOCOLE

Prélever du sang veineux dans un tube de 5 ou 7 ml à bouchon rouge, jaune ou tigré (ponction au talon chez le nouveau-né). Éviter l'hémolyse lors du prélèvement et après. Protéger l'échantillon de la lumière (la bilirubine est un pigment photosensible).

Calcitonine – Sang

*L*a calcitonine est une hormone thyroïdienne (produite par les cellules C de la thyroïde) servant au contrôle de la calcémie (calcium sanguin). Sa sécrétion est stimulée par une augmentation de la calcémie et son action consiste à diminuer la calcémie en inhibant la résorption osseuse et en augmentant l'excrétion du calcium au rein :

L'augmentation de la calcitonine sanguine est typiquement un signe de cancer de la médullaire de la thyroïde. Elle apparaît aussi dans différentes autres formes de cancer.

Suivant une stimulation avec du calcium ou de la pentagastrine intraveineux, les niveaux de calcitonine augmentent de façon spectaculaire lorsque l'on est en présence de cancer de la médullaire de la thyroïde.

INTÉRÊT CLINIQUE

Détection et suivi d'un cancer de la médullaire de la thyroïde

ENSEIGNEMENT AU PATIENT

Expliquer que ce test sert à investiguer la glande thyroïde. Une prise de sang sera nécessaire et le sujet devra être à jeun depuis 8 heures.

PROTOCOLE

Prélever du sang veineux dans un tube de 5 ou 7 ml à bouchon vert. Suivre les consignes du laboratoire pour l'expédition du spécimen.

Calcium – Sang

*L*e calcium de l'organisme provient de l'alimentation. Il sert à constituer la partie dure de l'os et des dents, qui renferment la quasi totalité du calcium du corps humain. Il est également nécessaire au fonctionnement neuro-musculaire ainsi qu'au processus de la coagulation.

Le sang contient une quantité de calcium libre sous forme ionique (Ca^{++}) et une quantité à peu près égale de calcium lié à l'albumine. Ce calcium sanguin est en transit entre la paroi intestinale où il est absorbé, les os où il est emmagasiné et les reins où il est excrété.

Le niveau sanguin du calcium est contrôlé par une hormone de la parathyroïde, la parathormone ; celle-ci favorise l'hypercalcémie en augmentant l'absorption intestinale du calcium, en diminuant l'excrétion rénale du calcium et en favorisant la décalcification des os (résorption osseuse).

Curieusement, certains tissus cancéreux produisent une substance semblable à la parathormone et ayant les mêmes effets. La calcitonine thyroïdienne intervient également dans le contrôle de la calcémie (voir Calcitonine).

L'épreuve du calcium sérique mesure le calcium sanguin total (libre et lié)

INTÉRÊT CLINIQUE

Problèmes de la fonction parathyroïdienne, de la fonction rénale, de l'absorption intestinale ; investigation de l'ostéomalacie et du rachitisme

ENSEIGNEMENT AU PATIENT

Expliquer l'utilité de ce test dans les circonstances présentes. Le patient devra subir une ponction veineuse ; il doit être à jeun depuis huit heures mais il n'a pas à se priver de boire avant le test.

PROTOCOLE

Prélever du sang veineux dans un tube de 5 ou 7 ml à bouchon rouge, de préférence sans utiliser de garrot.

NOTES SUR LES VALEURS DE RÉFÉRENCE

Lorsque les résultats d'un examen sont exprimés sous forme quantitative, on les confronte à des valeurs dites de référence. Celles-ci représentent des moyennes ou des marges à l'intérieur desquelles se retrouvent la majorité des individus sans problème spécifique en regard de l'examen ou du test en question. Ce sont des données auxquelles on compare les résultats de l'examen en vue de son interprétation.

Cependant, ces valeurs de référence peuvent varier : 1) d'une méthode d'analyse à l'autre, 2) d'un laboratoire à l'autre, 3) d'une population à l'autre.

De plus, elles peuvent être exprimées de façons différentes d'une institution à l'autre, bien que l'on tende aujourd'hui à la plus grande uniformité possible.

Ces valeurs de référence, que l'on appelle aussi à tort « résultats normaux », ne sont suggérées dans cet ouvrage qu'à titre indicatif.

Il faut donc prendre la précaution essentielle de comparer les résultats des tests aux valeurs de référence fournies par le laboratoire et non à celles suggérées dans cet ouvrage.

Calcium (et phosphates) – Urine

VALEURS DE RÉFÉRENCE

Calcium : < 7 mmol/24 h

Phosphates : < 32 mmol/24 h

RÉSULTATS ANORMAUX

Calcium ⇑ Hyperparathyroïdie, sarcoïdose, métastases, myélome multiple, acidose rénale

⇓ Hypoparathyroïdie, nephrites, insuffisance rénale, ostéomalacie

Phosphates ⇑ Hyperparathyroïdie, acidose rénale

⇓ Sarcoïdose, hypoparathyroïdie, insuffisance rénale, ostéomalacie

FACTEURS AFFECTANT LES RÉSULTATS

Mauvaise technique de collecte, de conservation des urines, médication

*L*e calcium urinaire et les phosphates urinaires suivent habituellement le calcium et les phosphates sanguins et leur détermination dans l'urine vient en complément des résultats sanguins. (Voir Calcium – sang, et Phosphates – sang).

INTÉRÊT CLINIQUE

Suivi du métabolisme du calcium et des phosphates et de leur élimination aux reins

ENSEIGNEMENT AU PATIENT

Expliquer que ce test sert à mesurer des constituants minéraux de l'urine. Le test doit se faire sur les urines de 24 heures. Expliquer au patient comment se fait la collecte des urines de 24 heures si nécessaire. Insister sur l'importance d'un prélèvement propre et non contaminé par des matières fécales ou autres.

PROTOCOLE

Procéder à la collecte des urines de 24 heures

Calculs urinaires – Urine

RÉSULTATS NÉGATIFS

Pas de calculs

RÉSULTATS POSITIFS

Calculs, de composition chimique déterminée, laquelle renseigne sur leur origine et leur mode de formation

*L*es calculs urinaires, lithiases ou «pierres», sont des masses insolubles de tailles variables, allant de quelques micromètres à quelques centimètres. Ils résultent de la précipitation de sels minéraux tels l'oxalate de calcium, le phosphate de calcium, le phosphate de magnésium et d'ammonium, ou même de substances organiques comme l'acide urique et la cystine. Ce sont ces mêmes substances que l'on trouve souvent à l'état de simples cristaux dans l'urine.

Les cristaux ont tendance à se former dans certaines circonstances : modification du pH de l'urine, baisse du volume urinaire, excrétion accrue des substances en jeu, etc. Les calculs peuvent se former à tous les étages du système urinaire, mais typiquement au rein, et s'accompagnent d'une douleur aiguë, d'hématurie et, dans certains cas, d'obstruction lorsque le calcul passe du rein à la vessie.

INTÉRÊT CLINIQUE

Détecter et identifier des lithiases dans l'urine

ENSEIGNEMENT AU PATIENT

Expliquer l'objectif du test. On lui demandera de fournir un échantillon d'urine dans un contenant muni d'un filtre.

PROTOCOLE

Demander au patient d'uriner dans le contenant spécial muni d'un filtre. Observer attentivement s'il y a présence de cristaux. Ceux-ci peuvent être très petits. Décrire et compter les cristaux, les déposer avec une pince dans un contenant à cet effet et expédier le tout au laboratoire.

Catécholamines – Sang

Les catécholamines sont l'adrénaline (épinéphrine), la noradrénaline (norépinéphrine) et la dopamine. Ce sont des substances produites par des neurones du système nerveux central et périphérique ainsi que par la médullaire (partie centrale) des glandes surrénales, et qui exercent leurs effets sur certains neurones et autres cellules dotés de récepteurs dits adrénergiques ou dopaminergiques. Ces effets sont spectaculaires: stimulation cardiaque, vasocontriction généralisée, hausse de la pression sanguine, hausse de la glycémie et du métabolisme, augmentation de l'état d'alerte, bref tout ce qu'il faut pour préparer l'organisme à l'attaque ou à la fuite, à réagir à des situations d'urgence. La plus grande partie sinon la totalité des catécholamines du sang circulant vient des surrénales.

Malgré l'intérêt évident que présentent ces substances, leur utilité clinique au niveau des tests de laboratoire est pratiquement limitée à la détection de tumeurs productrices de catécholamines: phéochromocytomes, neuroblastomes, ganglioneuromes et autres; on dose couramment l'adrénaline, la noradrénaline et la dopamine en position couchée.

INTÉRÊT CLINIQUE

Hypertension, détection de phéochromocytomes.

ENSEIGNEMENT AU PATIENT

Expliquer que ce test sert à doser les hormones des glandes surrénales dans le sang. Préciser que la technique de prélèvement sera un peu différente de celles auxquelles il est habitué mais d'aucune façon plus pénible. Il devra s'être privé d'aliments, d'alcool, de tabac, de café ou de thé au moins quatre heures avant le prélèvement. Celui-ci nécessitera un état de calme absolu. Expliquer au patient dans le détail le déroulement de la technique de prélèvement.

PROTOCOLE

Toute médication à base de catécholamines aura été arrêtée depuis au moins sept jours. Au moment du prélèvement, le sujet sera placé dans un environnement calme et propice à la détente. Se procurer auprès du laboratoire deux tubes spécialement conçus pour ce prélèvement et les mettre au congélateur.

Insérer un cathéter hépariné dans une veine du bras et le laisser en place. Mettre le patient au repos absolu en position couchée (sur le dos) pour 30 minutes. Après 30 minutes, sortir les tubes du congélateur et effectuer deux prélèvements de 20 ml après avoir drainé l'héparine du cathéter en en retirant 3 ml de sang. Envoyer immédiatement les tubes au laboratoire sur de la glace.

NOTES SUR LES FACTEURS AFFECTANT LES RÉSULTATS

La machine humaine étant d'une grande complexité, d'innombrables facteurs peuvent faire dévier ou affecter à la hausse ou à la baisse les résultats d'une épreuve de laboratoire ou d'un examen clinique. Ces facteurs sont liés aux caractéristiques naturelles de l'individu, à des situations pathologiques de base ou à sa médication actuelle ou récente.

D'autres facteurs, liés à l'examen lui-même, peuvent aussi interférer, à un moment ou à un autre: technique de prélèvement en biochimie et en hématologie, technique aseptique en bactériologie, manutention et conservation des spécimens, manipulation au laboratoire, artéfacts en imagerie médicale etc.

Dans cet ouvrage ne sont suggérés qu'un certain nombre de facteurs parmi les plus typiques. Il est particulièrement difficile, entre autres, de tenir compte de tous les médicaments pouvant affecter les résultats des tests et examens, compte tenu de l'évolution rapide de la pharmacologie, des réactions spécifiques à chaque individu, et sans compter que l'on ne peut pas toujours savoir de quels médicaments, exactement, le patient fait ou a fait récemment usage.

Catécholamines – Urine

Les catécholamines sont l'adrénaline (épinéphrine), la noradrénaline (noré–pinéphrine) et la dopamine. Ce sont des substances produites par des neurones du système nerveux central et périphérique ainsi que par la médullaire (partie centrale) des glandes surrénales, et qui exercent leurs effets sur certains neurones et autres cellules dotés de récepteurs dits adrénergiques ou dopaminergiques. Ces effets sont spectaculaires: stimulation cardiaque, vasocontriction généralisée, hausse de la pression sanguine, hausse de la glycémie et du métabolisme, augmentation de l'état d'alerte, bref tout ce qu'il faut pour préparer l'organisme à l'attaque ou à la fuite, à réagir à des situations d'urgence. La plus grande partie sinon la totalité des catécholamines du sang circulant vient des surrénales.

Malgré l'intérêt évident que présentent ces substances, leur utilité clinique au niveau des tests de laboratoire est pratiquement limitée à la détection de tumeurs productrices de catécholamines: phéochromocytomes, neuroblastomes, ganglioneuromes et autres; on dose couramment l'adrénaline, la noradrénaline et la dopamine en position couchée.

INTÉRÊT CLINIQUE
Étude de l'hypertension, détection de phéochromocytomes

ENSEIGNEMENT AU PATIENT
Expliquer que ce test sert à doser les hormones des glandes surrénales dans l'urine. Il faudra procéder à la collecte des urines de 24 heures; expliquer le protocole de collecte si nécessaire.

PROTOCOLE

Mettre en marche le protocole de collecte des urines de 24 heures. Utiliser un agent de conservation (25 ml d'acide acétique à 50 %) et garder les urines au froid. Expédier au laboratoire dès que la période de collecte est terminée.

NOTES SUR LES VALEURS DE RÉFÉRENCE

Lorsque les résultats d'un examen sont exprimés sous forme quantitative, on les confronte à des valeurs dites de référence. Celles-ci représentent des moyennes ou des marges à l'intérieur desquelles se retrouvent la majorité des individus sans problème spécifique en regard de l'examen ou du test en question. Ce sont des données auxquelles on compare les résultats de l'examen en vue de son interprétation.

Cependant, ces valeurs de référence peuvent varier: 1) d'une méthode d'analyse à l'autre, 2) d'un laboratoire à l'autre, 3) d'une population à l'autre.

De plus, elles peuvent être exprimées de façons différentes d'une institution à l'autre, bien que l'on tende aujourd'hui à la plus grande uniformité possible.

Ces valeurs de référence, que l'on appelle aussi à tort «résultats normaux», ne sont suggérées dans cet ouvrage qu'à titre indicatif.

Il faut donc prendre la précaution essentielle de comparer les résultats des tests aux valeurs de référence fournies par le laboratoire et non à celles suggérées dans cet ouvrage.

Céruloplasmine – Sang

VALEURS DE RÉFÉRENCE

Adultes: 2–3 µmol/l

Adolescents: 1–2 µmol/l

Enfants: 2,5–3 µmol/l

Nouveau-nés: 0,17–1,13 µmol/l

RÉSULTATS ANORMAUX

⇓ Maladie de Wilson, Syndrome de Menkes, syndrome néphrotique,

⇑ Processus inflammatoire, infection

FACTEURS AFFECTANT LES RÉSULTATS

⇑ Grossesse, contraceptifs oraux, certains médicaments

La céruloplasmine est une alpha$_2$-globuline qui sert au transport du cuivre après son absorption intestinale et à son entreposage au foie.

Une déficience héréditaire (récessive liée à l'X) en céruloplasmine peut empêcher l'absorption intestinale du cuivre, avec une hypocuprémie très létale (mort avant l'âge de 3 ans): c'est le (très rare) syndrome de Menkes.

Dans la maladie de Wilson, héréditaire (autosomique récessive, chromosome 13), il y a diminution de la production de céruloplasmine et dépôt toxique de cuivre libre dans différents organes dont le foie et le cerveau. Décelée tôt, cette maladie se contrôle.

INTÉRÊT CLINIQUE

Diagnostic de la maladie de Wilson; monitoring de la cuprémie en alimentation parentérale

ENSEIGNEMENT AU PATIENT

Expliquer que ce test sert à détecter une maladie héréditaire affectant le métabolisme du cuivre. Il y aura prélèvement intraveineux mais aucun jeûne pré-test n'est nécessaire.

PROTOCOLE

Prélever du sang veineux dans un tube à bouchon rouge. Conserver le spécimen dans de la glace et l'expédier immédiatement au laboratoire.

Chlorures – Sang

VALEURS DE RÉFÉRENCE

Prématuré : 104 – 120 mmol/l

Nouveau-né : 105 – 116 mmol/l

Enfant : 98 – 120 mmol/l

Adulte : 98 – 106 mmol/l

RÉSULTATS ANORMAUX

⇑ Déshydratation, acidose métabolique avec trou anionique normal : acidose rénale, alcalose respiratoire, toutes conditions menant à une hypernatrémie

⇓ Insuffisance rénale, maladie d'Addison, pertes d'électrolytes par vomissement, succion gastrique, brûlures graves, acidose métabolique à trou anionique anormal : acidose respiratoire, insuffisance cardiaque ; SIADH (syndrome de sécrétion inappropriée de l'hormone antidiurétique)

FACTEURS AFFECTANT LES RÉSULTATS

⇑ Solutés salins

L'ion chlorure (Cl^-) est un anion, c'est à dire qu'il est porteur d'une charge électrique négative : c'est le plus abondant des anions sanguins. Dans son transport à travers les membranes cellulaires et au rein, il suit habituellement le sodium (Na^+) qui, lui, est le cation (ion chargé positivement) le plus abondant du sang. De plus, ces deux ions suivent les mouvements de l'eau, ce qui a pour effet d'équilibrer les pressions osmotiques.

Par ailleurs, des changements acido-basiques (voir bicarbonates) dans les cellules et dans les liquides extracellulaires entraînent des mouvements de l'ion chlorure, équilibrant ainsi les pH. Donc, même si le chlore comme tel n'a pas grande signification médicale, il est néanmoins un indicateur important de l'équilibre ionique, acido-basique et hydrique de l'organisme.

INTÉRÊT CLINIQUE

Avec la détermination du Na^+, évaluation des équilibres acido-basique et ionique ; mesure de l'état d'hydratation

ENSEIGNEMENT AU PATIENT

Expliquer au patient que ce test sert à évaluer l'équilibre de l'eau et de certains minéraux de son organisme. Il n'aura pas à se priver de boire, ni de manger avant le prélèvement intraveineux.

PROTOCOLE

Prélever du sang veineux dans un tube de 5 ou 7 ml à bouchon rouge ou vert.

Cholangiopancréatographie rétrograde par endoscopie (ERPC)

IMAGES PATHOLOGIQUES POSSIBLES

Canal biliaire :
- Constrictions, sténose, sclérose
- Lithiases
- Inflammation (cholangite)
- Kystes

Canal pancréatique :
- Constrictions, sténose
- Tumeur
- Inflammation du canal, pancréatite
- Pseudokyste du pancréas

Cancer duodénal, déviation des voies biliaires ou pancréatique

*C*et examen radiologique permet de visualiser les canaux biliaires et pancréatique qui déversent la bile et les sécrétions pancréatiques dans le duodénum au niveau de l'ampoule de Vater.

La démarche consiste à passer un tube endoscopique par le pharynx, l'œsophage et l'estomac, jusqu'au niveau de l'ampoule de Vater dans le duodénum, à y localiser l'ouverture des canaux biliaires et pancréatique, puis à y injecter à l'aide d'un cathéter un opacifiant radiologique qui créera un contraste artificiel et permettra la prise de clichés.

La méthode comporte les étapes suivantes :

1) installation d'une ligne intraveineuse permanente ;
2) injection d'une dose de sédatif ;
3) anesthésie locale du fond de la gorge à la xylocaïne en vaporisateur pour faciliter le passage du tube endoscopique au pharynx ;
4) acheminement de l'endoscope vers le duodénum ;
5) injection de glucagon ou d'un anticholinergique dans la voie veineuse périphérique pour inhiber le péristaltisme au duodénum et relaxer le sphincter du canal hépatique ;
6) injection de l'agent de contraste dans les canaux par le cathéter de l'endoscope ;
7) clichés.

Cet examen est complexe et délicat, modérément risqué et demande une grande dextérité de la part du radiologiste/endoscopiste ; cependant, il rend des services inestimables en regard du diagnostic et du traitement de certaines formes graves d'ictère et d'obstruction des canaux biliaires et pancréatique.

De plus, à la faveur de cette endoscopie, des interventions peuvent être effectuées pour corriger une obstruction des canaux ou pour prélever du matériel pour l'histopathologie.

INTÉRÊT CLINIQUE

Jaunisse obstructive, cancer de l'ampoule de Vater, du pancréas et des canaux biliaires ; localisation de sténose et de calculs dans les canaux hépatiques et pancréatique.

ENSEIGNEMENT AU PATIENT

Expliquer au patient la pertinence de cette épreuve, l'aviser qu'il s'agit d'une intervention plutôt complexe et qu'elle sera pratiquée au service de radiologie par une équipe de médecins et de technologues spécialement formés pour ce travail. L'épreuve prend environ une heure. Selon les circonstances et s'il est pertinent de le faire, lui expliquer le principe de l'examen et en décrire le déroulement général.

PROTOCOLE

L'examen se passe au service de radiologie (voir plus haut). Le patient doit être à jeun depuis minuit la veille.

NOTES SUR LES RÉSULTATS ANORMAUX OU PATHOLOGIQUES

Sous ce titre sont présentées les significations cliniques possibles d'écarts à la hausse ou à la baisse par rapport aux valeurs de référence ou à un résultat normal. Seules sont évoquées les pathologies les plus fréquemment associées à ces écarts.

Cependant, il ne faut jamais faire l'erreur d'associer aveuglément un résultat d'examen à une pathologie, la connaissance globale de la situation clinique du patient étant nécessaire à l'interprétation des résultats.

Cholestérol lié aux lipoprotéines :
HDL-C, LDL-C – Sang

*L*e cholestérol, à sa sortie du foie où il est fabriqué en grande partie, se lie à des lipoprotéines, étant lui-même insoluble dans l'eau du plasma. Ces lipoprotéines servent à transporter les lipides, dont le cholestérol ; elles sont donc associées à la disponibilité des lipides aux différents tissus et organes et, inversement, à leur expulsion de ces tissus.

Il y a trois types cliniquement significatifs de lipoprotéines en rapport avec le cholestérol :

- Les HDL, ou *High Density Lipoproteins*, ou lipoprotéines de haute densité : elles transportent de petites quantités de cholestérol ; on croit qu'elles peuvent servir à prévenir l'entrée du cholestérol dans les tissus ou à en évacuer le cholestérol
- Les LDL, ou *Low Density Lipoproteins*, ou lipoprotéines de basse densité : elles transportent de grandes quantités de cholestérol, qu'elles auraient de la facilité à déposer dans les tissus
- Les VLDL, ou *Very Low Density Lipoproteins*, ou lipoprotéines de très basse densité : elles transportent les triglycérides (et de petites quantités de cholestérol) et contribuent ainsi à leur disponibilité aux tissus.

L'étude du cholestérol lié aux lipoprotéines du sang est donc considéré actuellement comme un élément important du bilan lipidique et elle est à considérer dans le tableau des facteurs de risque d'artériosclérose et de maladie coronarienne. Des études épidémiologiques nombreuses associent en effet les LDL et les VLDL au risque coronarien.

Dans les laboratoires de biochimie clinique, on dose couramment le HDL-C (cholestérol lié aux HDL) et le LDL-C (cholestérol lié aux LDL). Les valeurs de LDL-C sont souvent calculées par extrapolation plutôt que mesurées directement.

NB : Il existe des hyperlipoprotéinémies et des hypolipoprotéinémies dites familiales, de types caractéristiques, qui sont mises en évidence par l'électrophorèse des lipoprotéines et qui donnent lieu à un test distinct de celui-ci.

INTÉRÊT CLINIQUE

Détermination de l'existence d'une dyslipoprotéinémie et de sa nature ; bilan de santé, évaluation du risque d'accident coronarien

ENSEIGNEMENT AU PATIENT

Expliquer au patient la pertinence de l'étude du cholestérol lié aux lipoprotéines du sang dans son contexte clinique particulier. Il doit s'abstenir de nourriture 12 à 14 heures avant le test et de consommer de l'alcool 24 heures avant le test. S'il y a lieu et si l'occasion s'y prête, entretenir le patient de l'importance d'un régime alimentaire équilibré et de l'exercice physique ; évoquer la notion de poids idéal.

PROTOCOLE

Prélever du sang veineux dans un tube de 5 ou 7 ml à bouchon rouge. Indiquer sur la formule du laboratoire les médicaments utilisés pouvant modifier les résultats.

Cholestérol total – Sang

*L*e cholestérol est une substance insoluble dans l'eau (donc du groupe des lipides) qui est utilisée par l'organisme dans la fabrication d'éléments structurants de l'organisme, telles les membranes cellulaires, et dans la synthèse d'autres produits comme les hormones stéroïdiennes et les sels biliaires.

Une partie du cholestérol vient de l'alimentation mais la plus grande partie du cholestérol utilisé par l'organisme est synthétisé par le foie. Ce cholestérol est déversé dans le sang où il se lie à des lipoprotéines, les HDL, les LDL et les VLDL (voir Cholestérol lié aux lipoprotéines).

Selon de nombreuses études épidémiologiques, il semble y avoir un lien entre le niveau sanguin de cholestérol et le risque d'artériosclérose, donc notamment d'affections cardiovasculaires (maladie coronarienne, infarctus du myocarde). Le cholestérol d'ailleurs n'est pas le seul mis en accusation: lipides totaux, triglycérides, lipoprotéines et le cholestérol constituent un ensemble qui doit être pris globalement en considération chez un individu, en plus des habitudes de vie et de nombreux autres facteurs: le tout constitue ce que l'on appelle les facteurs de risque d'accident cardiovasculaire.

Par ailleurs, le cholestérol étant associé à de nombreuses tâches dans l'organisme, plusieurs pathologies, très diverses, s'accompagnent de fluctuations de sa concentration dans le sang.

INTÉRÊT CLINIQUE

Bilan de santé, évaluation du risque de maladies cardiovasculaires chez les individus en bonne santé et les sujets à risque: accidents cardiovasculaires, hypertension, diabète, problèmes rénaux, hépatiques, thyroïdiens, mauvaise alimentation, stress, sédentarité, etc.

ENSEIGNEMENT AU PATIENT

Expliquer brièvement au patient la pertinence d'un dosage du cholestérol total, et que celui-ci doit être interprété conjointement avec d'autres facteurs. Le test nécessitera une ponction veineuse mais aucun jeûne préalable n'est nécessaire.

PROTOCOLE

Prélevez du sang veineux dans un tube de 5 ou 7 ml à bouchon rouge ou lavande. Expédier le spécimen au laboratoire dès que possible.

Cholinestérase
(pseudocholinestérase) – Sang

VALEURS DE RÉFÉRENCE

18 à 49 ans : 1800–6000 U/l

> 49 ans : 2500–6800 U/l

RÉSULTATS ANORMAUX

⇓ Déficience congénitale ; empoisonnement aux organophosphates. Des valeurs proches de zéro nécessitent un traitement d'urgence.

La cholinestérase est une enzyme qui sert à désactiver des neurotransmetteurs tels l'acétylcholine, qui transmettent l'influx nerveux au niveau des synapses. Elle intervient donc dans la régulation de la transmission des influx nerveux, notamment à la jonction entre les neurones moteurs et les cellules musculaires.

Certains sujets ont une déficience congénitale de cholinestérase (déficience innée). D'autres ont une déficience acquise par contact professionnel avec les pesticides et les organophosphates, utilisés en agriculture et sous forme de gaz neurotoxique en temps de guerre.

On effectue souvent le dosage de la (pseudo) cholinestérase avant une anesthésie, car les sujets déficients en cholinestérase métabolisent mal la succinylcholine qui peut être employée comme myorelaxant dans les salles d'opération. La persistance de succinylcholine dans le sang en phase de réveil entraîne des problèmes de paralysie, d'apnée et autres.

Telle quelle, la cholinestérase n'est trouvée que dans le tissu nerveux et dans les érythrocytes.

En fait, pour des raisons techniques, ce qui est la plupart du temps dosé par ce test est non pas la cholinestérase, qui n'apparaît pas dans le sang, mais la pseudocholinestérase, qui est affectée exactement de la même façon quant à ses déficiences innée ou acquise.

INTÉRÊT CLINIQUE

Précaution pré-anesthésie ; précaution, aussi, avant l'administration de myorelaxants à certains sujets ; détection d'empoisonnement aux organophosphates

ENSEIGNEMENT AU PATIENT

Expliquer la pertinence de ce test dans le contexte clinique du moment ; il y aura prise de sang, mais pas de période de jeûne obligatoire.

PROTOCOLE

Prélever du sang veineux dans un tube de 5 ou 7 ml à bouchon rouge ou doré.

Clairance de la créatinine, ou CC (sang et urine)

VALEURS DE RÉFÉRENCE

♂ : 90–140 ml/min, ou 0,91–1,35 ml/s/m² de surface corporelle

♀ : 80–130 ml/min, ou 0,69–1,06 ml/s/m² de surface corporelle

(Ces valeurs diminuent graduellement chez les personnes âgées)

Nouveau-nés : 40–70 ml/min

RÉSULTATS ANORMAUX

⇓ Pathologies rénales (inflammation, nécrose, obstruction) bilatérales ou diminution de la circulation sanguine aux reins (problèmes cardiovasculaires, déshydratation, etc.)

⇑ Augmentation du débit cardiaque, anémie

FACTEURS AFFECTANT LES RÉSULTATS

⇑ Activité musculaire intense, grossesse, régime alimentaire exagérément riche en viandes, certains médicaments

⇓ Défaut dans la collecte des urines de 24 heures ou mauvaise conservation des urines

*L*a créatinine est le produit final, irréversible, de la dégradation de la créatine phosphate utilisée dans la contraction musculaire. La créatinine produite est donc proportionnelle à la masse musculaire d'un individu et elle varie très peu pour une personne donnée. De plus, elle est excrétée exclusivement par le rein. On peut donc mettre à profit ces propriétés pour mesurer l'efficacité du travail rénal : il s'agit simplement de mesurer son taux d'excrétion dans l'urine en regard de sa concentration dans le sang.

Le test de clairance de la créatinine consiste à calculer le taux de filtration rénale (plus précisément glomérulaire) en mettant en rapport la quantité de créatinine excrétée dans l'urine en 24 heures et sa concentration dans le sang. Techniquement, la valeur de la clairance de la créatinine, en ml/min, nous indique quel volume de sang le rein est capable de débarrasser totalement de sa créatinine en une minute. Plus simplement, il suffit de se rappeler que la valeur de la clairance est directement proportionnelle à l'efficacité du travail rénal.

INTÉRÊT CLINIQUE

Atteintes rénales telles que glomérulonéphrites. Cette épreuve fournit un indice plus sensible que la créatinine dans l'évaluation de la fonction rénale.

ENSEIGNEMENT AU PATIENT

Expliquer au patient que ce test sert à vérifier le fonctionnement de ses reins. Il n'a pas à s'abstenir de boire ni ne manger avant le test. On devra prélever ses urines de 24 heures (expliquer la technique) ainsi qu'un échantillon de sang.

PROTOCOLE

Mettre en marche la technique de prélèvement des urines de 24 heures. Conserver les urines sur de la glace ou au réfrigérateur si demandé par le laboratoire. Noter les heures de prélèvement sur le bocal et sur la requête du laboratoire. Au cours de la période de 24 heures, prélever un échantillon de sang dans un tube de 5 ou 7 ml à bouchon rouge ou tigré. Expédier au laboratoire l'échantillon de sang et les urines de 24 heures sans délai.

Complément – Sang

$\mathcal{C}$e que l'on appelle le complément est un groupe de protéines agissant comme facilitateurs de la réaction immunitaire. Ce sont des protéines de natures diverses dont les effets sont multiples : 1) augmentation de la perméabilité vasculaire aux anticorps et aux leucocytes, leur permettant un accès plus rapide aux sites d'action, 2) attraction chimique des leucocytes vers les sites d'action (chémotaxie), 3) stimulation de la phagocytose, 4) facilitation du contact antigène-anticorps.

Les constituants et les sous-constituants du complément sont nombreux et de mieux en mieux identifiés : on parle de neuf constituants majeurs (C1, C2, ...C9) et de sous-constituants divers agissant comme inhibiteurs, le tout formant un système complexe.

Les tests courants dosent le complément total, le C3, le C4 et la C1 estérase (ou inhibiteur du C1).

INTÉRÊT CLINIQUE

De nombreux problèmes médicaux sont associés à des fluctuations du complément ou de ses divers constituants : infections, réactions inflammatoires, cancers, maladies auto-immunes, rejets de greffe ; ces fluctuations sont interprétées à la lumière d'autres paramètres biochimiques et cliniques.

ENSEIGNEMENT AU PATIENT

Expliquer au patient, si requis, le rôle du système complément en rapport avec son état. Un prélèvement sanguin est nécessaire, sans jeûne préalable requis.

PROTOCOLE

Prélever du sang veineux dans un tube de 7 ml à bouchon rouge. Envoyer immédiatement au laboratoire.

Coombs, tests direct et indirect

VALEURS DE RÉFÉRENCE

Tests direct et indirect négatifs

RÉSULTATS POSITIFS POSSIBLES

Direct

Réaction post–transfusionnelle, anémie hémolytique autoimmune, maladie hémo-lytique du nouveau–né, traitement à la céphalothine, à la pénicilline, à l'insu-line, à l'alpha–méthyldopa, lupus érythémateux, mononucléose infectieuse

Indirect

Présence d'agglutinines froides ou d'anticorps résultant d'une transfusion antérieure ou, chez la femme enceinte, d'une grossesse antérieure

*L*e test de Coombs sert à détecter des anticorps anti–érythrocytaires (anti–globules rouges) susceptibles de causer de l'hémolyse ou de l'hémaggluti-nation au moment d'une transfusion sanguine ou en d'autres circonstances.

Les anticorps que l'on veut détecter par ce test sont dirigés contre des antigènes situés à la surface des globules rouges, tels les antigènes des groupes sanguins (A, B, O, Rh et autres) et même des antigènes non reliés aux groupes sanguins. Ils ont été fabriqués par l'individu soit à la suite d'un contact avec ces antigènes, comme lors d'une transfusion sanguine antérieure ou lors d'une grossesse antérieure, soit par réaction auto–immune, soit encore par d'autres processus mal connus. Ces anticorps forment des complexes antigène–anticorps à la surface des globules rouges et sont, comme tels, non agglutinants.

Le réactif mis en jeu dans cette épreuve est le sérum de Coombs qui contient des anticorps dirigés contre les anticorps que l'on veut mettre en évidence : ce sont des anticorps anti–anticorps. Le sérum de Coombs a la propriété d'agglutiner les globules rouges portant à leur surface les anticorps recherchés.

Test de Coombs direct

Il consiste à mettre les globules rouges du patient en présence du sérum de Coombs ; s'il y a agglutination, on a un test de Coombs direct positif, qui témoigne de la présence d'anticorps à la surface des globules rouges.

Test de Coombs indirect

Il consiste à mettre le sérum du patient en présence des globules rouges d'un donneur, puis d'incuber le tout en présence du sérum de Coombs ; si les globules rouges du donneur agglutinent, on a un test de Coombs indirect positif, témoi-gnant de la présence d'anticorps dans le sérum du patient.

INTÉRÊT CLINIQUE

Anémie hémolytique du nouveau–né, autres formes d'anémies hémolytiques, réactions post–transfusionnelles, dépistage d'incompatibilité avant transfusion

ENSEIGNEMENT AU PATIENT

Exposer au patient ou aux parents dans le cas d'un nouveau–né l'objectif pour-suivi par cette épreuve. Un prélèvement intraveineux périphérique ou au cordon sera nécessaire, sans restriction alimentaire préalable.

PROTOCOLE

Effectuer un prélèvement de sang veineux dans un tube de 5 à 20 ml (selon le laboratoire) à bouchon lavande.

NOTES SUR LES VALEURS DE RÉFÉRENCE

Lorsque les résultats d'un examen sont exprimés sous forme quantitative, on les confronte à des valeurs dites de référence. Celles-ci représentent des moyennes ou des marges à l'intérieur desquelles se retrouvent la majorité des individus sans problème spécifique en regard de l'examen ou du test en question. Ce sont des données auxquelles on compare les résultats de l'examen en vue de son interprétation.

Cependant, ces valeurs de référence peuvent varier: 1) d'une méthode d'analyse à l'autre, 2) d'un laboratoire à l'autre, 3) d'une population à l'autre.

De plus, elles peuvent être exprimées de façons différentes d'une institution à l'autre, bien que l'on tende aujourd'hui à la plus grande uniformité possible.

Ces valeurs de référence, que l'on appelle aussi à tort «résultats normaux», ne sont suggérées dans cet ouvrage qu'à titre indicatif.

Il faut donc prendre la précaution essentielle de comparer les résultats des tests aux valeurs de référence fournies par le laboratoire et non à celles suggérées dans cet ouvrage.

Coronarographie
(angiographie coronarienne)

IMAGES PATHOLOGIQUES POSSIBLES
Zones d'artériosclérose, d'occlusion

*L*a coronarographie permet l'examen radiographique des vaisseaux de la circulation coronarienne du cœur après injection d'un opacifiant radiologique à base d'iode.

L'injection de l'opacifiant se fait par cathétérisme. L'introduction du cathéter se fait habituellement par l'artère fémorale ; le cathéter est ensuite acheminé par l'aorte abdominale vers l'entrée de l'artère coronaire droite, puis de l'artère coronaire gauche.

L'examen permet de visualiser l'arbre vasculaire coronaire (artères en un premier temps, puis veines) en vue d'y déceler des signes d'artériosclérose, d'anévrisme, d'occlusion.

La méthode suppose l'installation d'une ligne intra-veineuse périphérique et d'une ponction artérielle au niveau inguinal ou de l'artère radiale, précédée d'une anesthésie locale

INDICATIONS

Patient présentant des signes de maladie coronarienne (signe cliniques, électrocardiographiques, scintigraphiques) au repos ou à l'effort ; suivi d'un pontage aorto-coronarien compliqué

ENSEIGNEMENT AU PATIENT

Expliquer la pertinence de cette épreuve compte tenu de la situation particulière du patient. En exposer le déroulement. Un anesthésique local lui sera administré au site d'installation du cathéter.

Le prévenir des effets possibles de l'injection de l'opacifiant à base d'iode : sensation de chaleur au moment de l'injection, légère céphalée, goût salin ou métallique au niveau de la bouche, nausée légère après l'injection. Un exposé détaillé des risques et bénéfices lui sera fait au service de cardiologie et on lui demandera un consentement écrit.

L'examen sera passé au service de cardiologie ; il nécessite un jeûne depuis minuit la veille et il peut durer au delà d'une heure.

PROTOCOLE

L'examen est effectué par l'équipe du service de cardiologie.

Préparer le patient en fonction des directives du service de radiologie. Le patient doit être à jeun depuis 8 heures et il doit vider sa vessie et son gros intestin avant de se rendre à la salle d'examen.

SOINS ET SURVEILLANCE APRÈS L'EXAMEN

Maintenir le patient alité, la jambe injectée immobilisée, et surveiller les signes vitaux pour les six heures suivant l'examen. Surveiller le site d'insertion du cathéter et les signes d'hypersensibilité à l'iode ou à l'anesthésique local.

Cortisol – Sang, urine

*L*e cortisol est une hormone produite par le cortex des glandes surrénales et qui sert à contrôler le métabolisme des glucides, des lipides et des protides. De nombreux paramètres sont influencés par l'activité du cortisol : glycémie, natrémie, kaliémie, pression sanguine, fonction thyroïdienne et parathyroïdienne, etc.

La sécrétion du cortisol est contrôlée par l'ACTH hypophysaire, elle-même modulée par l'ACTH-RF hypothalamique, qui à son tour est l'objet d'une rétroaction négative par l'augmentation du niveau de cortisol dans le sang :

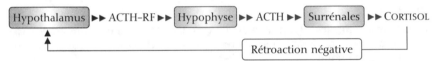

Le dosage de cette hormone sert à mettre en lumière un dysfonctionnement des glandes surrénales, et en particulier les deux grands syndromes en cause : le syndrome de Cushing (hyperadrénalisme) et le syndrome d'Addison (hypoadrénalisme).

Il importe de noter que chez les sujets normaux le cortisol est déversé dans le sang selon un rythme circadien, avec un pic le matin et un creux le soir.

INTÉRÊT CLINIQUE
Confirmer le diagnostic d'hyperadrénalisme et d'hypoadrénalisme, en fonction des résultats d'autres épreuves biologiques.

ENSEIGNEMENT AU PATIENT
Expliquer au patient, si requis, que ce test permet de confirmer l'origine surrénalienne de son problème de santé. Il y aura un prélèvement sanguin tôt le matin et un autre dans l'après-midi, ou une collecte des urines de 24 heures, auquel cas il faudra expliquer au patient la technique de collecte, si nécessaire.

PROTOCOLE
Cortisol sérique
Prélever du sang veineux dans un tube de 7 ml à bouchon doré, une fois tôt le matin et une autre fois vers la fin de la journée ; identifier le tube quant à l'heure du prélèvement. Envoyer immédiatement au laboratoire

Cortisol urinaire
Procéder à la collecte des urines de 24 heures. Utiliser un agent de conservation (25 ml d'acide acétique à 50 %) et conserver l'urine sur de la glace. Envoyer au laboratoire dès la fin de la période de collecte.

Créatine kinase (CK), ou créatine phosphokinase (CPK) – Sang

VALEURS DE RÉFÉRENCE

CK totale : ♂ : 30 – 175 U/l
         ♀ : 25 – 130 U/l
         Nouveau-né : 60 – 600 U/l

Isoenzymes : CKMM : 95 %
             CKMB : < 5 %
             CKBB : 0 %

RÉSULTATS ANORMAUX

⇑ de la CK totale : lésions du muscle cardiaque, du muscle squelettique ou du tissu cérébral

⇑ de la CK–MB : atteinte du muscle cardiaque : infarctus (dans les heures qui suivent), myocardite, chirurgie cardiaque, ischémie

⇑ de la CK–MM : atteinte du muscle squelettique : polytraumatismes, chirurgie, injections intramusculaires répétées, dermatomyosite, dystrophie musculaire

⇑ de la CK–BB : (moins significative) : atteinte du tissu cérébral, tumeurs, infarctus pulmonaire

FACTEURS AFFECTANT LES RÉSULTATS

⇑ de la CK totale : Injections intramusculaires nombreuses, activité physique intense récente, chirurgie récente

⇓ de la CK totale : Alcool, lithium, morphine, grossesse à ses débuts, hémolyse de l'échantillon, conservation de l'échantillon plus de deux heures à la T° de la pièce

La créatine kinase est une enzyme intracellulaire présente de façon caractéristique dans le tissu musculaire cardiaque, le tissu musculaire squelettique et le tissu cérébral. On la retrouve normalement en petite quantité dans le sang. Cliniquement, on distingue trois formes différentes, (ou isoenzymes) de la CK :

- la CK–MB, présente dans le muscle squelettique et le muscle cardiaque ;
- la CK–MM, présente principalement dans le muscle squelettique ;
- la CK–BB, présente dans le cerveau.

Lorsqu'il y a lésion d'un de ces tissus, une certaine quantité de l'isoenzyme correspondante est déversée dans le sang, où on peut la retracer.

INTÉRÊT CLINIQUE

Infarctus du myocarde (cependant, le dosage de la CK est de plus en plus remplacé par celui de la troponine (voir ce test), qui est un marqueur plus spécifique et plus sensible d'une atteinte cardiaque) ; atteintes aux muscles squelettiques.

ENSEIGNEMENT AU PATIENT

Expliquer l'utilité du test dans le contexte du moment. Le prévenir que l'on devra faire quelques ponctions veineuses à intervalles précis si l'on soupçonne une atteinte cardiaque. Le patient n'a pas à s'abstenir de manger ou de boire avant le test mais il doit éviter l'activité physique intense.

PROTOCOLE

Prélever du sang veineux dans un tube à bouchon doré et respecter scrupuleusement les intervalles prescrits entre les prises de sang. Manipuler délicatement l'échantillon afin d'éviter l'hémolyse.

Créatinine – Sang

*L*a créatinine est le produit final, irréversible, de la dégradation de la créatine phosphate utilisée dans la contraction musculaire. La créatinine produite est donc proportionnelle à la masse musculaire d'un individu et elle varie très peu pour une personne donnée.

De plus, elle est excrétée exclusivement par le rein (au niveau du glomérule). Son augmentation dans le sang signe donc une dysfonction rénale et rien d'autre.

INTÉRÊT CLINIQUE

Évaluation de la fonction rénale. Notons cependant que la créatinine est un marqueur de la fonction rénale qui est assez peu sensible ; en effet, on estime qu'il faut une diminution de 50% de la fonction glomérulaire avant que le taux de créatinine augmente de façon significative.

ENSEIGNEMENT AU PATIENT

Expliquer au patient que ce test sert à vérifier sa fonction rénale. Il n'a pas à être à jeun.

PROTOCOLE

Prélever du sang veineux dans un tube de 7 ml à bouchon rouge. Noter s'il prend des diurétiques.

Créatinine – Urine

VALEURS DE RÉFÉRENCE
♂: 7–14 mmol/24 h
♀: 6–13 mmol/24 h

RÉSULTATS ANORMAUX
⇩ Pathologie rénale: glomérulonéphrite, pyélonéphrite, obstruction

FACTEURS AFFECTANT LES RÉSULTATS
Technique de prélèvement des urines de 24 heures non respectée; problèmes de conservation de l'échantillon d'urine.

La créatinine est le produit final, irréversible, de la dégradation de la créatine phosphate utilisée dans la contraction musculaire. La créatinine produite est donc proportionnelle à la masse musculaire d'un individu et elle varie très peu pour une personne donnée.

De plus, elle est excrétée exclusivement par le rein (au niveau du glomérule). La diminution de la créatinine urinaire signe donc une pathologie rénale.

INTÉRÊT CLINIQUE
Sert essentiellement au calcul de la clairance de la créatinine

ENSEIGNEMENT AU PATIENT
Expliquer au patient que ce test sert à vérifier sa fonction rénale. Il n'a pas à se priver de boire ni de manger avant le test. L'on doit prélever ses urines sur une période de 24 heures; lui expliquer la technique.

PROTOCOLE
Mettre en marche la technique de collecte des urines de 24 heures. Noter l'heure du début de la collecte sur le bocal et sur la formule du laboratoire. Expédier l'urine au laboratoire sans tarder.

Cryoglobulines – Sang

RÉSULTAT NORMAL
Négatif

RÉSULTAT POSITIF
Cryoglobulinémie : Syndrome de Raynaud, lupus érythémateux disséminé, maladie de Sjögren, arthrite rhumatoïde, maladie de Waldenström, mononucléose infectieuse, hépatite

FACTEURS AFFECTANT LES RÉSULTATS
Aucun

Les cryoglobulines (du grec *Kryos*, froid) sont des immunoglobulines autoimmunes anormales qui ont la propriété de former des précipités à basse température (en–dessous de 37 °C) qui se redissolvent à 37 °. Ces cryoglobulines forment des précipités au froid en éprouvette mais aussi dans l'organisme, par exemple aux extrémités des membres inférieurs et supérieurs lorsqu'ils sont exposées au froid, causant de la douleur et des signes cliniques caractéristiques du syndrome de Raynaud.

INTÉRÊT CLINIQUE
Confirmation de la maladie ou explication de symptômes associés au syndrome de Raynaud ; utile aussi dans un contexte de vasculite, de glomérulonéphrite, de myélome multiple

ENSEIGNEMENT AU PATIENT
Expliquer le but de ce test si demandé ; aviser le patient qu'il devra subir un prélèvement veineux mais qu'aucun jeûne préalable n'est requis.

PROTOCOLE
Prélever du sang veineux dans un tube de 5 ou 7 ml à bouchon rouge pré–chauffé à 37° et maintenir à cette température jusqu'à ce que le tube parvienne au laboratoire.

Cuivre – Urine

VALEURS DE RÉFÉRENCE
240 – 960 nmol/24 h

RÉSULTATS ANORMAUX
⇑ Maladie de Wilson;
   Aussi: syndrome néphrotique, cirrhose biliaire essentielle, arthrite rhumatoïde

FACTEURS AFFECTANT LES RÉSULTATS
⇑ Œstrogènes, épisode inflammatoire
⇓ Mauvaise technique de collecte (collecte incomplète, contaminants)

*L*e cuivre est présent en quantités minimes dans l'organisme, où il fait partie, entre autres, de la structure de certaines enzymes et protéines nécessaires à la synthèse de l'hémoglobine. Le reste est lié à la céruloplasmine, qui sert à son transport et à son entreposage. Une infime partie du cuivre existe à l'état libre (Cu^{++}) et on en retrouve normalement des traces dans l'urine.

Un excès de ce cuivre libre, dû à une déficience en céruloplasmine, est toxique, inhibant certaines réactions enzymatiques importantes. Cet excès de cuivre se traduit, si non traité, par des dommages hépatiques (cirrhose) et neurologiques. C'est ce qui arrive dans la maladie de Wilson, congénitale et que l'on retrouve typiquement chez certaines populations juives originaires d'Europe centrale, et chez des familles originaires de Sicile ou du sud de l'Italie.

INTÉRÊT CLINIQUE
Diagnostic et dépistage de la maladie de Wilson

ENSEIGNEMENT AU PATIENT
Expliquer au patient l'intérêt médical de cette épreuve. Le test se pratique sur les urines de 24 heures. Expliquer au patient comment se fait la collecte des urines de 24 heures, en insistant sur l'importance d'une collecte propre et sans contamination.

PROTOCOLE
Procéder à la collecte des urines de 24 heures ou en enseigner la technique au patient. L'urine collectée doit être conservée au réfrigérateur ou sur de la glace et expédiée au laboratoire dès la fin de la période de collecte.

Culture de gorge

 a culture de gorge vise à déceler la présence de:

1. Microorganismes responsables d'infections symptomatiques en cours telles une pharyngite à streptocoque, une pharyngite à gonocoque, une amygdalite, la diphtérie, la coqueluche, une stomatite (candidiase);
2. Microorganismes responsables d'infections systémiques à foyers infectieux dans la gorge: scarlatine, fièvre rhumatoïde, glomérulonéphrite hémorragique aiguë;
3. Microorganismes asymtomatiques (individus porteurs): streptocoques du groupe A, *Neisseria meningitidis, Corynebacterium diphteriae, Staphylococcus aureus.*

INTÉRÊT CLINIQUE

Détermination de l'agent causal d'une infection en cours de la gorge; détermination de la présence asymptomatique, à des fins préventives, de streptocoques bêta-hémolytiques du groupe A (*Streptococcus pyogenes*) causant des pharyngites avec séquelles beaucoup plus importantes telles le rhumatisme articulaire aigü (RAA) et ses atteintes cardiaques, et la glomérulonéphrite

NB: Si l'objectif de la culture est la recherche spécifique de streptocoques du groupe A, une recherche d'antigènes par ELISA suffit et remplace la culture.

ENSEIGNEMENT AU PATIENT

Expliquer au patient l'intérêt d'un tel examen. L'aviser que l'on devra faire un prélèvement de gorge et comment ce prélèvement s'effectuera. L'avertir qu'il pourrait avoir des haut-le-cœur au moment du passage de l'écouvillon.

PROTOCOLE

Des trousses, offertes sur le marché, sont conçues pour le prélèvement et le transport de prélèvements de gorge. Suivre les instructions pertinentes s'il y a lieu.

Porter un masque. La démarche classique consiste à dégager la langue du patient à l'aide d'un abaisse-langue, à bien éclairer le fond de la gorge et à l'examiner pour localiser les sites d'inflammation ou de purulence. Racler doucement mais positivement avec l'écouvillon ces sites ou l'ensemble de la région. Retirer l'écouvillon en prenant bien soin d'éviter le contact avec toute autre structure au passage. Placer immédiatement l'écouvillon dans son tube. Envoyer immédiatement au laboratoire.

Une méthode alternative consiste à recueillir un liquide de gargarisme (10 ml de solution saline stérile) dans un récipient stérile. Indiquer la nature du spécimen.

Culture de plaie, culture d'abcès, culture de pus

RÉSULTATS NORMAUX
Négatifs, si la plaie est propre

RÉSULTATS PATHOLOGIQUES
Aérobies : *Staphylococcus aureus, Proteus, Escherichia coli* et autres entérobactéries, streptocoques bêta-hémolytiques du groupe A, *Pseudomonas*

Anaérobies : *Clostridium, Bacteroïdes*

Champignons : *Candida*

FACTEURS AFFECTANT LES RÉSULTATS
Contamination ; délai dans l'envoi au laboratoire (assèchement du spécimen)

*L*es plaies, quelle que soit leur origine (traumatisme, plaie chirurgicale, fracture ouverte, site de drainage, abcès, brûlure, affection cutanée, plaie de décubitus, etc.), sont des sites de prédilection pour la prolifération de microorganismes parce qu'elles sont riches en nutriments et qu'elles sont ou ont été exposées à toutes sortes de germes, pathogènes ou non.

De plus, les plaies fermées mal drainées par la circulation sanguine, telles les plaies chirurgicales, sont pauvres en oxygène et favorisent la croissance de bactéries anaérobies.

Les plaies purulentes sont ostensiblement infectées mais les plaies non purulentes et les épanchements d'apparence anodine peuvent aussi abriter une flore bactérienne pathogène.

En plus de nuire à la cicatrisation des plaies, les microorganismes qui y prolifèrent peuvent éventuellement gagner la circulation sanguine et se propager à d'autres sites, voire même causer des septicémies.

INTÉRÊT CLINIQUE
Identification des bactéries contenues dans le pus et les suppurations.

ENSEIGNEMENT AU PATIENT
Expliquer au patient l'utilité d'une culture de plaie et la façon dont se fera le prélèvement.

PROTOCOLE
Les précautions prises dans le prélèvement d'un spécimen de plaie visent à : 1) éviter la surcontamination de la plaie ; 2) éviter que des germes étrangers à la plaie ne contaminent le spécimen ; 3) éviter la contamination des régions adjacentes par les germes de la plaie ; 4) éviter de se contaminer soi-même.

Porter des gants. Appliquer une technique aseptique rigoureuse. Établir un champ stérile autour de la plaie s'il est jugé nécessaire. Laver à la solution saline stérile et débrider la plaie si nécessaire. Éponger l'excès de saline à l'aide d'une gaze stérile. En écartant les lèvres de la plaie entre le pouce et l'index, y plonger l'écouvillon le plus profondément possible et le tourner doucement pour y recueillir le pus ou l'exsudat. Retirer l'écouvillon et le placer dans son tube sans toucher aux lèvres de la plaie au passage.

Pour une culture anaérobie, suivre les instructions du laboratoire ou de la trousse de prélèvement.

Expédier au laboratoire immédiatement

NOTES SUR LES FACTEURS AFFECTANT LES RÉSULTATS

La machine humaine étant d'une grande complexité, d'innombrables facteurs peuvent faire dévier ou affecter à la hausse ou à la baisse les résultats d'une épreuve de laboratoire ou d'un examen clinique. Ces facteurs sont liés aux caractéristiques naturelles de l'individu, à des situations pathologiques de base ou à sa médication actuelle ou récente.

D'autres facteurs, liés à l'examen lui-même, peuvent aussi interférer, à un moment ou à un autre : technique de prélèvement en biochimie et en hématologie, technique aseptique en bactériologie, manutention et conservation des spécimens, manipulation au laboratoire, artéfacts en imagerie médicale etc.

Dans cet ouvrage ne sont suggérés qu'un certain nombre de facteurs parmi les plus typiques. Il est particulièrement difficile, entre autres, de tenir compte de tous les médicaments pouvant affecter les résultats des tests et examens, compte tenu de l'évolution rapide de la pharmacologie, des réactions spécifiques à chaque individu, et sans compter que l'on ne peut pas toujours savoir de quels médicaments, exactement, le patient fait ou a fait récemment usage.

Culture de rhino-pharynx

RÉSULTATS NORMAUX

Flore respiratoire normale, SAMR négatif

RÉSULTATS PATHOLOGIQUES

Bactéries : *Bordetella pertussis* (coqueluche), *Corynebacterium diphteriae, Haemophilus influenzae, Neisseria gonorrheae, Staphylococcus aureus* coagulase positif, dont le SAMR, streptocoques bêta-hémolytiques

Virus : virus de l'influenza

Champignons : *Candida albicans*

e rhino-pharynx est le passage aérien qui va du fond des fosses nasales jusqu'à l'oropharynx, qui est la partie donnant dans la cavité buccale. Cette partie des voies respiratoires est normalement le siège d'une flore bactérienne inoffensive constituée de streptocoques non hémolytiques ou alpha-hémolytiques, de staphylocoques non pathogènes et d'espèces non pathogènes du genre *Neisseria*, à titre d'exemples. Par contre, elle peut aussi héberger des bactéries et des virus responsables de maladies respiratoires, ainsi que le champignon *Candida*. Certains de ces microorganismes font l'objet de dépistages et d'études épidémiologiques, particulièrement en milieu hospitalier.

INTÉRÊT CLINIQUE

Diagnostic de maladies respiratoires ; dépistage du SAMR (*Staphycoccus aureus* multi-résistant, ou méthycillino-résistant)

ENSEIGNEMENT AU PATIENT

Expliquer au patient que cet examen permet de détecter la présence de microorganismes pathogènes des voies respiratoires. Un prélèvement du rhino-pharynx (fond de nez), légèrement incommodant mais inoffensif, sera effectué puis mis en culture au laboratoire.

PROTOCOLE

Selon le cas clinique, on peut vouloir isoler des bactéries, des virus ou *Candida*.

La technique consiste à recueillir du matériel de la paroi du rhino-pharynx à l'aide d'un écouvillon et à placer celui-ci dans un tube de transport ou à l'inoculer immédiatement sur ou dans un milieu de culture, selon ce que l'on recherche. Le matériel à utiliser varie selon le cas et selon le laboratoire.

Porter gants et masque.

La tête du sujet inclinée vers l'arrière, plonger l'écouvillon au fond de la cavité nasale et racler la paroi du septum et du plancher de la cavité au niveau du rhino-pharynx. Un tube de verre stérile placé dans la cavité externe de la fosse nasale aide à ne pas contaminer l'écouvillon à son entrée et à sa sortie. Placer dans le milieu de culture ou dans le tube de transport aseptiquement. Expédier immédiatement au laboratoire ou réfrigérer.

Culture de selles

RÉSULTATS NORMAUX

Flore normale (interpréter néanmoins à la lumière de l'état clinique du patient)

RÉSULTATS PATHOLOGIQUES

Bactéries : *Shigella, Salmonella, Campilobacter jejuni, Vibrio cholerae, Vibrio parahaemolyticus, Clostridium botulinum* (empoisonnement alimentaire) *Clostridium difficile, Clostridium perfringens, Staphylococcus aureus, Escherichia coli* pathogène, *Yersinia enterolytica, Neisseria gonorrheae*

NB : *Clostridium difficile* est responsable de la colite membraneuse ; présent dans le milieu hospitalier, cet anaérobie, sélectionné par la prise d'antibiotiques, produit une toxine responsable de la diarrhée ; on l'identifie par culture bactérienne, par culture de tissu (pour détecter la toxine) ou par un test rapide offert sur le marché (test sérologique).

Protozoaires : *Giardia, Cryptosporidium parvum* (diarrhée du SIDA), *Entamoeba histolytica, Schistosoma*

Parasites : *Ascaris, Taenia,* oxiures (*Enterobius vernicularis*), *Trichuris trichiura, Fasciola hepatica*

FACTEURS AFFECTANT LES RÉSULTATS

Antibiothérapie, lavement baryté récent, traitement à l'huile minérale, contamination du spécimen par l'urine ou par certains papiers hygiéniques contenant du baryum, délai dans l'acheminement du spécimen au laboratoire

Les matières fécales renferment une flore bactérienne extraordinairement abondante et variée, ce qui est de l'ordre de la normalité. Cette flore est même nécessaire à la fonction intestinale et au transit normal du contenu gastro-intestinal. Ce qui est anormal, c'est l'apparition de bactéries pathogènes, de protozoaires et de parasites. Par ailleurs, un déséquilibre causé dans la flore normale par certains antibiotiques ou par des lavements agressifs répétés peut amener certaines espèces bactériennes inoffensives à causer des dérangements et malaises intestinaux. De même, l'immunosuppression thérapeutique (greffes) ou pathologique (SIDA) apporte des déséquilibres inhabituels.

INTÉRÊT CLINIQUE

Identification de bactéries pathogènes, de protozoaires, de parasites et de déséquilibres dans la flore intestinale.

NB : La culture de selles peut être remplacée par une simple culture d'anus (écouvillon) dans la recherche spécifique de certains pathogènes, tel l'entérocoque résistant à la vancomycine, *Neisseria gonorrheae*, etc.

ENSEIGNEMENT AU PATIENT

Expliquer au patient l'utilité d'un tel examen. Si le patient est autonome, lui faire l'enseignement nécessaire à une collecte adéquate des matières fécales et lui fournir un contenant conçu à cet effet.

PROTOCOLE

Patient ambulatoire: demander au patient qu'il recueille une petite quantité de ses matières fécales dans un contenant approprié.

Patient alité: porter des gants; demander au patient de déféquer dans une bassine propre; recueillir quelques échantillons des matières fécales ainsi obtenues à l'aide d'une spatule en incluant sang et mucus s'il s'en trouve.

Prélèvement rectal direct: porter des gants; insérer un écouvillon passé le canal anal (quelques cm), l'y laisser une minute et le tourner en place pour qu'il s'imprègne de matières fécales; retirer, mettre aussitôt dans un tube et refermer le tube.

Prélèvement pour recherche de virus: suivre les directives du laboratoire.

Culture d'expectorations et d'aspiration bronchique

RÉSULTATS NORMAUX

Négatif (à l'exclusion des constituants normaux de la flore respiratoire et compte tenu de l'état clinique du patient)

RÉSULTATS ANORMAUX

Haemophilus influenzae, Klebsiella pneumoniae, Legionella, Mycobacterium tuberculosis, Mycoplasma pneumoniae, Pseudomonas aeruginosa, Pneumocystis carinii, Streptococcus pneumoniae, diverses entérobactéries.

Les infections virales ne sont pas détectées par une culture d'expectorations de routine (voir sérologie).

FACTEURS AFFECTANT LES RÉSULTATS

Contamination lors de la collecte; délai excessif dans l'acheminement du spécimen au laboratoire

*C*e type de culture se pratique sur du contenu bronchique obtenu par aspiration ou par expectoration profonde et il exclut le matériel nasal ou postnasal, les crachats et la salive.

INTÉRÊT CLINIQUE

Diagnostic d'affections pulmonaires: bronchite, tuberculose, abcès pulmonaires, pneumonie, bronchiectasie; détermination de l'agent causal (bactérie, virus, champignon, parasite)

NB: Des échantillons différents doivent être prélevés pour chacun des agents pathogènes recherchés.

ENSEIGNEMENT AU PATIENT

Expliquer au sujet l'intérêt de cet examen et l'importance de la qualité du spécimen, qui doit venir des bronches ou de la trachée. La collecte se fait idéalement le matin et l'ingestion de grandes quantités de liquides la veille facilite la formation de mucus bronchique. Si une aspiration trachéale ou bronchique est nécessaire, lui en décrire le déroulement.

PROTOCOLE

Porter gants et masque.

Expectoration naturelle: le spécimen doit venir des bronches ou de la trachée; le sujet prend trois grandes respirations puis, à la troisième expiration, fait une toux profonde.

Expectoration forcée: on peut induire l'expectoration à l'aide d'un aérosol conçu à cet effet et on fait alors appel, normalement, à une personne spécialisée du service d'inhalothérapie.

Aspiration trachéale: s'effectue par cathéter endotrachéal, par une personne (infirmière ou technicien) formée à cet effet; suivre la technique de l'institution.

Bronchoscopie: la collecte du spécimen peut se faire à l'occasion d'une bronchoscopie.

Collecte du spécimen: idéalement, on vise à obtenir un spécimen de 3 ml, que l'on dépose dans un récipient stérile destiné à cette fin; pratiquer la méthode aseptique tout au long de la technique de prélèvement.

Culture d'*Herpes simplex* (HSV, HHV)

RÉSULTATS NORMAUX

L'HSV est rarement isolé chez le sujet sain.

RÉSULTATS PATHOLOGIQUES

Le virus est isolé typiquement chez les sujets immunodéficients, même en l'absence de symptômes, à l'état latent. Une culture positive sur un prélèvement au niveau d'une lésion est très significative.

*L*es virus du groupe *Herpes* incluent, parmi les plus courants, le virus d'Epstein-Barr (EB), le cytomégalovirus (CMV), le virus Varicella–Zoster (VZV), *Herpes hominis* de types 1 et 2 (HHV 1 et 2), *Herpes hominis* de type 5 (HHV 5) et *Herpes hominis* de type 6 (HHV 6), de type 7 (HHV7) et de type 8 (HHV8).

Ce groupe de virus est la cause de symptômes divers allant de la kératite et la gingivostomatite à l'encéphalite. Chez le sujet immunodéficient, les dommages sont encore plus variés.

Bien qu'il existe des méthodes diagnostiques plus rapides (voir sérologie), l'isolement et la culture d'*Herpes simplex* est parfois considérée comme la plus déterminante.

INTÉRÊT CLINIQUE

Confirmation d'une infection à HSV

ENSEIGNEMENT AU PATIENT

Expliquer au patient que cet examen permet de déterminer l'origine virale (HSV) d'une infection.

PROTOCOLE

Les prélèvements se font aux sites susceptibles de contenir du HSV, selon les symptômes du patient : peau, œil, système uro-génital, pharynx ; les sécrétions, lavages et liquides biologiques peuvent aussi contenir le virus.

Porter des gants et, si nécessaire (pharynx), un masque. Utiliser la forme de transport ou le milieu de transport appropriés selon le type de prélèvement et selon les pratiques de l'institution. Expédier immédiatement au laboratoire.

Culture d'urine

RÉSULTATS NORMAUX
Négatif

RÉSULTATS ANORMAUX
Les agents bactériens les plus fréquents sont : Escherichia. coli, Enterobacter, Klebsiella, Mycobacterium tuberculosis, Neisseria gonorrheae, Proteus, Pseudomonas, Staphylococcus aureus, autres staphylocoques, entérocoques, streptocoques. On trouve aussi Trichomonas vaginalis et Candida albicans.

FACTEURS AFFECTANT LES RÉSULTATS
Contamination au moment de la collecte (risque élevé)

*L*a culture d'urine sert à confirmer une infection du système urinaire (reins, uretère, vessie, urètre) et à en déterminer les agents microbiens responsables. En principe, chez le sujet sain l'urine est stérile jusqu'à son arrivée au méat urinaire, où elle peut se contaminer au contact de la région génitale. Mais si l'on prélève aseptiquement un spécimen en amont du méat urinaire, il s'avère normalement négatif à la culture.

Par contre, l'urine étant un bon milieu de culture, elle se contaminera facilement en présence d'une infection rénale, urétérale, vésicale ou urétrale. L'urine du matin est particulièrement significative s'il y a infection.

INTÉRÊT CLINIQUE
Identification de l'agent microbien (habituellement unique) responsable d'une infection urinaire ; surveillance des voies urinaires chez le sujet porteur d'un système de drainage permanent.

ENSEIGNEMENT AU PATIENT
Expliquer l'utilité d'une culture d'urine. Enseigner au patient la technique de collecte de l'urine pour fin de culture (technique du mi-jet, ou *midstream*) :

- Retirer tout vêtement qui pourrait gêner la manœuvre et se laver les mains ;
- Préparer le récipient d'urine : enlever le couvercle et le déposer à l'envers sur une surface propre ; ne toucher à aucune surface interne du récipient ou du couvercle ;
- Désinfecter (au savon antiseptique) la région entourant le méat urinaire (chez la femme, maintenir les lèvres ouvertes jusqu'à ce que la collecte soit terminée, afin d'éviter la contamination du spécimen ; chez l'homme, remonter le prépuce et le laisser remonté jusqu'à la fin de la collecte) ;
- Laisser couler les premiers ml (20–30) d'urine puis recueillir 20 à 30 ml du liquide ; cesser la collecte avant que la miction soit terminée, évitant de recueillir les dernières gouttes ; refermer le contenant immédiatement ;
- Acheminer immédiatement le spécimen au laboratoire ou le réfrigérer (maximum 24 heures avant l'incubation au laboratoire).

PROTOCOLE

Si le sujet est autonome, lui enseigner la technique du mi-jet. Sinon l'aider à recueillir le spécimen. Porter des gants.

Chez les sujets porteurs d'un cathéter, on peut faire le prélèvement à même le tube au niveau d'un accès en Y après avoir clampé en aval; effectuer le prélèvement aseptiquement à l'aide d'une seringue; ne jamais prélever à même le sac collecteur. En absence d'autre alternative, un cathétérisme vésical peut être nécessaire.

Expédier immédiatement au laboratoire ou réfrigérer (maximum 24 heures), à moins que le récipient ne contienne un agent de conservation.

Cysto–urétrographie mictionnelle

IMAGES PATHOLOGIQUES POSSIBLES

Uretères : • Urétérocèle
• Reflux urétéral

Vessie : • Diverticules
• Cystocèle
• Vessie neurogène
• Reflux urétéral
• Défaut de remplissage

Urètre : • Sténose
• Diverticule

Prostate : • Hypertrophie, hyperplasie

Anomalies congénitales des voies urinaires inférieures, causes d'incontinence

*L*a cysto–urétrographie mictionnelle, aussi appelée cystographie miction-nelle, consiste à observer l'urètre, la vessie et la portion distale des uretères aux rayons X après remplissage partiel de la vessie avec une solution d'opacifiant radiologique à base d'iode. Cet examen permet une vue de la paroi interne des structures en cause et leur comportement au moment de la miction.

(Notons que l'iode, ici, n'est pas injecté i–v, éliminant en principe mais pas de façon absolue le problème de la sensibilité à l'iode).

L'examen comporte les étapes suivantes : 1) insertion d'un cathéter urinaire de type permanent par le méat urinaire et son blocage par ballonnet à l'entrée de la vessie ; 2) injection du liquide radio–opaque jusqu'à remplissage partiel de la vessie ; 3) clichés en diverses positions pour vérifier l'intégrité de la paroi interne de la vessie et déceler un reflux urétéral possible ; 4) retrait du cathéter ; 5) on demande au patient d'uriner alors que quelques clichés sont pris.

Cet examen inclut les informations fournies par une urétrographie rétrograde.

INTÉRÊT CLINIQUE

Détection d'anomalies structurelles et fonctionnelles de la vessie, de l'urètre, du sphincter vésical (♀) et de la prostate (♂)

ENSEIGNEMENT AU PATIENT

Expliquer au patient la nature de cette épreuve et sa pertinence dans sa situation clinique particulière. Lui en exposer le déroulement. L'examen sera passé au service de radiologie ; aucune préparation particulière n'est indiquée.

PROTOCOLE

Cet examen est passé au service de radiologie (voir ci–haut).

Cytomégalovirus – Sérologie

*L*e cytomégalovirus est un virus de la famille des virus herpétiques qui est très répandu et généralement asymptomatique. La moitié de la population est positive aux tests sérologiques sans, nécessairement, abriter la forme active du virus, celui-ci persistant souvent sous une forme latente, réactivable.

Chez les personnes infectées, le virus est présent dans la salive, l'urine, le sperme, les sécrétions vaginales et le lait maternel. Il est transmissible par contact sexuel, par transfusion sanguine, par allaitement, par voie transplacentaire (infection congénitale) ou par contamination lors de l'accouchement (infection périnatale).

Les manifestations cliniques d'une infection active apparaissent surtout chez les nouveau-nés et chez les personnes immunodéficientes par réactivation du virus.

DIAGNOSTIC SÉROLOGIQUE
Mise en évidence des anticorps anti-CMV par méthode ELISA et immunofluorescence (IFA). Le diagnostic d'une réactivation du virus nécessite que l'on démontre une augmentation soudaine du titre des anticorps.

INTÉRÊT CLINIQUE
Évaluation du risque de réactivation du CMV chez les immunodéficients ; détection de l'infection à CMV chez les nouveau-nés ; dépistage de sujets séropositifs chez les donneurs de sang et d'organes ; dépistage chez la femme enceinte et le nouveau né (voir Torch test)

ENSEIGNEMENT AU PATIENT
Expliquer au patient, ou aux parents d'un nouveau-né, la pertinence de cette épreuve. Un prélèvement intraveineux est nécessaire, sans jeûne préalable.

PROTOCOLE
Prélever du sang veineux dans un tube de 5 ml à bouchon rouge. Il peut être nécessaire que l'on ait à séparer le sérum du caillot sur place, après avoir laissé reposer le tube une heure à la T° de la pièce. Vérifier auprès du laboratoire.

D-Dimère

VALEURS DE RÉFÉRENCE
< 250 µg/l

RÉSULTATS ANORMAUX
⇑ Coagulation intravasculaire disséminée, fibrinolyse primitive
  Thrombose artérielle ou veineuse
  Embolie pulmonaire
  Cancer

FACTEURS AFFECTANT LES RÉSULTATS
⇑ Grossesse, post-partum
  Anticoagulothérapie
  Post-opératoire

Cette épreuve est un élément de l'étude de la coagulation. Plus précisément, elle concerne le processus de fibrinolyse, c'est à dire le processus de dissolution du caillot sanguin.

La structure de base du caillot sanguin est un réseau de molécules de fibrine enchevêtrées et chimiquement liées les unes aux autres. Quelque temps après la formation de ce réseau, le plasminogène du plasma sanguin est activé en plasmine, qui le brise, le dissout en libérant des fragments, dont le D-dimère.

Le D-dimère n'est présent dans le plasma que suite à la dégradation de réseaux de fibrine, constituant ainsi un témoin spécifique de la fibrinolyse et permettant de mesurer l'ampleur du phénomène.

INTÉRÊT CLINIQUE
Diagnostic et mesure de la coagulation intravasculaire disséminée et d'états thrombolytiques

ENSEIGNEMENT AU PATIENT
Expliquer au patient que cette épreuve sert à mesurer sa tendance à la formation de caillots sanguins, qu'elle nécessite une prise de sang mais qu'aucune restriction alimentaire n'est indiquée.

PROTOCOLE
Prélever du sang veineux dans un tube de 7 ml à bouchon bleu. Remplir le tube à capacité ; mêler, délicatement mais complètement, le sang et l'anticoagulant du tube. Expédier immédiatement au laboratoire, sur glace. Surveiller le site de ponction après le prélèvement.

Diverticule de Meckel – Scintigraphie

RÉSULTATS POSSIBLES
Négatif
Positif : diverticule de Meckel

*L*e diverticule de Meckel est un appendice plus ou moins commun du petit intestin situé à environ 80 cm de sa jonction avec le côlon. Souvent, sa muqueuse a certaines propriétés de la muqueuse gastrique, dont la sécrétion d'acide chlorhydrique. Si c'est le cas, le plus souvent avant l'âge de 2 ans cette malformation congénitale commence à poser des problèmes : inflammation, ulcération, saignement de la muqueuse intestinale avoisinante, etc.

Chez ces enfants, la muqueuse du diverticule de Meckel est fonctionnellement une muqueuse gastrique ectopique et elle pourra accumuler, comme la muqueuse gastrique, le pertechnetate radioactif (technetium 99m).

INTÉRÊT CLINIQUE

Cet examen a une bonne sensibilité et est très spécifique dans la confirmation d'un diverticule de Meckel actif, c'est à dire sécréteur.

CONTRE-INDICATIONS (RELATIVES)

Grossesse, allaitement

ENSEIGNEMENT AU PATIENT

Expliquer dans ses mots au patient le principe de cet examen et lui indiquer quelles en seront les étapes et la durée. L'examen est tout à fait sécuritaire et sans douleur. Le rassurer quant à l'innocuité de cet examen : il ne sera soumis qu'à de faibles doses de radiations. De plus, la substance radioactive est éliminée de l'organisme assez rapidement (la plus grande partie après quelques heures). Le patient n'aura pas à se priver de nourriture avant l'examen.

PROTOCOLE

Cet examen est effectué au service de médecine nucléaire par le personnel spécialement formé à cet effet et dure environ une heure.

Le patient sera à jeun depuis 12 heures. En plus de l'ingestion de la substance radiopharmacologique, il y aura, en général, injection d'un bloqueur des récepteurs de l'histamine

Écho–Doppler artériel et veineux

IMAGES ET TRACÉS PATHOLOGIQUES (CAUSES POSSIBLES)

Écho-Doppler artériel périphérique
- Sténose, thrombose, artérite, anévrisme, plaques ou calcification, embolies
- Spasmes artériels
- Maladie occlusive des petites artères d'origine diabétique

Écho-Doppler veineux périphérique
- Thrombose veineuse, varices

Écho-Doppler carotido-vertébral
- Sténose, occlusion, plaque, inversion du flux
- Dissection artérielle, anévrisme
- Tumeur du glomus carotidien (corps carotidien)

Écho-Doppler trans-crânien
- Vasospasmes

Écho-Doppler rénal
- Sténose des artères rénales

FACTEURS AFFECTANT LA LECTURE
Obésité excessive et arythmie cardiaque rendent l'examen plus difficile à réaliser.

On peut étudier les caractéristiques de l'écoulement du sang dans un vaisseau (artère ou veine) en mettant à profit la propriété qu'a le sang en mouvement d'affecter les fréquences renvoyées lors de l'échographie, c'est à dire l'effet Doppler. Les propriétés du flot sanguin ainsi mises en évidence sont sa vitesse, sa direction, sa turbulence et, indirectement, sa pression. Ces propriétés hémodynamiques reflètent évidemment l'état et le fonctionnement du système vasculaire et ses perturbations possibles. Comme l'échographie donne des images en temps réel, les variations dynamiques du flot sanguin durant un cycle systole–diastole peuvent être enregistrées et mesurées, de même que les pressions locales.

INTÉRÊT CLINIQUE
Évaluation du système vasculaire local en vue de détecter des troubles circulatoires tels sténose, occlusion par thrombose ou embolie, anévrismes, thromboses, etc., les données de l'écho–Doppler ne prenant tout leur sens qu'intégrées à l'ensemble des autres paramètres et observations cliniques.

ENSEIGNEMENT AU PATIENT
Expliquer au patient que cet examen, inoffensif et sans douleur, a pour objectif d'évaluer la circulation sanguine et l'état des vaisseaux sanguins dans la région concernée. Aucun jeûne n'est requis avant l'examen (sauf pour le Doppler rénal) mais le sujet doit s'abstenir de fumer deux heures avant.

PROTOCOLE
L'examen a lieu au service de radiologie ou au chevet du malade et il est effectué par un radiologiste. Celui–ci passe à la surface de la peau de la région concernée un émetteur d'ultrasons ressemblant à un microphone, qui agit en même temps comme récepteur des échos. Les échos sont numérisés et interprétés par un ordinateur qui les convertit en images ou en tracés, que l'on peut voir en temps réel sur un écran vidéo et enregistrer.

Écho-Doppler cardiaque transœsophagien

PRINCIPES ET INTÉRÊT CLINIQUE
Voir Échographie-généralités

*C*omme son nom l'indique, cet examen utilise un émetteur d'ultrasons minia-turisé que l'on achemine par tube endoscopique dans l'œsophage vers les régions postérieures et latérales du cœur, ce qui permet des vues beaucoup plus rapprochées des structures cardiaques, vues qui ne sont pas affectées par le tissu sous-cutané, par la musculature et l'ossature de la cage thoracique ainsi que par la trachée et les poumons.

Les objectifs de cet examen sont donc sensiblement le mêmes que pour l'échocardiogramme transthoracique (voir cet examen), sauf que certaines structures sont analysées avec plus d'acuité: septum atrial, valve mitrale, tumeurs, infarctus et zones ischémiées du myocarde, zones d'inflammation de l'endocardite.

De plus, cette approche contourne les problèmes associés à l'échographie cardiaque chez les sujets très obèses, chez les sujets dont la paroi thoracique est lésée (traumatismes, contusions) chez les sujets affectés de maladie pulmonaire obstructive et au cours d'interventions chirurgicales abdominales et thoraciques.

CONTRE-INDICATIONS
Varices œsophagiennes, œsophagites, diverticule pharyngo-œsophagien, sclérodermie

ENSEIGNEMENT AU PATIENT
Expliquer le principe général de l'échographie ainsi que les objectifs visés par l'échographie cardiaque transœsophagienne. Expliquer au patient comment se déroulera l'examen. L'introduction du tube endoscopique dans l'œsophage par la bouche n'est pas pour le patient ce qu'il y a de plus confortable mais l'utilisation de sédatifs et l'application d'un anesthésique au fond de la bouche diminue de beaucoup l'inconfort. L'examen échographique proprement dit est accompagné d'un électrocardiogramme. Le sujet devra être à jeun depuis six heures avant l'examen. Juste avant l'examen, il devra se défaire de toute prothèse buccale.

PROTOCOLE
L'examen se fait au service de radiologie ou de cardiologie ou au lit du malade, par un médecin spécialiste. Le patient est habituellement mis sous sédation (benzodiazépine i-v).

Après installation des fils d'ECG ou branchement à un moniteur cardiaque, on anesthésie le pharynx à l'aide d'un agent topique en aérosol principalement pour empêcher les réflèxes de vomissement. Un bloc placé entre ses dents, le patient est mis en décubitus latéral gauche, puis l'endoscope acheminé jusqu'à ce que l'émetteur d'ultrasons parvienne au voisinage du cœur.

Grâce à sa grande maniabilité, l'endoscope peut positionner l'émetteur–récepteur miniature sous plusieurs angles et en plusieurs positions postérieures et latérales par rapport au cœur.

Les images échographiques et les tracés Doppler sont visibles sur écran vidéo et enregistrés au besoin.

Écho–Doppler cardiaque trans–thoracique (échocardiogramme)

LECTURES PATHOLOGIQUES POSSIBLES
- Hypertrophie ventriculaire
- Défectuosités valvulaires : sténose, régurgitation, prolapsus
- Cardiomyopathies, endocardite, infarctus récent ou ancien
- Défectuosité cardiaque congénitale
- Épanchement péricardique
- Caillots sanguins intra–auriculaires ou intra–ventriculaires

FACTEURS AFFECTANT LA LECTURE
- Obésité excessive
- Maladie pulmonaire obstructive
- Arythmies
- Ventilation assistée

PRINCIPES
Voir Échographie–généralités

INTÉRÊT CLINIQUE
Évaluation des structures anatomiques du cœur (parois auriculaires et ventriculaires, valves, ventricules, péricarde) et analyse de la dynamique cardiaque et du flot sanguin à l'intérieur du cœur en vue de détecter des anomalies structurelles et fonctionnelles ou de vérifier le bon fonctionnement de prothèses valvulaires. Cet examen permet aussi la détection de tumeurs et de zones d'infarctus.

ENSEIGNEMENT AU PATIENT
Expliquer au patient l'objectif de l'échocardiogramme, la façon dont se déroulera l'examen, le principe général de l'échographie et la nature des images attendues. L'examen échographique en lui-même est totalement inoffensif et sans douleur. Aucun jeûne préalable n'est indiqué. La durée de l'examen est d'environ 30 minutes. Il est probable qu'un électrocardiogramme, également inoffensif et sans douleur, sera effectué en même temps que l'échocardiogramme.

PROTOCOLE
Cet examen est effectué au lit du patient ou au service de radiologie ou de cardiologie par un technologue sous supervision d'un radiologiste ou d'un cardiologue.

Le sujet est étendu sur le dos. On fixe les électrodes pour l'électrocardiogramme et on étend sur son thorax vis à vis du cœur un gel conducteur. Suivent les lectures et l'enregistrement de l'échocardiogramme proprement dit au moyen de l'émetteur-récepteur d'ultrasons que l'on place à différents endroits de la surface de la peau.

Dans certains cas, l'examen peut être effectué sous effort mécanique (tapis roulant, bicyclette ergométrique) ou simulé chimiquement (dobutamine)

Échographie abdominale

IMAGES PATHOLOGIQUES POSSIBLES

Foie

Hypertrophie, stéatose, cirrhose, néoplasies primitives et secondaires, hématomes, kystes, abcès, anomalies des canaux biliaires intra-hépatiques

Vésicule et voies biliaires

Cholécystite, tumeur, polype, lithiase, boue biliaire, obstruction ou dilatation des voies biliaires

Pancréas

Pseudokystes, tumeurs, pancréatite

Reins

Kystes, tumeurs, abcès, hydronéphrose, glomérulo-néphrite, pyélonéphrite, atrophie, lithiases, obstruction des voies urinaires (voir aussi Echo-Doppler du rein)

Surrénales

Phéochromocytome, métastases, adénomes, hématomes, hyperplasie

Rate

Splénomégalie, rupture, lymphome

Gros vaisseaux

Anévrisme, caillots

Cavité abdominale

Ascite, hémorragie, hématomes, abcès, tumeurs rétropéritonéales

FACTEURS AFFECTANT LA LECTURE

- Gaz intestinaux (l'air nuit à tout examen échographique), vésicule biliaire vide (délimitation des parois)
- Abondance de graisse abdominale
- Résidus de baryum (radiologie entérique récente)

PRINCIPES

Voir Échographie–généralités

INTÉRÊT CLINIQUE

Selon le cas : examen du foie, de la vésicule biliaire, des voies biliaires, du pancréas, des reins et des surrénales, de la rate, des gros vaisseaux, des mésentères et de la cavité abdominale comme telle, à la recherche d'anomalies de structure.

ENSEIGNEMENT AU PATIENT

Expliquer au sujet les principes généraux de l'examen échographique. Insister sur l'innocuité totale de l'échographie abdominale, sur l'absence de radiations et de douleur associée à l'examen. Expliquer l'objectif poursuivi dans son cas particulier. La durée de l'examen varie entre 15 et 30 minutes. Aucune préparation spéciale n'est requise sauf, dans certains cas, un jeûne préalable de 6 heures.

PROTOCOLE

L'examen a lieu au service de radiologie ou au chevet du malade et il est effectué par un radiologiste. Celui-ci passe à la surface de la peau de la région concernée un émetteur d'ultrasons ressemblant à un microphone, qui agit en même temps comme récepteur des échos. Les échos sont numérisés et interprétés par un ordinateur qui les convertit en images ou en tracés, que l'on peut voir en temps réel sur un écran vidéo et enregistrer.

Échographie de l'aorte abdominale

PRINCIPES ET INTÉRÊT CLINIQUE
Voir Échographie–généralités

OBJECTIF DE L'EXAMEN
Détecter ou confirmer l'existence d'un anévrisme de l'aorte, en suivre l'évolution.

ENSEIGNEMENT AU PATIENT
Expliquer au patient le principe général de l'échographie et son utilité particulière dans le cas de l'examen de l'aorte abdominale, qui est de détecter ou de confirmer un anévrisme. Lui décrire le déroulement de l'examen et le rassurer sur son innocuité totale et sa simplicité. Le patient devra se priver d'aliments les douze heures précédant l'examen afin d'éviter la présence de gaz dans le tube digestif, qui brouillent l'échographie.

PROTOCOLE
Cet examen est effectué par un(e) radiologiste, habituellement au service de radiologie. Après avoir demandé au sujet de s'étendre sur une table d'examen, on applique du gel conducteur à la surface de l'abdomen puis on procède aux lectures échographiques. L'ensemble de la préparation et des lectures n'excède jamais trente minutes

Échographie de la prostate
(trans-rectale)

PRINCIPES ET INTÉRÊT CLINIQUE
Voir Échographie–généralités

L'échographie trans-rectale de la prostate est indiquée en complément de la palpation de la prostate par toucher rectal lorsque le taux de l'antigène prostatique spécifique (voir ce test) est élevé. L'échographie trans-rectale permet également d'examiner les structures voisines : voies séminales et urinaires adjacentes, tumeurs et abcès de la paroi rectale, etc.

OBJECTIFS DE L'EXAMEN
Détection et différenciation de masses prostatiques ; guidage de biopsie

ENSEIGNEMENT AU PATIENT
Expliquer au patient le principe de l'échographie et son application dans l'examen de la prostate, la façon dont se déroulera l'examen et la nature des images attendues. L'examen échographique en lui-même est totalement inoffensif et sans douleur. Aucun jeûne préalable n'est indiqué mais on demandera au patient de vider son intestin avant l'examen, la présence de matières fécales nuisant à la procédure. Certains laboratoires demandent d'administrer un lavement Fleet une heure avant l'examen. La durée de l'examen est d'environ 15 minutes.

PROTOCOLE
Cet examen est effectué au service de radiologie par un(e) radiologiste.

Le sujet est étendu sur le côté les jambes repliées contre le thorax. Un toucher rectal précède normalement l'examen échographique. Le radiologiste insère dans le rectum, à quelques centimètres de profondeur, une sonde échographique et procède à la lecture échographique sous différents angles.

Échographie de la thyroïde

LECTURES PATHOLOGIQUES POSSIBLES
- Augmentation de volume: goitre, thyroïdite
- Nodules: kystes, adénomes, tumeurs

NB: L'échographie seule ne permet pas d'identifier la nature histopathologique de la lésion.

PRINCIPES

Voir Échographie–généralités

INTÉRÊT CLINIQUE

L'échographie de la thyroïde permet d'évaluer la taille de la glande, d'y mesurer l'ampleur d'un goitre et d'y détecter kystes et nodules. Elle permet aussi de suivre l'évolution et le traitement (à iode radioactif, par exemple) d'affections thyroïdiennes. Enfin, l'échographie sert de guide pour une biopsie de la thyroïde.

ENSEIGNEMENT AU PATIENT

Expliquer au patient le principe général de l'échographie et son utilité particulière dans l'examen de la thyroïde.

Lui dire comment se déroulera l'examen, qu'il est sans aucun risque et d'une grande simplicité.

PROTOCOLE

Cet examen est effectué par un(e) radiologiste, la plupart du temps au service de radiologie. Après avoir demandé au sujet de s'étendre sur une table d'examen, le cou en extension, on applique un gel conducteur dans la région du cou et on procède à l'examen échographique. La durée de l'examen n'excède pas trente minutes.

Échographie des testicules

PRINCIPES
Voir Échographie–généralités

INTÉRÊT CLINIQUE
La plupart des affections aux testicules et à l'épididyme (masses, infections, anomalies de position, etc.) se voient bien à l'échographie. Cet examen a donc une bonne valeur diagnostique, en plus de sa simplicité et de son innocuité totale. Il permet aussi le suivi de traitements divers. On peut aussi utiliser l'échographie pour guider une aiguille de biopsie.

ENSEIGNEMENT AU PATIENT
Expliquer le principe général de l'échographie et son utilité particulière dans l'examen des testicules, sa grande simplicité et l'absence de tout risque, de toute douleur. Expliquer au patient comment se déroulera l'examen.

PROTOCOLE
L'examen se déroule normalement au service de radiologie et il est effectué par un radiologiste. On demande au sujet de s'étendre sur une table d'examen puis on appliquera à la surface du scrotum un gel conducteur. Suit l'examen échographique proprement dit, le tout n'excédant pas trente minutes.

Échographie (généralités)

L'échographie est une méthode d'imagerie médicale aussi appelée ultrasonographie. Une variante de cette méthode est l'échographie avec Doppler.

L'analyse par échographie est possible grâce à la propriété qu'ont divers tissus et organes de réfléchir, comme un écho, un faisceau d'ultrasons qui est dirigé vers eux. Les interfaces, ou limites entre des tissus de structures différentes renvoient particulièrement bien ces ultrasons. L'échographie permet donc de visualiser les contours, les formes et ce, à différentes profondeurs. Elle permet même de visualiser les mouvements en temps réel du fœtus et du cœur, par exemple.

Techniquement, l'opérateur passe à la surface de la peau de la région concernée un émetteur d'ultrasons ressemblant à un microphone, qui agit en même temps comme récepteur des échos. Les échos sont numérisés et interprétés par un ordinateur qui les convertit en images ou en tracés, que l'on peut voir en temps réel sur un écran vidéo et enregistrer.

La technique, bien qu'elle nécessite une grande dextérité de la part de l'opérateur, est totalement inoffensive, sans effets secondaires connus et d'une grande simplicité pour le patient, en plus d'être rapide, répandue, peu coûteuse et sans préparation laborieuse.

L'effet Doppler, qui a trait à l'influence du mouvement sur les fréquences, peut être mis à profit en échographie. La combinaison échographie–Doppler permet en effet de visualiser les gros vaisseaux sanguins, les ventricules du cœur en même temps que d'y déterminer la direction et la vitesse d'écoulement du sang.

INTÉRÊT CLINIQUE

L'échographie rend ses meilleurs services dans la localisation des structures molles, la détermination de leurs formes, de leurs contours et de leur mouvement. Elle est irremplaçable dans l'étude de l'hémodynamique (cœur et vaisseaux) et sert aussi à diriger certaines manipulations invasives (thoracocentèse, amniocentèse, biopsies):

Cœur et vaisseaux
Parois, ventricules, valves, hémodynamique

Tête et cou
Thyroïde, parathyroïde, artères carotide et vertébrale

Cerveau
La vascularisation cérébrale et son hémodynamique (Doppler trans–crânien)

Œil
Examen et manipulations (corps étrangers)

Seins
Kystes, lésions bénignes, lésions malignes, biopsies

Système hépato-biliaire
Examen, hémodynamique (Doppler), biopsies

Pancréas, rate, ganglions lymphatiques, cavité abdominale
Examen

Reins
Kystes, masses, calculs, hydronéphrose, recherche de sténoses (hémodynamique), biopsies

Système reproducteur mâle

Masses scrotales, prostate, circulation sanguine pénienne (Doppler) dans les cas d'impuissance

Obstétrique-gynécologie

Examens (utérus, ovaires, vessie, fœtus, placenta, cavité amniotique), prélèvements

---

NOTES SUR LES RÉSULTATS ANORMAUX OU PATHOLOGIQUES

Sous ce titre sont présentées les significations cliniques possibles d'écarts à la hausse ou à la baisse par rapport aux valeurs de référence ou à un résultat normal. Seules sont évoquées les pathologies les plus fréquemment associées à ces écarts.

Cependant, il ne faut jamais faire l'erreur d'associer aveuglément un résultat d'examen à une pathologie, la connaissance globale de la situation clinique du patient étant nécessaire à l'interprétation des résultats.

Échographie mammaire

PRINCIPES ET INTÉRÊT CLINIQUE
Voir Échographie–généralités

*L*a principale vertu de l'échographie dans le cas de l'examen des seins est l'absence de radiations ionisantes (rayons X) auxquelles on hésite toujours à soumettre cet organe particulièrement vulnérable. Chez la femme enceinte, le fœtus présente à cet égard une restriction additionnelle. En outre, chez la femme porteuse de prothèses mammaires l'échographie permet de sonder au–delà de ce corps étranger, qui brouille l'examen radiologique conventionnel.

OBJECTIFS DE L'EXAMEN
Détection et différenciation de masses solides (tumeurs ou kystes). On utilise aussi l'échographie pour guider une procédure de biopsie ou d'aspiration.

ENSEIGNEMENT AU PATIENT
Expliquer à la patiente et à son conjoint, s'il y a lieu, le principe de l'échographie et son application dans l'examen du sein, la façon dont se déroulera l'examen et la nature des images attendues. L'examen échographique en lui–même est totalement inoffensif et sans douleur. Aucun jeûne préalable n'est indiqué. La durée de l'examen est d'environ 15 minutes. Aviser la patiente de se vêtir modestement (chemisier plutôt qu'une robe) en vue de l'examen et de s'abstenir de toute substance cosmétique au niveau de cette région du corps.

PROTOCOLE
Cet examen est effectué au service de radiologie par une radiologiste ou par une technologue sous supervision d'un radiologiste.

Le sujet est étendu sur le dos et la surface des seins est enduite d'un gel conducteur. Les lectures échographiques se font au moyen d'un émetteur-récepteur d'ultra-sons que l'on déplace à la surface de la peau.

Échographie obstétricale

IMAGES PATHOLOGIQUES POSSIBLES
- Grossesse ectopique
- Môle hydatiforme
- Malformations du fœtus (hydrocéphalie, etc.)
- Activité cardiaque anormale du fœtus
- Croissance anormale du fœtus
- Mort fœtale
- Hématome sous-chorionique, décollement placentaire
- Position fœtale anormale
- Placenta praevia
- Néoplasies, cancer, kystes, abcès de l'appareil utérin et des ovaires

PRINCIPES ET INTÉRÊT CLINIQUE
Voir Échographie–généralités

Aujourd'hui, l'échographie est devenue l'approche privilégiée pour suivre une grossesse et l'évolution du fœtus, grâce aux images tout à fait satisfaisantes qu'elle procure, à son innocuité, à son faible coût et à sa simplicité pour la future parturiente. L'échographie obstétricale, qu'elle soit transvésicale ou transvaginale, permet en effet de : 1) confirmer une grossesse et son âge, 2) détecter assez tôt les grossesses multiples, 3) suivre l'évolution du fœtus et en déterminer la viabilité, 4) localiser le placenta, 5) détecter plusieurs anomalies macroscopiques possibles de la grossesse : grossesse ectopique, môle hydatiforme, placenta praevia, néoplasies, kystes, etc. 6) guider le prélèvement de liquide amniotique lors de l'amniocentèse ; 7) observer la croissance du fœtus.

L'ensemble de ces renseignements permet une gestion raisonnablement fiable de la grossesse et constitue un moyen de prévention inestimable vis à vis de ses complications possibles.

ENSEIGNEMENT À LA PATIENTE
Expliquer à la patiente et à son conjoint, s'il y a lieu, le principe de l'échographie et son application en obstétrique , la façon dont se déroulera l'examen et la nature des images attendues. L'examen échographique en lui-même est totalement inoffensif et sans douleur. Aucun jeûne préalable n'est indiqué. Pour l'approche transvésicale, on demande à la patiente de boire beaucoup de liquides et de retenir son urine depuis quelques heures avant l'examen afin que la vessie soit pleine : les liquides conduisent très bien les ultra-sons. La durée de l'examen est de 30 à 60 minutes.

PROTOCOLE
Approche transvésicale
La patiente doit se présenter la vessie pleine. Elle est couchée sur le dos ou sur le côté. On applique sur la peau de l'abdomen un gel conducteur d'ultrasons. L'opérateur glisse la sonde à la surface de l'abdomen de façon à obtenir les vues les plus complètes possibles.

Approche transvaginale

On demande à la patiente de vider sa vessie immédiatement avant l'examen. L'opérateur insère une sonde recouverte d'un condom lubrifié à quelques centimètres dans le vagin et la positionne sous plusieurs angles de façon à obtenir les vues les plus complètes possibles.

Échographie pelvienne transvaginale et sous-pelvienne (transvésicale)

LECTURES PATHOLOGIQUES POSSIBLES
- Hémorragie, infection, inflammation à la région pelvienne
- Toute masse pelvienne possible, mobile ou statique
- Fibrome utérin
- Tumeurs, kystes ovariens
- Lithiases des voies urinaires

PRINCIPES ET INTÉRÊT CLINIQUE
Voir Échographie–généralités.

L'utilisation de la voie transvaginale pour l'examen échographique des structures pelviennes chez la femme (utérus, trompes, ovaires) présente de nets avantages par rapport à l'approche transabdominale conventionnelle (voir Échographie abdominale): en effet, la sonde échographique étant amenée au voisinage immédiat des structures, les images sont beaucoup plus nettes (la sonde est introduite dans le vagin et appuyée contre le col de l'utérus); par ailleurs, cette approche contourne élégamment le problème des masses adipeuses qui forment obstruction aux échos chez la patiente obèse; enfin, l'utérus en rétroversion s'observe plus facilement avec cette approche.

L'étude sous–pelvienne (transvésicale) est similaire à l'approche transabdominale mais, grâce au fait que la vessie est pleine, les structures pelviennes sont bien identifiées. Il y a deux raisons à cela: 1) les ultrasons voyagent bien à travers les liquides (l'urine); 2) la plénitude de la vessie repousse les anses digestives pleines d'air.

OBJECTIFS DE L'EXAMEN
Détection et différenciation de masses solides (tumeurs ou kystes) et d'hémorragies dans la région pelvienne; localisation d'un appareil contraceptif intra-utérin; confirmation de follicules en développement chez la femme traitée pour infertilité

ENSEIGNEMENT AU PATIENT
Expliquer à la patiente et à son conjoint, s'il y a lieu, le principe de l'échographie et son application dans l'examen de la région pelvienne, la façon dont se déroulera l'examen et la nature des images attendues. L'examen échographique en lui-même est totalement inoffensif et sans douleur. Aucun jeûne préalable n'est indiqué. La durée de l'examen est de 15 à 30 minutes. Pour l'approche transvésicale, on demande à la patiente de retenir son urine depuis quelques heures avant l'examen afin qu'elle soit pleine.

PROTOCOLE
Cet examen est effectué au service de radiologie par une radiologiste ou par une technologue sous la supervision d'un radiologiste.

Approche transvaginale
La patiente est couchée sur le dos, le bassin légèrement surélevé. On introduit à 6–8 cm dans le vagin une sonde conçue à cet effet, recouverte d'un condom lubrifié. Des lectures échographiques sont effectuées à différents angles jusqu'à ce que des images satisfaisantes de l'utérus et des ovaires soient obtenues.

Approche sous-pelvienne (transvésicale)
La sonde est appuyée contre la région sous–pubienne et, grâce à une vessie pleine, l'utérus et les ovaires sont imagés.

NOTES SUR LES RÉSULTATS ANORMAUX OU PATHOLOGIQUES

Sous ce titre sont présentées les significations cliniques possibles d'écarts à la hausse ou à la baisse par rapport aux valeurs de référence ou à un résultat normal. Seules sont évoquées les pathologies les plus fréquemment associées à ces écarts.

Cependant, il ne faut jamais faire l'erreur d'associer aveuglément un résultat d'examen à une pathologie, la connaissance globale de la situation clinique du patient étant nécessaire à l'interprétation des résultats.

Enzyme de conversion de l'angiotensine (ECA) – Sang

VALEURS DE RÉFÉRENCE

6–20 U/l (chez les sujets de moins de 20 ans, les résultats ne sont pas encore significatifs)

RÉSULTATS ANORMAUX

⇑ Typiquement : sarcoïdose, maladie de Gaucher, lèpre, tuberculose, mais aussi : hyperthyroïdie, affections hépatiques

FACTEURS AFFECTANT LES RÉSULTATS

Non observance du jeûne pré-test, hémolyse de l'échantillon, conservation de l'échantillon à la T° de la pièce

*C*ette enzyme exerce une fonction semblable à la rénine en ce qu'elle convertit l'angiotensine I en angiotensine II mais ce test n'est d'aucune utilité pour étudier l'hypertension.

Ce qui est plutôt intéressant, c'est qu'il existe une corrélation certaine entre une augmentation de cette enzyme et la sarcoïdose (79% des cas), maladie granulomateuse à localisation le plus souvent pulmonaire. La relation entre ces deux phénomènes reste d'ailleurs inexpliquée. En tout état de cause, l'activité de l'ECA suit le déroulement de la maladie.

Par ailleurs, une élévation de l'ECA accompagne souvent la maladie de Gaucher, la lèpre et la tuberculose.

INTÉRÊT CLINIQUE

Diagnostic d'une sarcoïdose pulmonaire active ; suivi du traitement. Confirmation d'une maladie de Gaucher, de la lèpre, de la tuberculose

ENSEIGNEMENT AU PATIENT

Expliquer au patient que ce test aide au diagnostic de sa maladie et au suivi de son traitement. Il devra se prêter à un prélèvement de sang et devra rester à jeun 12 heures avant le prélèvement.

PROTOCOLE

Prélever du sang veineux dans un tube à bouchon rouge (éviter surtout les tubes à bouchon mauve : l'EDTA inhibe l'activité de l'ECA). Noter l'âge du patient sur la requête du laboratoire.

Érythropoïétine (ERP, EPO) – Sang

VALEURS DE RÉFÉRENCE
2–24 U/l (jusqu'à 48 U/l en altitude)

RÉSULTATS ANORMAUX

⇑ Anémies, maladies pulmonaires obstructives, tumeurs et kystes rénaux, certaines tumeurs (rein, foie, ovaires); dopage des athlètes

⇓ Maladies rénales, défaut génétique, polycythémie essentielle, SIDA

FACTEURS AFFECTANT LES RÉSULTATS

⇑ Altitude, grossesse, stéroïdes anabolisants, administration de TSH, d'ACTH, d'épinéphrine, d'hormone de croissance

⇓ Transfusion massive, certains médicaments (énalapril, amphotéricine, théophylline)

L'érythropoïétine est une hormone de nature glycoprotéique fabriquée par le rein, principalement, mais aussi en petites quantités par le foie et, éventuellement, par certaines tumeurs cancéreuses. En temps normal, elle est produite rapidement, au besoin, sous l'effet d'une hypoxie (baisse de l'oxygénation des tissus) et elle agit en stimulant la prolifération des cellules de la lignée érythroblastique et donc la production de globules rouges. La présence de cette hormone est déterminée génétiquement (au moins deux gènes, l'un sur le chromosome 7 et l'autre sur le chromosome 19).

D'autre part, certaines tumeurs cancéreuses produisent de façon désordonnée de grandes quantités d'érythropoïétine; au contraire, une augmentation de l'hématocrite, comme dans la polycythémie essentielle, s'accompagne d'une baisse importante de sa production.

Pour des fins thérapeutiques (et olympiques!–certains croient qu'elle améliore la performance des athlètes), il existe maintenant sur le marché une érythropoïétine de synthèse produite par génie génétique.

INTÉRÊT CLINIQUE
Le dosage de l'érythropoïétine est un élément diagnostique intéressant dans les anémies, la polycythémie (essentielle vs secondaire) et dans certaines formes de cancers. Contrôle du dopage chez les athlètes.

ENSEIGNEMENT AU PATIENT
Expliquer s'il y a lieu l'utilité de ce test dans les circonstances. Il y aura prélèvement intraveineux, sans jeûne préalable nécessaire.

PROTOCOLE
Prélever du sang veineux dans un tube de 5 ml à bouchon rouge ou doré. Le sérum doit être séparé immédiatement et congelé; consulter le laboratoire.

Facteur rhumatoïde (FR, ou *RF*) – Sang

VALEURS DE RÉFÉRENCE

Négatif: < 39 000 U/l

Faiblement positif: 40 000 – 79 000 U/l

Positif: > 80 000 U/ml

RÉSULTATS ANORMAUX

75 % des personnes atteintes sont positifs à ce test; cependant, 3 % de la population non atteinte est positive. Parmi les maladies qui peuvent titrer positivement à ce test, on a: lupus érythémateux disséminé, polymyosite, tuberculose, mononucléose infectieuse, syphilis, hépatites virales, influenza

FACTEURS AFFECTANT LES RÉSULTATS

Faux positifs: non–activation du complément, lipides élevés, cryoglobulines élevées (voir ces tests)

Faux négatifs: Immunoglobulines G élevées

*L*e facteur rhumatoïde est un anticorps de type IgM dirigé contre des anticorps IgG. Il a été observé que plusieurs personnes souffrant d'arthrite rhumatoïde fabriquent ce type d'immunoglobuline réagissant spécifiquement avec des immunoglobulines G. On a appelé cet autoanticorps le facteur rhumatoïde.

On ne sait presque rien sur la façon dont sa production est déclenchée, et encore moins sur la façon dont il agit. Rien ne prouve que cet autoanticorps ait un rôle à jouer dans la physiopathologie de l'arthrite rhumatoïde et on pourrait penser que sa présence n'est qu'indirectement reliée aux causes de cette maladie.

On sait par contre que les patients atteints d'arthrite rhumatoïde et qui ont de fortes concentrations de FR sont plus gravement atteints.

INTÉRÊT CLINIQUE

L'incidence de ce signe étant plus élevée qu'ailleurs dans l'arthrite rhumatoïde, on l'utilise comme indice important pour supporter ce diagnostic.

ENSEIGNEMENT AU PATIENT

Expliquer au patient que ce paramètre est un bon indice diagnostique et pronostique de l'arthrite rhumatoïde.

PROTOCOLE

Prélever du sang veineux dans un tube de 5 ou 7 ml à bouchon rouge.

Facteurs de la coagulation

RÉSULTATS ANORMAUX

Facteur I (fibrinogène)
Voir ce test, traité séparément

Facteur II (prothrombine)
⇓ Déficience congénitale, déficience en vitamine K, maladie hépatique

Facteur V (proaccélérine)
⇓ Déficience congénitale, maladie hépatique, coagulation intravasculaire disséminée

Facteur VII (proconvertine)
⇓ Déficience congénitale, déficience en vitamine K, maladie hépatique

Facteur VIII (Facteur antihémophilique A)
⇑ Grossesse normale, post-opératoire
⇓ Déficience congénitale (hémophilie de type A), maladie de von Willebrand, coagulation intravasculaire disséminée, maladies autoimmunes

Facteur IX (Christmas)
⇓ Déficience congénitale (hémophilie de type B), déficience en vitamine K, maladie hépatique, coagulation intravasculaire disséminée, syndrome néphrotique,

Facteur X (Stuart-Prower)
⇑ Grossesse normale
⇓ Déficience congénitale, déficience en vitamine K, maladie hépatique,

Facteur XI
⇓ Déficience congénitale, déficience en vitamine K, maladie hépatique, coagulation intravasculaire disséminée

Facteur XII (Hageman)
⇓ Déficience congénitale, déficience en vitamine K, maladie hépatique, coagulation intravasculaire disséminée

Facteur XIII
⇓ Déficience congénitale, post-opératoire, maladies hépatiques

Facteur von Willebrand
⇓ Déficience congénitale, maladie de von Willebrand, maladie de Bernard-Soulier, maladie autoimmune

Protéine C
Voir ce test, traité séparément

Protéine S
Voir ce test, traité séparément

Prékallicréine
0,61 à 1,53 fois le standard

Kininogène
0,54 à 1,23 fois le standard

FACTEURS AFFECTANT LES RÉSULTATS
Anticoagulothérapie, différents médicaments, maintien du spécimen de sang à la température de la pièce, contraceptifs oraux, maladie débilitante, stress, activité physique intense

---

*L*a coagulation du sang est un mécanisme complexe qui est initié de plusieurs façons possibles (par exemple suite au bris d'un vaisseau) et qui se termine par la formation d'un réseau de fibrine emprisonnant globules et plaquettes (le caillot) et qui, typiquement, tient lieu de bouchon empêchant en principe le sang de se répandre.

Ce mécanisme s'opère grâce à une série de réactions successives, l'une déclenchant l'autre et où interviennent des protéines appelées facteurs de coagulation. Les principaux facteurs de la coagulation sont les suivants :

Facteur I ou fibrinogène
Sous l'action de la thrombine se transforme en fibrine formant la structure du caillot

Facteur II ou prothrombine
Sous l'action du facteur V activé et du facteur X activé est transformée en thrombine

Facteur V ou proaccélérine, ou facteur labile
Transforme la prothrombine en thrombine

Facteur VII ou proconvertine
Activateur du facteur X

Facteur VIII ou facteur antihémophilique A
Activateur du facteur X

Facteur IX ou facteur Christmas
Activateur du facteur X

Facteur X ou facteur Stuart-Prower
Transforme la prothrombine en thrombine

Facteur XI ou facteur antihémophilique C
Activateur réciproque du facteur XII

Facteur XII ou facteur Hageman
Activateur réciproque du facteur XI

Facteur XIII ou facteur Laki-Lorand
Stabilisateur de la fibrine

Facteur von Willebrand ou cofacteur de la ristocétine
Co-facteur du VIII, activateur du facteur X

Protéine C
Agit avec la protéine S comme activateur des facteurs V et VIII

Kininogène
Activateur des facteurs XI et XII

Protéine S
Agit avec la protéine C comme activateur des facteurs V et VIII

Prékallicréine
Activateur du facteur XII

À ces principaux facteurs s'ajoutent de nombreuses autres substances secondaires, inhibitrices ou activatrices d'intérêt plus spécialisé.

INTÉRÊT CLINIQUE

Diagnostic des problèmes de coagulation héréditaires ou acquis; suivi des traitements de soutien aux patients déficients en facteurs de coagulation

ENSEIGNEMENT AU PATIENT

Expliquer que cette épreuve sert à déterminer l'origine d'un problème de coagulation ou à en suivre le traitement. Le test nécessite un prélèvement de sang intraveineux mais aucun jeûne préalable n'est nécessaire.

PROTOCOLE

Prélever du sang veineux dans un tube de 7 ml à bouchon bleu. Remplir le tube à capacité; mêler, délicatement mais complètement, le sang et l'anticoagulant du tube. Expédier immédiatement au laboratoire, sur glace. Surveiller le site de ponction après le prélèvement.

Ferritine

La ferritine est une protéine capable de fixer des atomes de fer. Une partie appréciable du fer de l'organisme (près de 30%) est effectivement couplée à la ferritine, répartie dans différents tissus de l'organisme. Une partie de cette ferritine se retrouve aussi dans le sang circulant, le tout se maintenant en équilibre dynamique avec le fer des globules rouges et les autres formes de fixation et de transport du fer.

On a observé qu'en tout temps la quantité de ferritine présente dans le sang reflète très fidèlement l'état du fer dans l'organisme, d'où son utilité dans le bilan ferrique et dans l'étude des états reliés à sa variation.

INTÉRÊT CLINIQUE

Diagnostic et suivi des états reliés à la suffisance de fer et à son métabolisme : anémies, pathologies associées à une surcharge en fer, troubles de la moelle osseuse, etc.

ENSEIGNEMENT AU PATIENT

Expliquer au patient que ce test sert à suivre l'état du fer dans son organisme. Il devra subir un prélèvement de sang intraveineux, se priver d'alcool trois jours et de nourriture 8 heures avant le prélèvement.

PROTOCOLE

Prélever du sang veineux dans un tube de 7 ml à bouchon rouge. Expédier au laboratoire.

Fer sérique, transferrine et capacité totale de fixation du fer (*TIBC*) – Sang

VALEURS DE RÉFÉRENCE

Fer sérique total : 13–30 µmol/l

Transferrine : 2–4 g/l

TIBC : 54–72 µmol/l

RÉSULTATS ANORMAUX

Fer sérique total : ⇑ Hémosidérose, hémochromatose, empoisonnement au fer, problèmes hépatiques,

⇓ Anémie ferriprive, malnutrition/malabsorption du fer, maladies chroniques

Transferrine et *TIBC* : ⇑ Anémie ferriprive, hémochromatose

⇓ Maladie inflammatoire, hypoprotéinémie

FACTEURS AFFECTANT LES RÉSULTATS

Fer sérique total : transfusions massives, anovulants (⇑), grossesse avancée (⇓)

TIBC : Grossesse avancée, contraceptifs oraux (⇑)

$\mathcal{L}$e fer dans l'organisme sert principalement à la synthèse et au fonctionnement de l'hémoglobine des globules rouges. En fait, la plus grande partie du fer de l'organisme se trouve dans l'hémoglobine ; le reste est entreposé dans différents tissus lié à des protéines d'entreposage comme la ferritine. Le fer provient en totalité des aliments. Après son absorption par l'intestin, il voyage dans le sérum lié à une protéine, la transferrine : celle-ci est essentiellement un transporteur de fer ; dans cette fonction, elle n'est habituellement saturée en fer qu'à environ 30%, c'est à dire qu'elle ne transporte que 30% du fer qu'elle pourrait transporter.

Quatre tests biochimiques courants sont relatifs au fer :

- Le *fer sérique* : il mesure le fer contenu dans le sérum, fer qui est presque totalement lié à la transferrine ;
- La *transferrine* : c'est la mesure du transporteur de fer comme tel ;
- La *capacité totale de fixation du fer* (TIBC ou *Total Iron Binding Capacity*) : ce test mesure la capacité de la transferrine de lier le fer, c'est à dire la quantité maximale de fer que la transferrine pourrait transporter si elle était totalement saturée ;
- La *ferritine sérique* (voir plus loin) : mesure la capacité de l'organisme d'entreposer le fer.

INTÉRÊT CLINIQUE

Diagnostic différentiel des anémies ; diagnostic de l'hémosidérose (ou hémochromatose), qui est un excès de fer dans l'organisme ; le fer est aussi un bon indice de l'état nutritionnel de la personne.

ENSEIGNEMENT AU PATIENT

Expliquer la pertinence d'une analyse de l'état du fer dans l'organisme. Dire au patient qu'il devra subir une ponction veineuse mais qu'il n'a pas à se priver de boire ni de manger avant le prélèvement.

PROTOCOLE

Le prélèvement devrait se faire le matin, moment où le fer sérique est le plus stable. Prélever du sang veineux dans un tube de 5 ou 7 ml à bouchon rouge.

NOTES SUR LES VALEURS DE RÉFÉRENCE

Lorsque les résultats d'un examen sont exprimés sous forme quantitative, on les confronte à des valeurs dites de référence. Celles-ci représentent des moyennes ou des marges à l'intérieur desquelles se retrouvent la majorité des individus sans problème spécifique en regard de l'examen ou du test en question. Ce sont des données auxquelles on compare les résultats de l'examen en vue de son interprétation.

Cependant, ces valeurs de référence peuvent varier: 1) d'une méthode d'analyse à l'autre, 2) d'un laboratoire à l'autre, 3) d'une population à l'autre.

De plus, elles peuvent être exprimées de façons différentes d'une institution à l'autre, bien que l'on tende aujourd'hui à la plus grande uniformité possible.

Ces valeurs de référence, que l'on appelle aussi à tort «résultats normaux», ne sont suggérées dans cet ouvrage qu'à titre indicatif.

Il faut donc prendre la précaution essentielle de comparer les résultats des tests aux valeurs de référence fournies par le laboratoire et non à celles suggérées dans cet ouvrage.

Fibrinogène (Facteur I)

Cette épreuve est un élément de l'analyse de la coagulation. Le fibrinogène est une protéine fabriquée par le foie et qui se transforme en fibrine sous l'action des facteurs de la coagulation, la fibrine constituant la structure de base du caillot sanguin. Cette transformation du fibrinogène en fibrine est la dernière étape du processus de la coagulation proprement dite (voir Facteurs de la coagulation).

D'intérêt clinique en soi, le taux de fibrinogène a aussi une influence sur le temps de céphaline activé, sur le temps de Quick et sur le temps de thrombine puisque ces trois paramètres mesurent le temps de formation d'un caillot de fibrine en éprouvette.

INTÉRÊT CLINIQUE
Analyse et dépistage de troubles de la coagulation; diagnostic de la coagulation intravasculaire disséminée. (CIVD)

ENSEIGNEMENT AU PATIENT
Expliquer au patient que ce test sert à déceler un problème de coagulation et qu'il nécessite une prise de sang. Cependant, aucune restriction alimentaire n'est indiquée avant le prélèvement.

PROTOCOLE
Prélever du sang veineux dans un tube de 7 ml à bouchon bleu. Remplir le tube à capacité; mêler, délicatement mais complètement, le sang et l'anticoagulant du tube. Expédier immédiatement au laboratoire, sur glace. Surveiller le site de ponction après le prélèvement.

Fixation de la triiodothyronine
(T_3U ou T_3 Uptake)

VALEURS DE RÉFÉRENCE

Varient d'un laboratoire à l'autre. Les valeurs sont tantôt directement proportion-nelles, tantôt inversement proportionnelles à la capacité de fixation de la TBG.

RÉSULTATS ANORMAUX

Abondance de sites fonctionnels de TBG ou leur déficience, ou leur blocage par des substances chimiques étrangères à la fonction thyroïdienne (médicaments)

FACTEURS AFFECTANT LES RÉSULTATS

⇑ Grossesse, anovulants, œstrogènes, diminution des TBG

⇓ Maladie hépatique, syndrome néphrotique, augmentation des TBG, stéroïdes anabolisants

On sait qu'au–delà de 95 % de la thyroxine (T_3 et T_4) est présente dans le sang liée à une globuline, la TBG (*Thyroxin Binding Globulin*), qui en assure la prise en charge à la sortie de la thyroïde et le transport dans le sang (voir TBG – sang).

L'épreuve de fixation de la triiodothyronine (ou épreuve d'Hamolsky) consiste à incuber le plasma du sujet avec de la triiodothyronine (T_3) radioactive et à mesurer après un certain temps la T_3 radioactive qui ne s'est pas fixée à la TBG.

Cette épreuve donne donc une indication de la disponibilité des sites de fixation sur les molécules de TBG. Interprété à la lumière de la mesure des TBG (voir ce test) et de la thyroxine totale (voir T_3 et T_4 totales), elle sert à: 1) déterminer la quantité réelle des sites de fixation fonctionnels des TBG et leur capacité de fixer la thyroxine; 2) interpréter le dosage des T_4 et T_3 totales.

ATTENTION! Cette épreuve doit être interprétée dans le cadre d'une étude com-plète de la fonction thyroïdienne. De plus, les résultats, d'un laboratoire à l'autre, sont exprimés de différentes façons et en termes tantôt directs, tantôt inverses.

INTÉRÊT CLINIQUE

Étude de la fonction thyroïdienne. Cette épreuve est nécessaire comme complé-ment à l'étude des T_4 et T_3 totales mais perd de son intérêt si l'on dispose d'un dosage des T_3 et T_4 libres.

ENSEIGNEMENT AU PATIENT

Expliquer que cette épreuve est un élément de l'étude de la fonction thyroïdienne. Elle nécessite un prélèvement intraveineux, sans jeûne préalable obligatoire.

PROTOCOLE

Prélever du sang veineux dans un tube de 7 ml à bouchon rouge ou doré.

Fixation de l'iode radioactif

VALEURS DE RÉFÉRENCE
À 2 heures : 1 à 13%
À 6 heures : 5 à 20%
À 24 heures : 15 à 40%

SIGNIFICATION DE RÉSULTATS ANORMAUX
À interpréter selon les données cliniques

FACTEURS AFFECTANT LES RÉSULTATS
⇑ TSH, barbituriques, lithium, phénothiazine
Cirrhose, déficience rénale
Grossesse
Alimentation déficiente en iode

⇓ Alimentation riche en iode, médicaments contenant de l'iode, médication antithyroïdienne
Nombreux autres médicaments
Agents radio-opacifiants à base d'iode
Diarrhée, malabsorption

*L*e test de fixation de l'iode radioactif permet de mesurer la capacité de la glande thyroïde d'absorber et de retenir l'iode servant à la synthèse de l'hormone thyroïdienne, fournissant ainsi un indice du degré d'activité de la glande. Une quantité précise d'iode 123 ou 131 est administrée par voie orale et, après 2, 6 et/ou 24 heures, la radioactivité de la glande est mesurée à l'aide d'un compteur, ce qui permet de calculer le pourcentage de l'iode radioactif administré qui a été fixé.

INTÉRÊT CLINIQUE
Hyperthyroïdie, hypothyroïdie, thyroïdite, goitre, insuffisance hypophysaire, suivi du traitement d'une maladie thyroïdienne

CONTRE-INDICATIONS
Femmes enceintes, femmes allaitant

ENSEIGNEMENT AU PATIENT
Expliquer dans ses mots au patient le principe de cet examen et lui indiquer quelles en seront les étapes et la durée. L'examen est tout à fait sécuritaire et sans douleur. Le rassurer quant à l'innocuité de cet examen : il ne sera soumis qu'à de faibles doses de radiations. De plus, la substance radioactive est éliminée de l'organisme assez rapidement (la plus grande partie après quelques heures). Le patient n'aura pas à se priver de nourriture avant l'examen.

Donnez-lui, de préférence par écrit, toute restriction alimentaire indiquée par le service de médecine nucléaire, notamment concernant les aliments et médicaments contenant de l'iode, ainsi que les heures où il devra se présenter pour la scintigraphie si c'est un patient ambulant.

PROTOCOLE

Cet examen est pris en charge par le personnel technique du service de médecine nucléaire.

Une dose d'iode radioactif sera administrée au patient par voie orale, puis des lectures de radioactivité seront faites après 2, 6 et 24 heures (ou selon un horaire déterminé par le laboratoire).

Formule sanguine complète (FSC) ou hémogramme – Sommaire

VALEURS DE RÉFÉRENCE CHEZ L'ADULTE (voir chaque test dans ce manuel pour plus de détails)	♂	♀
Globules rouges (x 10^{12}/l):	4,4–6,0	4,2–5,5
Hémoglobine (g/l):	140–180	120–160
Hématocrite (%):	42–52	37–47
VGM (fl):	80–98	80–98
TGMH (pg/cellule):	27–33	27–33
CGMH (g/l de globules rouges)	320–360	320–360
Réticulocytes (en% des globules rouges):	0,5–2	0,5–2
(x 10^9/l):	20–80	20–80
Plaquettes (x 10^9/l):	160–400	160–400
Globules blancs totaux (x 10^9/l)	4,3–10	4,3–10
Formule différentielle: Neutrophiles	1,8–7,3	1,8–7,3
Éosinophiles	0–0,7	0–0,7
Basophiles	0–0,15	0–0,15
Lymphocytes	1,5–4	1,5–4
Monocytes	0,2–0,95	0,2–0,95
Vitesse de sédimentation (mm/h)	1–10	2–20
Frottis sanguin (données qualitatives)	normal	normal

SIGNIFICATION DE RÉSULTATS ANORMAUX
Voir chacun des tests, qui sont tous étudiés séparément dans ce manuel

La formule sanguine complète regroupe les données quantitatives sur les éléments figurés du sang (globules rouges, globules blancs et plaquettes) et des indications sur certaines de leurs caractéristiques physiques et morphologiques. Elle comprend tous les paramètres suivants ou la plupart d'entre eux, selon le laboratoire:

- La numération des globules rouges, ou érythrocytes
- Le taux d'hémoglobine
- La valeur de l'hématocrite
- Le calcul des indices globulaires: Volume globulaire moyen (VGM); Teneur globulaire moyenne en hémoglobine (TGMH); Concentration globulaire moyenne en hémoglobine (CGMH)
- La numération des réticulocytes
- La numération des plaquettes
- La numération des globules blancs, ou leucocytes
- La numération différentielle des leucocytes, ou formule différentielle
- La vitesse de sédimentation des globules rouges
- Le frottis sanguin

INTÉRÊT CLINIQUE

(Voir aussi chacun des tests, qui sont tous étudiés séparément dans ce manuel)

La formule sanguine complète est probablement l'épreuve de laboratoire la plus courante et, pour cela, une des moins coûteuses. Globalement, elle s'impose dans pratiquement tous les cas d'urgence, dans les bilans de santé et dans le diagnostic de la majorité des pathologies.

ENSEIGNEMENT AU PATIENT

Expliquer au patient la portée générale de cette épreuve, et qu'elle nécessite une prise de sang. Il n'a pas, toutefois, à être à jeun au moment du prélèvement.

PROTOCOLE

Prélever du sang veineux dans un tube de 7 ml à bouchon lavande; mêler doucement mais complètement le sang et l'anticoagulant du tube; manipuler délicatement afin d'éviter l'hémolyse; expédier au laboratoire dès que possible.

Frottis sanguin

PRÉSENTATION NORMALE DU FROTTIS

Prédominance de globules rouges, de forme normale (corps discoïdes de 7 µm de diamètre, de coloration homogène, pâle au milieu et un peu plus foncée en périphérie, sans inclusions); on voit des plaquettes, disséminées dans le champ et des leucocytes en proportions correspondant à la formule différentielle normale

IRRÉGULARITÉS POSSIBLES

Acanthocytes (globules rouges crénelés)

Globules rouges ayant perdu leur forme discoïde et présentant des créneaux ou spicules en périphérie : > 15 % des G.R. : acanthocytose congénitale, ou abêtalipoprotéinémie ; < 15 % des G.R. : acanthocytose secondaire à une cirrhose, une hépatite ou une splénectomie

Anisocytose

Variation excessive de la taille des G.R. : anémie importante

Anneaux de Cabot

Fins filets dans le cytoplasme des globules rouges, prenant une forme plus ou moins annulaire et se colorant en bleu–pourpre aux colorations ordinaires : anémie pernicieuse, empoisonnement au plomb

Corps de Pappenheimer (sidérosomes)

Inclusions cytoplasmiques granuleuses des globules rouges, contenant du fer et prenant les colorants ordinaires ; les globules rouges renfermant ces inclusions sont appelés sidérocytes : anémies, déficience de la rate

Cellules en cible (leptocytes)

Globules rouges au centre et à la périphérie foncés aux colorations ordinaires et présentant ainsi l'image d'une cible au tir : hémoglobinopathies (thalassémie par exemple), affections hépatiques

Cellules en faucille

Voir Drépanocytes

Drépanocytes ou cellules en faucille ou Sickle cells

Globules rouges en forme de croissant ou de faucille : drépanocytose, une hémoglobinopathie héréditaire à prédominance chez les Noirs

Cellules en larme

Cellules en forme de larme ou de poire : syndrome myéloprolifératif, thalassémie

Corps de Heinz

Visibles sous colorations spéciales ou au microscope à contraste de phase, ce sont des taches d'hémoglobine dénaturée du cytoplasme des globules rouges : anémies hémolytiques, hémoglobinopathies

Corps de Jolly ou de Howell-Jolly

Ce sont des petits corps sphériques prenant bien les colorants et contenant de l'ADN, disposés en position excentrique dans des globules rouges, des réticulocytes ou des normoblastes lorsque ceux-ci sont présents : anémies, splénectomie ou asplénie fonctionnelle

Globules rouges crénelés

Voir acanthocytes

Hyperchromie

Surconcentration d'hémoglobine due à une déshydratation

Hypochromie

Globules rouges plus pâles, dû à une plus faible concentration d'hémoglobine : anémies par manque de fer, thalassémie

Kératocytes : (Burr cells)

Variété de schistocytes à spicules (ce terme est quelquefois utilisé comme synonyme d'échinocyte ou d'acanthocyte) : hémolyse d'origine mécanique (prothèses cardiaques)

Macrocytes

Globules rouges de diamètre anormal (> 8 µm) : anémie mégaloblastique ou hémolytique, maladie hépatique

Mégaloblastes

Voir Normoblastes

Mégalocytes

Globules rouges de diamètre anormal (> 8 µm) et de forme ovale : anémies mégaloblastique, pernicieuse

Microcytes

Globules rouges de diamètre anormal (< 6 µm) : anémies à déficience en fer ou à surcharge en fer, à déficience en B12, thalassémie, empoisonnement au plomb

Normoblastes (ou plus rarement mégaloblastes)

Globules rouges immatures ayant conservé leur noyau : anémies hémolytique, néoplasique, mégaloblastique et autres ; leucémie, syndrome myéloprolifératif, polyglobulie essentielle, myélome multiple

Ovalocytes

Globules rouges de forme ovale : elliptocytose, anémie à déficience en fer

Poikilocytes

Globules rouges de formes anormales, variées : anémies importantes de toutes sortes

Polychromatophilie

Avec colorants spéciaux, globules rouges contenant des grains ou filets d'ARN : anémie hémolytique, hémorragie

Ponctuations basophiles

Globules rouges avec fines ponctuations bleues aux colorants ordinaires : empoisonnement au plomb, anémie hémolytique, thalassémie

Rouleaux

Piles de globules rouges : témoins d'une sédimentation élevée, myélome multiple, macroglobulinémie de Waldenström, hypergammaglobulinémie, hyperfibrinogénémie

Schistocytes

Globules rouges de formes très anormales (forte poikilocytose) : purpura thrombocytopénique, hémolyse ou coagulation intravasculaire, intoxication au plomb, grands brûlés

Sidérocytes
Voir corps de Pappenheimer

Sphérocytes
Globules rouges sphériques (non discoïdes): sphérocytose héréditaire, anémie hémolytique à Coombs positif; présents à un moindre degré dans toute forme d'anémie hémolytique

Stomatocytes
Globules rouges dont le cytoplasme ne se colore pas de façon uniforme mais présente plutôt des raies, des fentes, des plicatures: anémies hémolytiques, thalassémie, lupus érythémateux, empoisonnement au plomb (ces irrégularités de coloration sont souvent des artéfacts)

*L'*examen au microscope d'une goutte de sang étalée sur lame (frottis sanguin), fixée et colorée, permet d'observer tous les éléments figurés du sang: globules rouges, globules blancs, plaquettes. Cet examen permet de détecter un grand nombre de malformations et d'irrégularités possibles liées à diverses pathologies.

INTÉRÊT CLINIQUE
L'examen du frottis sanguin fait partie de la formule sanguine complète; il n'est pas fait de routine dans tous les laboratoires mais toujours il peut être fait sur demande. Il permet de mettre en évidence de nombreuses irrégularités liées à des maladies hématologiques: anémies, leucémies, parasitoses et autres.

ENSEIGNEMENT AU PATIENT ET PROTOCOLE
Voir Formule sanguine complète.

FSH, ou folliculostimuline – Sang

VALEURS DE RÉFÉRENCE

♀ Prépuberté : < 2 U/l
Phase folliculaire : 1–10 U/l
Ovulation : 6–30 U/l
Phase lutéale : 1–8 U/l
Ménopause : 30–100 U/l

♂ Prépuberté : < 2 U/l
Adulte : 1–10 U/l

RÉSULTATS ANORMAUX

⇑ Déficience testiculaire ou ovarienne, féminisation, syndrome de puberté précoce

⇓ Insuffisance hypophysaire ou hypothalamique

FACTEURS AFFECTANT LES RÉSULTATS

Autres dérangements hormonaux, médication

La FSH (*Follicle Stimulating Hormone*), ou hormone folliculo-stimulante, ou folliculo-stimuline, est sécrétée par l'hypophyse et elle exerce son action sur les ovaires de la femme et sur les testicules de l'homme. Chez la femme, l'hormone favorise le développement des follicules, et chez l'homme, elle favorise le développement des cellules de Sertoli productrices de testostérone (hormone masculinisante). Chez la femme, cette hormone est produite avec un pic à la mi-cycle (au moment de l'ovulation). Cette hormone est nécessaire à la fertilité et au fonctionnement normal de l'ovaire et du testicule.

La FSH est produite par l'hypophyse sous l'effet d'une substance hypothalamique, le FSH–RF (*Follicle Stimulating Hormone Releasing Factor*); l'ensemble du processus répond négativement à l'accumulation d'hormones sexuelles dans le sang, créant une boucle de rétroaction :

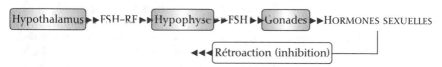

Il est donc fréquent d'observer une hyperproduction de FSH dans les cas où il y a déficience ou absence de fonction ovarienne ou testiculaire

INTÉRÊT CLINIQUE

Études d'infertilité, troubles de menstruations; hypogonadisme et puberté précoce chez l'homme; pathologies de l'hypophyse

ENSEIGNEMENT AU PATIENT

Expliquer que ce test sert à évaluer la fonction hormonale reliée à la sexualité et à l'appareil reproducteur. Le test nécessite un prélèvement sanguin. Aucune restriction alimentaire n'est requise.

PROTOCOLE

Effectuer le prélèvement tôt le matin: sang veineux dans un tube à bouchon rouge ou doré.

NOTES SUR LES VALEURS DE RÉFÉRENCE

Lorsque les résultats d'un examen sont exprimés sous forme quantitative, on les confronte à des valeurs dites de référence. Celles-ci représentent des moyennes ou des marges à l'intérieur desquelles se retrouvent la majorité des individus sans problème spécifique en regard de l'examen ou du test en question. Ce sont des données auxquelles on compare les résultats de l'examen en vue de son interprétation.

Cependant, ces valeurs de référence peuvent varier: 1) d'une méthode d'analyse à l'autre, 2) d'un laboratoire à l'autre, 3) d'une population à l'autre.

De plus, elles peuvent être exprimées de façons différentes d'une institution à l'autre, bien que l'on tende aujourd'hui à la plus grande uniformité possible.

Ces valeurs de référence, que l'on appelle aussi à tort «résultats normaux», ne sont suggérées dans cet ouvrage qu'à titre indicatif.

Il faut donc prendre la précaution essentielle de comparer les résultats des tests aux valeurs de référence fournies par le laboratoire et non à celles suggérées dans cet ouvrage.

Galactose-1-phosphate uridyl transférase, ou GPT – Sang

*L*a galactose-1-phosphate uridyl transférase est une enzyme qui métabolise le galactose (provenant du lactose des aliments) en glucose, prévenant ainsi son accumulation dans les tissus puis dans le sang. L'absence de cette enzyme cause en effet une galactosémie grave, qui se traduit par un retard de développement, une hépatosplénomégalie, un ictère, des cataractes et une encéphalopathie dès la naissance.

La maladie est due à un gène autosomique récessif. L'enfant homozygote récessif développe la maladie dès la naissance à moins que l'on retire de son alimentation toute source de lactose (entre autres le lait) ou de galactose, ce qui se fait grâce à des produits de substitution offerts sur le marché.

Le dosage de la GPT se fait sur les globules rouges et son résultat est exprimé en U/g d'hémoglobine.

INTÉRÊT CLINIQUE

Diagnostic ou dépistage de la galactosémie chez le nouveau-né, dépistage des géniteurs porteurs du gène (hétérozygotes) et counselling génétique. Dans certaines institutions, ce test fait partie d'un programme de dépistage.

ENSEIGNEMENT AU PATIENT

Expliquer aux conjoints à risque ou aux parents d'un enfant atteint la nature du risque ou de la maladie.

Dans le cas d'un test positif chez l'adulte, expliquer les risques possibles et diriger le sujet (ou le couple) vers un(e) spécialiste en counselling génétique. Dans le cas d'un test positif chez le nouveau-né, l'équipe traitante verra à mettre en place un régime alimentaire et des traitements immédiats appropriés.

PROTOCOLE

Chez l'adulte, prélever du sang veineux dans un tube de 5 ml à bouchon vert ou lavande (selon le laboratoire – vérifier). Chez le nouveau-né, suivre le protocole de l'institution (habituellement ponction au talon ou 2 ml de sang veineux dans un tube à bouchon vert). Réfrigérer mais ne pas congeler.

Gamma glutamyl transférase, ou GGT – Sang

VALEURS DE RÉFÉRENCE
6–37 U/l (sauf femmes avant 45 ans : 5–27 U/l)

VALEURS AUGMENTÉES
Typiquement : atteinte des voies biliaires, alcoolisme chronique

FACTEURS AFFECTANT LES RÉSULTATS
⇑ Éthanol, aminoglycosides, barbituriques, phénitoïne, diabète

Cette enzyme, aussi appelée gamma glutamyl transpeptidase (GGTP), facilite les échanges d'acides aminés et de courts peptides à travers les membranes cellulaires. On la retrouve partout dans l'organisme, et particulièrement dans les parois des voies biliaires. Sa présence accrue dans le sang témoigne le plus souvent d'atteintes des voies biliaires ; elle est aussi associée à l'alcoolisme chronique.

Par ailleurs, le dosage de la GGT permet de déterminer, lorsque la phosphatase alcaline (voir ce terme) est élevée, si cette élévation est due à une atteinte osseuse (GGT normale) ou à une atteinte biliaire (GGT élevée). De plus, la GGT est augmentée dans les cas d'éthylisme.

INTÉRÊT CLINIQUE
Confirmation de cholestase, diagnostic de l'alcoolisme chronique, suivi de sujets alcooliques.

ENSEIGNEMENT AU PATIENT
Expliquer au patient que ce test sert à évaluer sa fonction hépatique et biliaire. Il devra subir une ponction veineuse, mais n'a pas à se priver de boire ni de manger.

PROTOCOLE INFIRMIER
Prélever du sang veineux dans un tube de 5 ou 7 ml à bouchon rouge ou doré. Manipuler avec soin afin d'éviter l'hémolyse.

ATTENTION ! Les valeurs de référence des épreuves à résultats quantitatifs varient d'une méthode de dosage à l'autre et sont données dans cet ouvrage à titre indicatif ; s'en remettre aux valeurs indiquées par votre laboratoire.

Gastrine – Sang

VALEURS DE RÉFÉRENCE

< 76 pmol/l

RÉSULTATS ANORMAUX

⇑ Syndrome de Zollinger–Ellison, hyperplasie des cellules G de l'estomac, gastrite chronique, obstruction pylorique

FACTEURS AFFECTANT LES RÉSULTATS

⇑ Patient non à jeun
  Gastroscopie récente

La gastrine est une hormone sécrétée principalement par des cellules endocrines de la paroi de l'estomac (les cellules G) sous stimulation par le pH plus alcalin du contenu de l'estomac qui prévaut au moment d'un repas. L'hormone est libérée dans le sang qui, de retour dans la circulation sanguine de la paroi de l'estomac, stimule la sécrétion d'acide chlorhydrique par les glandes gastriques. De plus, cette hormone stimule la production de pepsine puis d'enzymes pancréatiques, en plus de stimuler la motilité de l'estomac et du petit intestin (péristaltisme) après les repas. Par ailleurs, certaines tumeurs du pancréas sécrètent de la gastrine.

Deux maladies sont bien connues pour causer une surproduction de gastrine: le syndrome de Zollinger–Ellison, dû à une tumeur du pancréas productrice de gastrine, et l'hyperplasie des cellules G de la paroi gastrique. Ces deux maladies entraînent de fréquents et redoutables ulcères peptiques. Le dosage de la gastrine aide à différencier ces cas des ulcères peptiques banals qui ne sont pas accompagnés d'une augmentation de la gastrine.

INTÉRÊT CLINIQUE

Gastrinome, syndrome de Zollinger–Allison

ENSEIGNEMENT AU PATIENT

Expliquer au patient que ce test sert à déterminer la cause de ses problèmes gastro-intestinaux. Le test nécessite une prise de sang; le patient devra être à jeun depuis 10 heures et s'abstiendra l'alcool dans les 24 heures précédant le prélèvement; il pourra boire de l'eau; on l'encouragera à demeurer au repos durant l'heure précédant le prélèvement.

PROTOCOLE

Prélever du sang veineux dans un tube de 5 ou 7 ml à bouchon rouge et l'expédier immédiatement au laboratoire.

Gaz artériels – Sang

VALEURS DE RÉFÉRENCE

PaO_2 : Nouveau-né : 54–95mmHg (à la naissance : 8–24)
Enfant, adulte : 80–100 mmHg

$PaCO_2$: Jeune enfant : 25–40 mmHg
Enfant, adulte : 35–45 mmHg

HCO_3^- : Nouveau-né : 16–27 mmol/l
Enfant, adulte : 23–31 mmol/l

pH : Nouveau-né : 7,32–7,49
Jeune enfant : 7,34–7,46
Enfant, adulte : 7,35–7,45

SaO_2 : Nouveau-né : 40–90%
Enfant, adulte : 95–100%
Personne agée : 95%

CaO_2 : 15–22 vol%

RÉSULTATS ANORMAUX

PaO_2 ⇓ baisse de la diffusion de l'oxygène au poumon due à une diminution des échanges gazeux au niveau des alvéoles, à un déséquilibre ventilation/perfusion, asthme, bronchite, emphysème, mauvaise qualité de l'air inspiré, faiblesse des muscles de la respiration, inhibition du centre respiratoire du cerveau (traumatisme, tumeur, intoxication)

$PaCO_2$ ⇑ acidose respiratoire, ainsi que les conditions entraînant une baisse de la PaO_2
⇓ alcalose respiratoire (hyperventilation, émotion, douleur…)

HCO_3^- ⇑ alcalose métabolique
⇓ acidose métabolique, acidose diabétique, choc

pH ⇑ alcaloses respiratoire et métabolique
⇓ acidoses respiratoire et métabolique

SaO_2 ⇓ mêmes conditions que celles entraînant une baisse de la PaO_2

CaO_2 ⇓ mêmes conditions que celles entraînant une baisse de la PaO_2

NB : Les reins compensent une acidose respiratoire en excrétant davantage de HCO_3^- et une alcalose respiratoire en retenant davantage de HCO_3^- ; les poumons compensent une acidose métabolique en expulsant davantage de CO_2 et une alcalose métabolique en retenant davantage de CO_2.

FACTEURS AFFECTANT LES RÉSULTATS

Si le spécimen n'est pas mis sur glace et expédié immédiatement au laboratoire, les réactions métaboliques se poursuivent dans le tube et il peut y avoir ⇑ $PaCO_2$ et ⇓ PaO_2 ; sédatifs et narcotiques inhibent le centre cérébral de la respiration : ⇑ $PaCO_2$, ⇓ PaO_2

$\mathcal{C}$ette analyse sert à déterminer les paramètres reliés aux échanges gazeux dans l'organisme. Ces échanges gazeux se font, d'une part aux poumons, entre le sang et l'air des alvéoles (le sang libère son gaz carbonique, CO_2, et se charge d'oxygène, O_2), et d'autre part dans les tissus, entre le sang et les cellules (le sang recueille le CO_2 produit par les cellules et leur cède son O_2). L'oxygène voyage dans le sang sous deux formes possibles : en solution dans le plasma et lié à l'hémoglobine. Le gaz carbonique, lui, voyage dans le sang en solution dans le plasma et sous forme de bicarbonates, HCO_3^-, après avoir réagi avec l'eau du plasma avec production d'acidité (H^+)

$$CO_2 + H_2O \rightleftharpoons HCO_3^- + H^+$$

Cette analyse mesure les paramètres suivants :

PaO_2 : c'est la pression partielle de l'oxygène dans le sang artériel, mesure qui correspond à la quantité d'oxygène présent sous forme dissoute ; il y a peu d'oxygène dissous dans le sang mais il est très important : en effet, il constitue la forme de transition entre l'oxygène de l'air alvéolaire et l'oxygène lié à l'hémoglobine des globules rouges, et sa présence dans le sang artériel témoigne de sa plus ou moins grande diffusion vers le sang dans les alvéoles pulmonaires.

$PaCO_2$: c'est la pression partielle du gaz carbonique dans le sang artériel, mesure qui correspond à la quantité de gaz carbonique présent sous forme dissoute ; peu abondante, c'est néanmoins sous cette forme que le gaz carbonique est excrété au poumon ; sa mesure est donc inversement proportionnelle à la capacité du poumon à débarrasser le sang de son gaz carbonique. Or, le CO_2 est la principale source d'acidité du sang puisqu'il a tendance à réagir avec l'eau du plasma pour former des bicarbonates (HCO_3^-) et des ions hydrogène (H^+) ; la $PaCO_2$ est donc appelée le *constituant respiratoire* de l'équilibre acido-basique.

HCO_3^- : (ou bicarbonates) les bicarbonates formés par le CO_2 sont excrétés tels quels par le rein, accompagnés de leur H^+ ; leur mesure est donc inversement proportionnelle à la capacité du rein à désacidifier le sang. ; pour cette raison, les bicarbonates sont appelés le *constituant rénal*, ou *métabolique*, de l'équilibre acido-basique. Le taux de HCO_3^- est calculé plutôt que mesuré.

pH : c'est la mesure de l'acidité/alcalinité du sang, qui s'exprime sur une échelle de 1 (acidité extrême) à 14 (alcalinité extrême), la neutralité se situant à 7 ; dans le sang artériel humain, sa valeur doit être maintenue entre 7,35 et 7,45 sous peine de dérèglement général du métabolisme.

SaO_2 : c'est la capacité de saturation en oxygène de l'hémoglobine artérielle, c'est à dire le pourcentage de l'hémoglobine des globules rouges qui est saturée d'oxygène ; cette valeur reflète l'efficacité de l'oxygénation des tissus, étant donné que l'oxygène lié à l'hémoglobine est sa forme de transport la plus importante ; ce paramètre est calculé et non mesuré.

CaO_2 : c'est le contenu total en oxygène du sang artériel ; ce paramètre est calculé et non mesuré.

INTÉRÊT CLINIQUE

Évaluation de l'efficacité de la ventilation pulmonaire et de l'excrétion rénale, et de leur contrôle, mesure de l'équilibre acido-basique, monitoring de la ventilation assistée, surveillance de malades en état critique.

ENSEIGNEMENT AU PATIENT

Expliquer que ce test sert à surveiller l'efficacité de la ventilation pulmonaire et du contrôle acido-basique de l'organisme. Expliquer la procédure et préciser qui fera le prélèvement et quand. Aviser le patient que la ponction artérielle cause un certain inconfort (pincement ou élancement) de courte durée ; il n'a à se priver ni de boire ni de manger avant le prélèvement.

PROTOCOLE

La ponction artérielle doit être planifiée et être effectuée par une personne habilitée et autorisée, selon un protocole établi. Surveiller les signes vitaux et l'état général du patient durant et immédiatement après la ponction artérielle. Surveiller s'il y a saignement au site de la ponction. Établir et maintenir une compression au site de ponction pour trois à cinq minutes après le prélèvement, ou jusqu'à 15 minutes si le malade est sous anticoagulothérapie. Indiquer sur la requête du laboratoire si le patient est sous ventilation assistée. *Mettre le spécimen sur glace* et l'expédier immédiatement au laboratoire.

Gaz carbonique total (CO_2 total) – Sang

VALEURS DE RÉFÉRENCE
22–24 mmol/l

RÉSULTATS ANORMAUX
⇑ Alcalose métabolique, acidose respiratoire, Cushing, vomissements
⇓ Acidose métabolique

FACTEURS AFFECTANT LES RÉSULTATS
⇓ Exposition du spécimen de sang à l'air
⇑ Certains médicaments

*L*e gaz carbonique est un produit terminal du métabolisme cellulaire. Il est libéré par les cellules actives de l'organisme sous forme de CO_2 gazeux, puis d'ions bicarbonates (HCO_3^-) suite à sa réaction avec l'eau du sang:

$$CO_2 + H_2O \rightleftharpoons HCO_3^- + H^+$$

Comme on le voit, cette réaction est productrice de H^+, donc d'acidité. Le gaz carbonique est excrété au poumon sous forme de CO_2 puis au rein sous forme de HCO_3^-. Il constitue ainsi le tampon acide–base le plus important de l'organisme.

Le présent test mesure le gaz carbonique total du sérum: CO_2 et HCO_3^-. Il donne donc une première évaluation de l'état de l'équilibre acido–basique, de la ventilation pulmonaire et de la fonction rénale. Le lecteur est prié de se reporter à la rubrique Gaz artériels pour une explication plus élaborée de l'ensemble des mécanismes en jeu.

INTÉRÊT CLINIQUE
Évaluation rapide de la portion métabolique de l'équilibre acido–basique et de la fonction rénale

ENSEIGNEMENT AU PATIENT
Expliquer au patient l'utilité de ce test. Il devra subir une ponction veineuse mais n'a pas à être à jeun, ni à se priver de boire avant le prélèvement.

PROTOCOLE
Prélever du sang veineux dans un tube de 5 ou 7 ml à bouchon rouge.

GH, ou hormone de croissance, ou somatotrophine – Sang

L'hormone de croissance, ou GH (*Growth Hormone*), ou somatotrophine, est produite par l'hypophyse. Cette hormone agit, par l'intermédiaire de protéines produites par le foie, les somatomédines, sur tous les tissus, et notamment sur les os, pour en favoriser le développement. Elle exerce son action particulièrement de la naissance à la fin de la puberté.

Chez les enfants, un excès de somatotrophine entraîne le gigantisme ; un manque de somatotrophine conduit au nanisme, ou tout au moins à un retard de la croissance osseuse et du développement sexuel. Chez l'adulte, un excès de l'hormone est la cause de l'acromégalie (grossissement des os sans augmentation de la taille de la personne).

Il faut noter que les taux de somatotrophine peuvent varier durant la journée, étant à leur maximum durant le sommeil et après une activité physique intense. De plus, la gamme étendue des résultats rend leur interprétation difficile.

INTÉRÊT CLINIQUE

Dépistage de l'insuffisance hypophysaire, diagnostic des anomalies de croissance et de l'acromégalie.

ENSEIGNEMENT AU PATIENT

Expliquer le but du test. Le test nécessite un prélèvement de sang veineux. Le sujet doit être à jeun 10 heures avant le prélèvement. Il doit demeurer au repos une heure avant le prélèvement. Il se peut qu'un test de contrôle soit nécessaire le lendemain.

PROTOCOLE

Effectuer le prélèvement tôt le matin : sang veineux dans un tube à bouchon rouge ou doré. Expédier le spécimen au laboratoire IMMÉDIATEMENT : la durée de vie de l'hormone en éprouvette est très courte.

Globules blancs –
Formule différentielle

VALEURS DE RÉFÉRENCE (EN 10^9/L ET EN POURCENTAGE)
Neutrophiles : 1,83–7,25 (35 à 71 %)
Éosinophiles : 0–0,7 (0 à 8 %)
Basophiles : 0–0,15 (0 à 2 %)
Lymphocytes : 1,5–4,0 (20 à 53 %)
Monocytes : 0,2–0,95 (2 à 12 %)

RÉSULTATS ANORMAUX

Neutrophiles ⇑ Infection aiguë, leucémie myéloïde, maladies inflammatoires, maladies métaboliques
⇓ Infections virales, infections bactériennes envahissantes, atteinte de la moelle osseuse (radiations, chimiothérapie), Addison, lupus érythémateux

Éosinophiles ⇑ Infections parasitaires, allergies, maladies de la peau, leucémie myéloïde

Basophiles ⇑ Leucémie myéloïde chronique, polyglobulie essentielle, Hodgkin

Lymphocytes ⇑ Infection bactérienne chronique, infection virale, leucémie lymphoïde, Addison
⇓ Immunodéficience, immunosuppresseurs, maladie débilitante avancée,

Monocytes ⇑ Infections bactériennes, virales, parasitaires, maladies inflammatoires chroniques
⇓ Arthrite rhumatoïde, HIV, prednisone

Il existe couramment dans le sang circulant cinq types de globules blancs ou leucocytes : les granulocytes neutrophiles, les granulocytes éosinophiles, les granulocytes basophiles, les lymphocytes et les monocytes, chacun correspondant à des fonctions précises. La formule leucocytaire différentielle détermine l'importance relative ce ces cinq types de leucocytes, en pourcentage ou en nombre absolu.

Les granulocytes neutrophiles

Ce sont des globules blancs contenant des granules qui ne prennent pas les colorants habituels d'où leur nom de neutrophiles. Comme leur noyau, à maturité, est segmenté et qu'il donne l'impression d'être multiple, on les appelle aussi, faussement, polynucléaires. Ces leucocytes ont comme principale fonction connue de phagocyter les corps étrangers tels les bactéries ; ils sont souvent les premiers arrivés sur le site d'une infection, constituant une première ligne de défense. Une surproduction de granulocytes fait apparaître dans le sang circulant des cellules jeunes, dont le noyau n'est pas encore segmenté et a la forme d'une bande ou d'un fer à cheval (*stabs* ou *bands* ou *meta*).

Les granulocytes éosinophiles

Ce sont des granulocytes semblables aux neutrophiles mais dont les granules, contenant de grandes quantités d'histamine, se colorent en rouge en présence d'éosine. Ils sont capables de phagocytose et jouent un rôle encore mal connu dans la réaction inflammatoire et l'allergie. Leur fonction antibactérienne serait négligeable.

Les granulocytes basophiles

Ce sont des granulocytes semblables aux neutrophiles mais dont les granules, contenant de l'histamine et de la sérotonine, se colorent en bleu pourpré au contact des colorants dits «basiques». On les croit capables de phagocytose et leur fonction, mal connue, serait semblable à celle des éosinophiles. Leur fonction antibactérienne serait négligeable.

Les lymphocytes

Ce sont de petits globules blancs sans granules et dont le cytoplasme, à maturité, est réduit. Il en existe plusieurs sortes mais tous ont la même apparence au microscope. Fonctionnellement, on y trouve les lymphocytes B producteurs d'anticorps spécifiques, et responsables directement de la réaction immunitaire humorale, puis les lymphocytes T, responsables de la régulation de la réponse immunitaire et de l'immunité cellulaire cytotoxique.

Les monocytes

Ce sont de gros globules blancs sans granules apparents. Ils sont d'excellents phagocytes ramassant sur leur passage corps étrangers, bactéries, et débris cellulaires.

INTÉRÊT CLINIQUE

La formule différentielle est un élément de la formule sanguine complète. Elle sert entre autres à expliquer les causes d'une leucocytose ou d'une leucopénie en pointant la lignée cellulaire responsable.

Globules blancs – Numération

*L*es globules blancs du sang, ou leucocytes, sont des cellules produites par les organes hématopoïétiques (moelle osseuse et ganglions lymphatiques, rate) et qui appartiennent à trois grandes lignées : granulocytes, monocytes, lymphocytes.

Ces cellules, lorsque déversées dans le sang, sont arrivées à maturité et contiennent un noyau, contrairement aux globules rouges. Certaines contiennent des granules (les granulocytes) et d'autres pas (monocytes et lymphocytes). Chacun de ces types de cellules est décrit à la rubrique Globules blancs – formule différentielle.

Les leucocytes servent principalement à la défense de l'organisme (phagocytose, production d'anticorps, participation à la réaction inflammatoire). Leur durée de vie dans le sang varie grandement : de quelques heures pour les granulocytes à plusieurs années pour les lymphocytes.

Une surproduction de leucocytes s'appelle une leucocytose et une déficience de production constitue une leucopénie. Ces variations de nombre sont habituellement dues à un seul type, ou principalement à un seul type de globules blancs, d'où l'importance de considérer la formule différentielle dans l'interprétation d'une leucocytose ou d'une leucopénie.

INTÉRÊT CLINIQUE

La numération des globules blancs est un élément de la formule sanguine complète (voir cette rubrique). Plus spécifiquement, elle est une indication de l'état de fonctionnement du système hématopoïétique et elle témoigne de nombreux dérèglements possibles : infections, inflammations, leucémies, désordres du système immunitaire, etc.

ENSEIGNEMENT AU PATIENT ET PROTOCOLE

Voir Formule sanguine complète

Globules rouges (érythrocytes) – Numération

VALEURS DE RÉFÉRENCE (EN MILLIONS/MM^3, OU EN 10^{12}/L)
De la naissance à 2 semaines : 4,1 – 4,6
De 2 à 8 semaines : 4,0 – 6,0
De 2 à 6 mois : 3,8 – 5,6
De 6 mois à 1 an : 3,8 – 5,2
De 1 an à 6 ans : 3,9 – 5,3
De 6 ans à 16 ans : 4,0 – 5,2
De 16 à 18 ans : 4,2 – 5,4
> 18 ans, F : 4,0 – 5,0
> 18 ans, M : 4,5 – 5,5

SIGNIFICATION DE RÉSULTATS ANORMAUX
⇑ Polyglobulie essentielle, polyglobulie secondaire

⇓ Hémorragies, anémies, hémolyse, hémoglobinopathies
Leucémies, myélomes multiples, autres cancers en phase avancée, fibrose de la moelle osseuse
Hodgkin, lupus, endocardite, maladies rhumatoïdes, rénales, etc.
Malnutrition

FACTEURS AFFECTANT LES RÉSULTATS
⇑ Altitude ou environnements partiellement privés d'oxygène, environnements pollués, tabagie,
Hémoconcentration ou déshydratation (diarrhée, vomissement), hypovolémie

⇓ Hémolilution, hyperhydratation, grossesse
Malnutrition
Mauvaise alimentation (fer, vitamines, etc.)
Rouleaux (voir frottis sanguin)

NB : La numération des globules rouges doit être interprétée à la lumière d'autres paramètres tels l'hémoglobine, l'hématocrite et les indices globulaires (voir ces tests)

*L*es globules rouges, ou érythrocytes, servent essentiellement à transporter l'oxygène. Ils sont structurés de façon à bien remplir cette fonction à cause : 1) de leur contenu en hémoglobine, qui a la propriété très particulière de se charger en oxygène dans un milieu riche en oxygène (comme au poumon), et de céder cet oxygène dans un milieu pauvre en oxygène (un tissu métaboliquement actif, par exemple) ; 2) de leur forme, biconcave, qui offre une surface de contact optimale avec le milieu ; 3) de leur faible taille et de leur déformabilité, qui leur permet de circuler librement dans les plus petits vaisseaux sanguins de l'organisme.

Une baisse du nombre des globules rouges, en soi, restreint le transport d'oxygène et diminue les capacités métaboliques, énergétiques de l'organisme, bien que celui-ci puisse s'accommoder, au moins temporairement, de larges fluctuations à cet égard.

INTÉRÊT CLINIQUE

La numération des globules rouges est un élément de la formule sanguine complète (voir cette rubrique). Plus spécifiquement, elle est une indication de l'état de fonctionnement du système hématopoïétique (moelle osseuse, rate) et elle témoigne de nombreux dérèglements possibles : anémies, hémolyse, hémorragies, dérèglements métaboliques, etc.

ENSEIGNEMENT AU PATIENT ET PROTOCOLE

Voir formule sanguine complète

Glucagon – Sang

Le glucagon est une hormone produite au pancréas, par les cellules alpha des îlots de Langerhans. Cette hormone est hyperglycémiante : en réponse à une baisse du glucose sanguin, elle stimule le foie à libérer du glucose dans le sang à partir de ses réserves de glycogène. Insuline et glucagon, par leurs effets contraires sur le glucose, veillent mutuellement au maintien d'un niveau normal de la glycémie.

Une prolifération subite des cellules alpha des îlots de Langerhans (glucagonome) entraîne une surproduction de glucagon. Au contraire, une résection importante ou une dégradation du pancréas suite à une pancréatite chronique entraînent une baisse du glucagon sanguin.

On croit que le glucagon est excrété par les reins, à preuve l'élévation du glucagon sanguin suite à une détérioration rénale importante.

Il existe une hyperglucagonémie familiale, tout comme une hypoglucagonémie idiopathique, deux maladies rares et mal comprises.

Le premier paramètre affecté par une baisse ou une surproduction de glucagon est théoriquement la glycémie, si d'autres facteurs n'entrent pas en cause.

INTÉRÊT CLINIQUE
Investigation d'états d'hyperglycémie persistants, diagnostic du glucagonome (rare)

ENSEIGNEMENT AU PATIENT
Expliquer au patient que ce test sert à étudier le fonctionnement du pancréas. Il devra rester à jeun 10 heures avant le prélèvement de sang. L'encourager à demeurer au repos une heure avant le prélèvement.

PROTOCOLE
Prélever du sang veineux dans un tube à bouchon lavande préalablement réfrigéré. Placer le tube sur de la glace et expédier immédiatement au laboratoire.

Glucose-6-phosphate déshydrogénase (G6PD) érythrocytaire – Sang

VALEURS DE RÉFÉRENCE

Variables d'un laboratoire à l'autre. Peut être rapporté comme normal ou anormal.

(8,6 U/g d'Hb par spectrophotométrie cinétique)

RÉSULTATS ANORMAUX

⇑ Anémie mégaloblastique, thrombocytopénie, hyperthyroïdie, hépatite virale

⇓ Épisodes d'hémolyse à déficience en G6PD, anémies congénitales

*C*ette enzyme, omniprésente dans l'organisme, intervient dans le métabolisme du glucose. Certains sujets ont une déficience héréditaire de G6PD. Il s'agit d'un caractère récessif, lié au chromosone sexuel X. Rappelons que pour cette paire de chromosomes sexuels les hommes sont XY (le X vient de la mère et le Y du père) et les femmes sont XX (un du père, un de la mère). Comme le gène de la déficience en G6PD est récessif, on s'attend à ce que les hommes soient plus sujets que les femmes à cette déficience.

Une déficience en G6PD affecte au premier titre les globules rouges : la membrane plasmique des globules rouges est déstabilisée, affaiblie et plus fragile vis-à-vis de certains agressants tels les agents oxydants (aspirine, quinidine, sulfamidés, etc.). Les sujets porteurs du gène manifesteront les symptômes à divers degrés selon qu'ils sont homozygotes ou hétérozygotes : hémolyse (anémie hémolytique à déficience de G6PD), sensibilité à certains médicaments et aliments.

La fréquence de ce gène est plus élevée chez les populations noires et chez certaines populations d'origine méditerranéenne. Curieusement, ces génotypes semblent jouir d'une certaine protection anti-malaria ; cependant, ils sont aussi quelquefois plus réfractaires aux traitements anti-malaria.

INTÉRÊT CLINIQUE

Détection d'une anémie hémolytique à déficience en G6PD

ENSEIGNEMENT AU PATIENT

Expliquer au sujet que ce test sert à déceler une déficience enzymatique affectant les globules rouges et pouvant causer de l'anémie. Il y aura prise de sang, sans jeûne préalable obligatoire.

PROTOCOLE

Prélever du sang veineux dans un tube à bouchon lavande ou jaune. Remplir le tube complètement. Mélanger bien, et délicatement, le sang et l'anticoagulant. Éviter l'hémolyse. Garder au froid ou envoyer immédiatement au laboratoire.

Glucose post-prandial
ou glucose post-cibum (P-C) – Sang

VALEURS DE RÉFÉRENCE

Selon les normes thérapeutiques courantes :

Taux idéal : 4,4 – 7 mmol/ml
Taux optimal : 5,0 – 11 mmol/ml
Taux sous-optimal : 11,1 – 14 mmol/ml
Inadéquat : > 14 mmol/ml

RÉSULTATS ANORMAUX

⇑ Diabète inadéquatement traité, affection rénale, pancréatique ou hépatique, état de choc, Cushing, corticostéroïdes

⇓ Insulinome, maladie d'Addison, déficience hypophysaire ou thyroïdienne, surdose d'insuline, malabsorption

DÉVIATIONS NORMALES

Aucune, si le test est bien administré

*N*ormalement, après un repas contenant des glucides (c'est le cas la plupart du temps), la glycémie augmente momentanément puis, sous l'action de l'insuline, redescend à son niveau normal à l'intérieur de deux heures.

Chez le diabétique, cependant, ce n'est pas le cas, à cause de sa déficience en insuline. Le test de glucose post–prandial, ou de la glycémie postprandiale confirme un diabète et, surtout, permet de vérifier et d'ajuster le traitement à l'insuline

INTÉRÊT CLINIQUE

Contrôle du traitement du diabète

ENSEIGNEMENT AU PATIENT

Expliquer au patient que ce test sert à contrôler son insulinothérapie. Il devra consommer un repas contenant au moins 75 g de glucides, puis ne plus rien manger et demeurer au repos jusqu'au moment du test.

Ce test nécessite une prise de sang.

PROTOCOLE

S'assurer que le patient a bien consommé son repas deux heures avant le test. Prélever du sang veineux dans un tube de 5 ou 7 ml à bouchon gris. Expédier le spécimen au laboratoire dès que possible.

Glucose sanguin, ou glycémie – Sang

VALEURS DE RÉFÉRENCE (À JEUN)
Adultes et enfants : 3,6–6,4 mmol/l

Nouveau-nés : 2–5 mmol/l

RÉSULTATS ANORMAUX

Le test à jeun est considéré ⇈ si > 7,0 mmol/ml ; le test aléatoire est considéré ⇈ si > 11,1 mmol/ml

⇈ Diabète sucré primaire ou secondaire si les résultats sont consistants d'un test à l'autre ; troubles du pancréas, du foie, des reins, choc, syndome de Cushing, acromégalie, phéochromocytome,

⇊ Insulinome ou surdose d'insuline, déficience hypophysaire ou thyroïdienne, malnutrition/malabsorption

FACTEURS AFFECTANT LES RÉSULTATS

⇈ Stress, solutés glucosés, nombreux médicaments

⇊ Nombreux médicaments

Variations normales : âge, sexe, tabac, aspirine, contraceptifs oraux, stérpïdes, phénothiazine, sulfamidés

Le glucose est un constituant très important de l'alimentation humaine, sous tous les climats. C'est aussi une substance centrale du métabolisme général : par des voies métaboliques nombreuses et interreliées le glucose mène à la synthèse de constituants des lipides, des protides, des acides nucléiques, des hormones, etc., et vice-versa. C'est donc une substance stratégique et sa fluctuation dans le sang est due à l'action combinée de nombreux mécanismes.

Sa concentration sanguine, ou glycémie, doit être maintenue à l'intérieur de certaines limites pour un fonctionnement normal de l'organisme. Cette glycémie est régulée principalement par deux hormones, l'insuline, hypoglycémiante, et le glucagon, hyperglycémiante. Ainsi, après un repas la glycémie augmente : une sécrétion d'insuline, en réaction, la fait diminuer ; entre les repas ou à jeun, la glycémie diminue : le glucagon, en réaction, la fait augmenter au besoin.

Le diabète est dû à une déficience de sécrétion d'insuline par le pancréas. En son absence ou sa déficience, la glycémie augmente. L'insuline administrée au diabétique a pour effet de rétablir la glycémie à l'intérieur de limites acceptables.

INTÉRÊT CLINIQUE
Dépistage du diabète, suivi du traitement du diabète

ENSEIGNEMENT AU PATIENT
Expliquer au patient, si nécessaire, la pertinence de ce test. Il doit être à jeun au moins 8 heures avant le test s'il s'agit d'un test à jeun. L'épreuve nécessitera un prélèvement de sang par voie intraveineuse. Demander au patient d'avertir en cas de symptômes d'hypoglycémie qui seraient dus à son jeûne : faiblesse, nervosité, sudation.

PROTOCOLE

L'épreuve à jeun se fait après un jeûne de 8 heures. Effectuer le prélèvement veineux avant toute médication hypoglycémiante. Prélever du sang veineux dans un tube de 5 ml à bouchon gris (si le spécimen est pour traiter dans les heures qui suivent; sinon, bouchon rouge ou tigré/jaune). Expédier immédiatement le spécimen au laboratoire. Offrir au patient une collation après le prélèvement.

Gonadotrophine chorionique humaine, HCG – Sang, urine

*L*a gonadotrophine chorionique est une hormone sécrétée par les cellules placentaires dès les premiers jours de la grossesse. Sa production augmente progressivement jusqu'à la fin du premier trimestre. La HCG est décelable dans le sang et dans l'urine dès le dixième jour suivant l'ovulation s'il y a eu fécondation de l'ovule et implantation de l'embryon, ce qui fait du dosage ou de la détection de l'HCG un excellent test de grossesse.

Normalement la gonadotrophine chorionique n'est pas présente chez la femme non enceinte et chez l'homme, sauf dans les cas de môle hydatiforme, de choriocarcinomes de l'utérus ou de l'ovaire chez la femme et dans certains cancers du testicule chez l'homme.

INTÉRÊT CLINIQUE

Urine, sang : diagnostic de la grossesse ; sang : suivi d'une grossesse ectopique, tumeur

ENSEIGNEMENT AU PATIENT

Expliquer s'il le faut les principes sous-jacents du test. Les trousses vendues en pharmacie comportent toutes des indications claires sur la marche à suivre et l'interprétation. Le test sur le sang ne nécessite pas un jeûne préalable.

PROTOCOLE

Test sanguin : prélever du sang veineux dans un tube à bouchon rouge de 7 ml. Expédier le spécimen au laboratoire immédiatement ; test urinaire : spécimen d'urine.

Groupes sanguins ABO et Rh

*L*e groupage du sang a pour principal objectif de prévenir les réactions d'incompatibilité au moment de transfusions sanguines. Ces réactions d'incompatibilité sont dues à la présence, dans le sérum du receveur, d'anticorps dirigés contre les globules rouges du donneur ou encore d'une réaction d'hypersensibilité du receveur aux globules rouges du donneur.

Il existe de nombreux systèmes de groupes sanguins mais les deux principaux, en termes d'incompatibilité et de fréquence dans la population, sont le système ABO et le système Rh.

Système ABO

Ce système met en jeu deux antigènes possiblement présents à la surface des globules rouges d'un individu, l'antigène A et l'antigène B et les anticorps correspondants possibles, l'anti–A et l'anti–B. Un individu possédant l'antigène A en surface de ses globules rouges n'a pas, dans son sérum, l'anticorps anti–A.

Un individu possédant l'antigène B n'a pas l'anticorps anti–B. Celui possédant les antigènes A et B n'a dans son sérum aucun des deux anticorps anti–A et anti–B. Inversement, celui qui ne possède pas d'antigène A a dans son sérum l'anticorps anti–A (anticorps naturels). L'inverse est vrai pour l'antigène B. Le système ABO se résume par le tableau suivant :

Groupe	Antigènes des G.R.	Anticorps du sérum
A	A	Anti–B
B	B	Anti–A
AB	A et B	Aucun
O	aucun	Anti–A, anti–B

Système Rh

Le système Rh met en jeu une série d'antigènes à la surface des globules rouges dont le plus fréquent est le D, qui confèrent au possesseur le groupe Rh positif s'ils sont présents et selon leur importance. Ces globules rouges, mis en présence des anticorps correspondants, vont agglutiner ou hémolyser. La réaction transfusionnelle, chez un receveur incompatible, sera due à la pré–existence des anticorps ou à leur synthèse suite au contact avec l'antigène. Le système Rh, simplifié, se résume par les deux groupes Rh positif (+) et Rh négatif (–).

Selon les antigènes présents à la surface des globules rouges, un individu peut être de groupe A+ (groupe A, Rh positif), A–, B+, B–, AB+, AB–,O+ ou O–.

Comme les réactions transfusionnelles sont dues à l'agglutination des globules rouges du donneur par les anticorps du receveur, on dit que le groupe O– est donneur universel, n'ayant pas d'antigènes à la surface de ses globules rouges, et que le groupe AB+ est receveur universel, n'ayant pas d'anticorps dans son sérum. En principe et de façon simplifiée, le tableau des compatibilités se résume à ceci :

Groupe	Antigènes des G.R.	Anticorps sériques possibles	Donne à	Reçoit de
O –	Aucun	Anti–A, anti–B, anti–Rh	Tous	O–
O+	Rh	Anti–A, anti–B	O+, A+, B+, AB+	O–, O+
A –	A	Anti–B, anti–Rh	A–,A+, AB–, AB+	O–, A–,
A+	A, Rh	Anti–B	A+, AB+	O–, O+, A+,
B –	B	Anti–A, anti–Rh	B–, B+, AB+	O–, B–
B+	B, Rh	Anti–A	B+, AB+	O–, O+, B–, B+
AB –	A, B	Anti–Rh	AB–, AB+	O–, A–, B–, AB–
AB+	A, B, Rh	Aucun	AB+	Tous

Ce tableau est évidemment rudimentaire et il est donné ici à titre théorique seulement car il ne tient pas compte des autres systèmes de groupes sanguins ni des autres sources d'incompatibilité. Préalablement à une transfusion sanguine, il est donc nécessaire de faire un test de compatibilité (*Cross match*) entre le donneur et le receveur, sauf en cas d'extrême urgence.

PROTOCOLE
Prélever du sang veineux dans un tube de 7 ml à bouchon rouge

Haptoglobine

VALEURS DE RÉFÉRENCE

Nouveau-nés : 0 – 1,55 µmol/l

Jeunes enfants : 7,75 – 77,5 µmol/l

Enfants : 40 – 220 µmol/l

Adultes : 60 – 370 µmol/l

RÉSULTATS ANORMAUX

⇓ Réactions post-transfusionnelles, érythroblastose fœtale, anémie hémolytique auto-immune, anémie falciforme, thalassémie, paludisme, sphérocytose ; Hémorragie endovasculaire due à des prothèses cardiaques ; Hématomes, hémorragies tissulaires ; Lupus érythémateux disséminé, purpura thrombocytopénique ; Maladies hépatiques ;

⇑ Obstruction biliaire, néoplasies, infections, maladies du collagène, nécrose tissulaire

FACTEURS AFFECTANT LES RÉSULTATS

⇓ Contraceptifs oraux, œstrogènes
  Absence congénitale (chez certaines populations)

⇑ Stéroïdes, androgènes

L'haptoglobine est une protéine synthétisée au foie et qui a la propriété de se coupler à l'hémoglobine libre du sang. Ce complexe, non fonctionnel, est immédiatement catabolisé. L'haptoglobine ainsi consommée n'est que lentement remplacée par le foie.

Comme de l'hémoglobine libre apparaît dans le sang principalement suite à une hémolyse (destruction de globules rouges), la baisse de l'haptoglobine sérique signe habituellement un problème d'hémolyse. Une dysfonction hépatique peut aussi, évidemment, entraîner une baisse semblable de l'haptoglobine.

INTÉRÊT CLINIQUE

Mesure de l'ampleur d'un épisode d'hémolyse (anémie hémolytique, hémolyse post-transfusionnelle)

ENSEIGNEMENT AU PATIENT

Expliquer au patient que ce test sert à déterminer s'il y a un processus de destruction de ses globules rouges en cours. Il y aura prélèvement de sang, sans jeûne préalable nécessaire.

PROTOCOLE

Prélever du sang veineux dans un tube de 7 ml à bouchon rouge.

Helicobacter pylori – Sérologie

RÉSULTATS NORMAUX
Test négatif
Test positif mais en absence de tout symptôme d'ulcère

RÉSULTATS PATHOLOGIQUES
Sérologie positive en présence de symptômes d'ulcère ; néoplasies gastriques

FACTEURS AFFECTANT LES RÉSULTATS
Aucun

*H*elicobacter *pylori* est une bactérie spiralée que l'on trouve chez une majorité d'individus soufrant d'ulcère gastrique (60–90%) ou duodénal (95%). Sa présence est également associée à la néoplasie gastrique. Il existe trois façons de déceler la présence d'*Helicobacter pylori* chez un individu :

1. La bactérie peut être mise en évidence par culture de matériel prélevé par endoscopie au niveau de l'ulcère.

2. L'antigène d' *Helicobacter pylori* peut être mis en évidence dans les matières fécales.

3. L'anticorps anti–*Helicobacter pylori* peut être détecté dans le sérum par méthodes sérologiques (ELISA particulièrement).

C'est cette dernière approche qui est la plus utilisée, à cause de son innocuité (l'endoscopie a ses risques), de sa simplicité, de sa sensibilité et de son faible coût. Le principal inconvénient de cette approche est qu'un grand nombre de personnes saines et sans ulcère sont déjà entrées en contact avec la bactérie et qu'ils répondent positivement à la sérologie. On ne doit donc interpréter les résultats de la sérologie qu'en présence de symptômes d'ulcère.

INTÉRÊT CLINIQUE
Élément du diagnostic d'ulcère gastrique ou duodénal en présence de symptômes

ENSEIGNEMENT AU PATIENT
Expliquer au patient que cette bactérie est associée à la présence d'ulcère et que le test sert à vérifier s'il est infecté par la bactérie en mettant en évidence la présence d'anticorps dans son sérum. L'examen nécessite un prélèvement de sang veineux et le patient n'a pas à se priver de nourriture avant le prélèvement.

PROTOCOLE
Prélever du sang veineux dans un tube de 5 ou 7 ml à bouchon rouge. Expédier au laboratoire immédiatement.

Hématocrite

VALEURS DE RÉFÉRENCE (EN %)
De 0 à 2 semaines : 39–67
De 2 à 8 semaines : 28–56
De 2 à 6 mois : 28–42
De 6 mois à 1 an : 29–39
De 1 à 6 ans : 33–40
De 6 à 18 ans : 35–49
> 18 ans ♀ : 36–46
> 18 ans ♂ : 41–53

SIGNIFICATION DE RÉSULTATS ANORMAUX

⇑ Polyglobulie essentielle, polyglobulie secondaire, érythrocytose, hémoconcentration (déshydratation, diarrhée, grands brûlés)

⇓ Hémorragies, anémies, hémolyse, hémoglobinopathies
Leucémies, myélomes multiples, autres cancers en phase avancée, fibrose de la moelle osseuse
Hodgkin, lupus, maladies rhumatoïdes
Malnutrition

FACTEURS AFFECTANT LES RÉSULTATS

⇑ Altitude, environnements pauvres en oxygène ou pollués, tabagie
Hémoconcentration, déshydratation

⇓ Grossesse, hémodilution, mauvaise alimentation
Médication

NB : La valeur de l'hématocrite doit être interprétée à la lumière d'autres paramètres tels la numération des globules rouges, la valeur de l'hémoglobine et les indices globulaires (voir ces tests).

L'hématocrite est la mesure du pourcentage de volume occupé dans le sang par les globules rouges. Il est déterminé par centrifugation du sang entier, non coagulé, dans un tube gradué. Sa valeur, exprimée en %, dépend :

• du nombre de globules rouges
• du volume moyen des globules rouges
• de l'hémoconcentration.

Indirectement, l'hématocrite reflète aussi le taux d'hémoglobine, toutes autres choses étant égales.

INTÉRÊT CLINIQUE

La détermination de l'hématocrite est un élément de la formule sanguine complète (voir cette rubrique) et elle renseigne essentiellement sur l'état du fonctionnement du système hématopoïétique. Plus spécifiquement, elle contribue à calculer les indices globulaires (voir cette rubrique), et constitue une indication de l'état d'hydratation de l'organisme.

ENSEIGNEMENT AU PATIENT ET PROTOCOLE

Voir formule sanguine complète. Parfois ce test est effectué, sur place ou au labo-ratoire, par ponction cutanée en remplissant aux trois-quarts un tube hépariné (tube à hématocrite) que l'on bouche à une extrémité à l'aide de mastic et que l'on centrifuge deux minutes dans une centrifugeuse à hématocrite. On mesure ensuite la hauteur de la colonne des globules, que l'on divise par la hauteur totale de la colonne de liquide. Cette mesure cutanée donne des valeurs légèrement inférieures à cause de la présence des liquides tissulaires du site de la ponction.

Hémoculture (culture de sang)

C ette épreuve consiste à prélever du sang, à l'inoculer à un milieu de culture et à l'incuber. Selon le milieu de culture et les conditions de laboratoire, on peut ainsi détecter la présence de germes responsables de bactériémies ou de septicémies.

Généralement, par bactériémie on entend une infection bactérienne qui se limite au sang circulant: les bactéries ne sont détectées que par une hémoculture; ce type d'infection est souvent transitoire et sans conséquences graves.

Par contre, une septicémie consiste en la contamination du sang à partir d'un foyer infectieux primitif, avec le risque de développement de foyers secondaires; cette situation est plus préoccupante et elle peut se manifester par des manifestations systémiques graves.

Certains ne font toutefois pas de distinction entre bactériémie et septicémie quant à l'intérêt que l'on doit lui accorder.

INTÉRÊT CLINIQUE
Confirmer une bactériémie ou une septicémie et en déterminer les germes responsables.

ENSEIGNEMENT AU PATIENT
Expliquer que cette épreuve sert à détecter la présence de microorganismes dans le sang. Un prélèvement de sang par voie intraveineuse sera nécessaire; aucun jeûne préalable n'est requis.

PROTOCOLE
Le prélèvement sanguin est habituellement effectué par une personne formée à cet effet (infirmière, médecin, personnel du laboratoire, selon l'institution et les circonstances).

Porter des gants. Si le patient a déjà un cathéter veineux, prélever dans l'autre bras ou, à la rigueur, dans le même mais en aval du cathéter. Suivre les directives qui s'appliquent au mode de prélèvement et de culture, qui varient selon l'institution et l'objectif visé. Dans tous les cas, observer des consignes d'asepsie rigoureuses, qui consistent minimalement à nettoyer le site de prélèvement à la providone–iode, laisser agir une minute puis nettoyer l'iode résiduel avec un tampon d'alcool. Si l'inoculation du milieu de culture n'est pas directe, il faut désinfecter le bouchon du milieu de culture à l'iode et changer d'aiguille pour l'inoculation.

Hémoglobine (Hb)

L'hémoglobine est une substance présente dans les globules rouges et qui sert à transporter l'oxygène. C'est une macromolécule formée d'un groupe hème porteur d'un atome de fer et d'une fraction protéique (globine).

Cette macromolécule a la propriété particulière de se charger d'oxygène lorsqu'elle est placée dans un milieu riche en oxygène comme au poumon, et de s'en délester lorsqu'elle est placée dans un milieu pauvre en oxygène, comme dans un tissu métaboliquement actif. De plus, l'hémoglobine sert à désacidifier les tissus en se chargeant d'ions hydrogène qu'elle excrétera à son passage au poumon jouant ainsi un rôle de tampon acido-basique.

Comme dans le globule rouge c'est l'hémoglobine qui fait le travail et que tous les globules rouges n'ont pas le même contenu en hémoglobine, la détermination de l'hémoglobine est un complément indissociable de la numération des globules rouges.

INTÉRÊT CLINIQUE

La détermination de l'hémoglobine sanguine est un élément de la formule sanguine complète (voir cette rubrique). Plus spécifiquement, elle est une indication de l'état de fonctionnement du système hématopoïétique et elle témoigne de nombreux dérèglements possibles : anémies, hémorragies, maladies héréditaires, etc. ; elle permet notamment le suivi du traitement des anémies.

ENSEIGNEMENT AU PATIENT ET PROTOCOLE (Voir formule sanguine complète)

Hémoglobine glyquée, ou glycohémoglobine – Sang

VALEURS DE RÉFÉRENCE
6 à 7% de l'hémoglobine est glycée.

RÉSULTATS ANORMAUX
⇑ Diabète récent, diabète pas ou peu contrôlé, hyperglycémie d'origine non diabétique
⇓ Anémie hémolytique, saignements fréquents

FACTEURS AFFECTANT LES RÉSULTATS
⇑ Grossesse, splénectomie

*T*out comme un grand nombre de protéines, l'hémoglobine des globules rouges a tendance à se glyquer (se lier avec du glucose) avec le temps. Ce processus est long et continu, et est d'autant plus intense que le glucose est disponible en grande quantité. Un dosage de l'hémoglobine glyquée devrait donc nous donner une idée de la concentration moyenne du glucose dans le sang durant les dernières semaines (3 ou 4 mois), plutôt que ponctuellement comme le fait une simple épreuve de glycémie.

L'avantage évident de ce dosage est de donner une image à long terme de la glycémie (les globules rouges ont une durée de vie de 120 jours), contrairement aux dosages ponctuels de la glycémie, qui peuvent fluctuer d'heure en heure et de jour en jour. En effet, des variations ponctuelles ou de date récente n'affectent pas les valeurs de l'hémoglobine glyquée.

INTÉRÊT CLINIQUE
Ce test est apprécié pour l'image à long terme qu'il donne du diabétique et de l'efficacité de sa thérapie. C'est un des paramètres importants à suivre dans le traitement des diabétiques.

ENSEIGNEMENT AU PATIENT
Expliquer au patient que cette épreuve donne une idée de sa glycémie à long terme du moins sur une période s'étendant sur les trois ou quatre dernières semaines. Il n'aura pas à interrompre sa thérapie, ni son régime alimentaire, ni ne devra être à jeun avant le prélèvement intraveineux.

PROTOCOLE
Prélever du sang veineux dans un tube de 5 ou 7 ml à bouchon rouge.

Hémoglobines – Électrophorèse

VALEURS DE RÉFÉRENCE

Hémoglobine A_1 : 95–98%

Hémoglobine A_2 : 1,5–3,5%

Hémoglobine F : Adultes 0–2%

Nouveau-nés : 60–90%

Hémoglobine S, C et H : 0%

RÉSULTATS ANORMAUX (Voir plus bas)

FACTEURS AFFECTANT LES RÉSULTATS

Transfusion sanguine récente, médication anticonvulsivante (⇑ Hb F)

Il existe une très grande variété de formes possibles de l'hémoglobine chez l'Homme mais seulement quelques-unes sont d'intérêt clinique courant. Il s'agit des hémoglobines A_1, A_2, F, S, C et H. Certaines sont normalement présentes chez les populations blanches, d'autres se trouvent surtout chez certaines populations noires, méditerranéennes, asiatiques ou autres ; certaines sont responsables d'hémoglobinopathies.

Il est facile, par électrophorèse d'un hémolysat de globules rouges, de déterminer la répartition des hémoglobines d'un individu et d'en détecter les formes anormales, voire même de les mesurer.

L'hémoglobine A_1

Il s'agit de la forme dominante des hémoglobines chez un individu normal, comptant pour au-delà de 95% de l'hémoglobine totale.

L'hémoglobine A_2

Cette forme constitue moins de 3% de l'hémoglobine totale d'un individu sain mais se trouve légèrement augmentée dans certaines formes de thalassémie.

L'hémoglobine F (ou hémoglobine fœtale)

C'est la forme prédominante chez le fœtus et chez le nouveau-né et elle chute à moins de 2% à l'âge de six mois. Sa persistance en quantité appréciable au-delà de cet âge se rencontre dans certaines pathologies : thalassémie, hémoglobinopathie F familiale, certaines anémies et affections de la moelle osseuse.

L'hémoglobine S

Absente en temps normal, cette forme d'hémoglobine est associée à l'anémie falciforme (*Sickle cell anemia*, d'où son nom) où elle compte pour 80% de toute l'hémoglobine (20–40% chez les porteurs du gène).

L'hémoglobine C

Normalement absente, cette hémoglobine est caractéristique d'une hémoglobinopathie héréditaire, l'hémoglobinose C.

L'hémoglobine H

Normalement absente, cette hémoglobine est caractéristique d'une forme de thalassémie.

INTÉRÊT CLINIQUE
Dépistage et diagnostic différentiel d'hémoglobinopathies et d'anémies

ENSEIGNEMENT AU PATIENT
Expliquer au patient, ou aux parents s'il s'agit d'un enfant, la nature de cette épreuve. Un prélèvement intraveineux chez l'adulte, et cutané chez l'enfant, sera nécessaire. Aucune restriction alimentaire n'est nécessaire avant le prélèvement.

PROTOCOLE
Prélever du sang veineux dans un tube de 7 ml à bouchon lavande (adulte) ou du sang sous-cutané chez le jeune enfant selon la technique en vigueur. Mêler, délicatement mais complètement, le sang et l'anticoagulant du tube (adulte).

Hépatites virales – Sérologie

Il existe cinq types d'hépatites virales, causées par cinq virus différents et détectables par autant d'épreuves sérologiques, qui mettent en évidence soit des antigènes spécifiques (Ag) appartenant au virus, soit des anticorps spécifiques (Ac) fabriqués par l'hôte:

1. Hépatite A

Causée par le HAV (virus de l'hépatite A) qui est transmis par les matières fécales, les aliments et l'eau; plus ou moins symptomatique mais extrêmement répandue et conférant une immunité à vie (50 à 100% de la population selon les régions du globe).
Sérologie: IgM anti–HAV en phase aiguë et durant de 1 à 3 mois
      IgG anti–HAV à vie

2. Hépatite B

Causée par le HBV (virus de l'hépatite B) qui est transmis par voie sexuelle, parentérale et périnatale; effets variables (allant de l'infection asymptomatique momentanée à la grande maladie hépatique en passant par l'état de porteur chronique); passablement répandue et conférant des immunités variables.
Sérologie: IgM anti–HBV (Anti–HBc en phase aiguë, anti–Hbs par la suite)
      Ag HBs en phase aiguë et chronique

3. Hépatite C

Causée par le HCV (virus de l'hépatite C), qui est transmis par voie parentérale et possiblement par voie sexuelle et périnatale; les symptômes n'apparaissent que rarement (< 5%) mais sont graves et évoluent quelquefois vers la chronicité et la mort; immunité à court terme.
Sérologie: anti–HCV en phase aiguë et chronique

4. Hépatite D

Causée par le HDV (virus de l'hépatite D), qui est transmis par voie parentérale, sexuelle et possiblement périnatale; typiquement endémique (homosexuels, toxicomanes, immuno-déficients), très létale (30% des cas non traités); immunité à court terme

Sérologie: Ag HD en phase aiguë et chez les porteurs du virus

Anti-HDV chez les chroniques et les porteurs

5. Hépatite E

Causée par le HEV (virus de l'hépatite E), qui est transmis seulement par les matières fécales, les aliments et l'eau; la plupart du temps bénigne; épidémies par contamination des sources d'eau dans les régions à risque.

Sérologie: IgM anti-HEV en phase aiguë

INTÉRÊT CLINIQUE

Dépistage, confirmation d'un diagnostic d'hépatite, diagnostic différentiel. En milieu clinique, on ne titre habituellement que les Ag et Ac des hépatites A, B et C.

ENSEIGNEMENT AU PATIENT

Expliquer au patient l'utilité de cette épreuve dans son contexte clinique. L'épreuve nécessite un prélèvement de sang veineux, sans jeûne préalable.

PROTOCOLE

Prélever du sang veineux dans un tube de 5 ou 7 ml à bouchon rouge.

Herpès – Sérologie

RÉSULTATS NORMAUX
IgG: négatif sur titres inférieurs à 1:5
IgM: négatif sur titres inférieurs à 1:10

RÉSULTATS PATHOLOGIQUES
IgG et IgM: titres supérieurs à 1:5 et 1:10, ou en augmentation par rapport à une sérologie antérieure. Une réactivation du virus ne peut être confirmée qu'en constatant une augmentation des titres d'anticorps. Des titres inférieurs pour les IgG chez les immunodéficients peuvent constituer un risque (réactivation possible du virus).

*L*e virus de l'herpès ou HSV (*Herpes simplex virus*) ou HVH (*Herpes virus hominis*) est très répandu. On croît que la majorité des adultes l'ont déjà contracté, sous une forme ou sous une autre. C'est un virus qui a la propriété, après une primo-infection plus ou moins symptomatique, d'entrer en phase de latence, pour des périodes variables, puis de réapparaître plus ou moins subrepticement à la faveur d'évènements déclenchants.

On distingue deux types, 1 et 2:

HSV-1 (orofacial)

Se transmet par la salive, dans la petite enfance, de façon inaperçue ou avec de très légers symptômes, puis, en migrant le long des nerfs sensitifs (croit-on), s'installe dans les ganglions où il demeure latent pour une période indéterminée; il entraîne, à la primo-infection ou lors de sa réactivation: lésions cutanées bénignes de la muqueuse buccale, pharyngite, kératoconjonctivite, eczéma, panaris, et (rare) méningo-encéphalite

HSV-2 (génital)

Se transmet par contact sexuel chez les adultes, ou de la mère à l'enfant par voie transplacentaire ou au moment de l'accouchement, avec symptômes plus ou moins discrets, puis, en migrant le long des nerfs sensitifs (croit-on), s'installe dans les ganglions sacrés où il demeure latent pour une période indéterminée; à l'infection initiale ou lors d'une réactivation, il entraîne des lésions aux organes génitaux et dans la région voisine; l'infection, chez le nouveau-né, est létale si non traitée. Ces manifestations de type génital sont parfois aussi causées par le HSV-1

DIAGNOSTIC SÉROLOGIQUE

Il est le même pour HSV-1 et HSV-2: mise en évidence des anticorps (IgM ou IgG) par méthode ELISA, par immunofluorescence (IFA); mise en évidence du matériel nucléaire viral par PCR (*Polymerase Chain Reaction*) dans le liquide céphalo-rachidien.

INTÉRÊT CLINIQUE

Dépistage chez la femme enceinte et le nouveau-né (voir Torch test); mesure du risque chez les immuno-déficients

ENSEIGNEMENT AU PATIENT

Expliquer, si demandé, le cycle de l'herpès, la distinction entre herpès orofacial et génital ainsi que les voies de transmission. Le test nécessitera un prélèvement intraveineux, mais sans jeûne préalable.

PROTOCOLE

Prélever du sang veineux dans un tube de 5 ml à bouchon rouge. Il peut être nécessaire de séparer sur place le sérum et le culot après avoir laissé reposer le tube une heure à la T° de la pièce. Transférer le sérum dans un tube stérile et con-server à 4° au maximum 2 jours.

Hexosaminidases – Sang

*L*es hexosaminidases sont des enzymes nécessaires au métabolisme des gangliosides, constituants nécessaires au fonctionnement des neurones, notamment au cerveau. On trouve dans le sérum deux formes (isoenzymes) d'hexosaminidases d'importance médicale, la A et la B.

L'absence totale d'hexosaminidase A se rencontre chez les sujets atteints de la maladie de Tay–Sachs, ou idiotie amaurotique infantile. Cette maladie, très débilitante, se traduit par un retard psychomoteur, une hypotonie musculaire et la cécité, puis entraîne la mort avant l'âge de 4 ans. La maladie, particulièrement fréquente chez les juifs Ashkénazes originaires d'Europe centrale, est due à un gène autosomique récessif. Le sujet homozygote a la maladie de Tay–Sachs, l'hétérozygote étant seulement porteur.

L'absence des deux hexosaminidases, A et B, extrêmement rare et encore plus létale, donne la maladie de Sandhoff.

Pratiquement, on dose couramment l'hexosaminidase A et l'hexosaminidase totale (qui inclut la A, la B et les autres).

INTÉRÊT CLINIQUE

Diagnostic de la maladie de Tay–Sachs, identification des sujets porteurs du gène et counselling génétique.

ENSEIGNEMENT AU PATIENT

Expliquer si nécessaire aux conjoints à risque ou aux parents d'un enfant atteint ce qu'ils ne savent déjà. Dans le cas d'un examen de dépistage chez des sujets adultes, un prélèvement intraveineux sera nécessaire, sans jeûne préalable.

PROTOCOLE

Chez l'adulte, prélever du sang veineux dans un tube à bouchon rouge ou doré de 7 ml. Chez la femme enceinte ou parturiente ou chez le nouveau-né, suivre le protocole de l'institution.

Hyperglycémie provoquée

VALEURS DE RÉFÉRENCE
La glycémie doit monter et atteindre son pic après 30 à 60 minutes, puis revenir à la normale après 2–3 heures. On ne trouve pas normalement de glucose dans l'urine.

RÉSULTATS ANORMAUX
⇑ de la glycémie ou délai prolongé: diabète sucré, affections pancréatiques, hépatiques ou rénales, syndrome de Cushing, acromégalie, phéochromocytome

⇓ de la glycémie ou délai diminué: insulinome, déficience hypophysaire, thyroïdienne, surrénalienne (Addison)

FACTEURS AFFECTANT LES RÉSULTATS
• Durée du jeûne, vitesse d'ingurgitation de la solution de glucose, niveau d'activité durant l'épreuve, médicaments

*C*e test sert à déterminer la réponse d'une personne à l'administration par voie orale d'une forte dose de glucose (75–100 g). On l'administre surtout pour confirmer un diabète chez les personnes qui ont des résultats limites (*borderline*) au test de glucose sanguin. Chez les personnes qui produisent des quantités normales d'insuline, l'hyperglycémie provoquée par la dose massive de glucose est résorbée en dedans de trois heures, avec un pic de la glycémie 30 à 60 minutes après l'ingestion du glucose. Chez le diabétique, cette période de résorption peut s'étendre sur 5 ou 6 heures avec un pic de la glycémie plus tardif également. C'est le test le plus déterminant en cas de doute sur un sujet quant à un diabète possible.

Par ailleurs, dans certaines circonstances strictement contrôlées, ce test peut aussi aider à élucider un cas de syndrome de malabsorption ou un problème d'hypoglycémie.

INTÉRÊT CLINIQUE
Diagnostic de diabète gestationnel; diagnostic d'intolérance au glucose; évaluation de sujets présentant une néphropathie, une neuropathie ou une rétinopathie

ENSEIGNEMENT AU PATIENT
Expliquer que ce test sert à confirmer ou élucider un problème lié à la glycémie. Le patient se sera nourri adéquatement les trois derniers jours et son alimentation aura été riche en glucides (150 g/jour de contenu en sucres), puis il demeurera à jeun 10 à 16 heures avant le test. Lui expliquer comment le test se déroulera.

PROTOCOLE
Il y a plusieurs variantes de cette épreuve quant aux quantités de glucose à ingérer avant le test et quant aux lectures de la glycémie (0, 30, 60, 90, 120, 360 minutes). L'épreuve commence habituellement le matin, après un jeûne de 10 à 16 heures. Décrire au patient les signes d'hypoglycémie (faiblesse, fatigue, nervosité, sueurs) et lui demander d'en aviser le personnel s'ils se manifestent durant l'épreuve. De tels signes sont normaux jusqu'à un certain degré.

En un premier temps, prélever un échantillon de sang veineux dans un tube de 5 ou 7 ml à bouchon gris. Obtenir au même moment un échantillon d'urine. Tout de suite après, administrer par voie orale la dose de glucose prescrite; encourager le patient à tout boire en 5 minutes. Prélever le ou les échantillons de sang et d'urine aux temps prescrits. Bien identifier tous les tubes et prélèvements. Entre les prélèvements, encourager le patient à boire de l'eau tant qu'il veut, mais ni thé, ni café, ni tabac. Vérifier en tout temps les signes d'hypoglycémie. S'ils se manifestent en toute évidence, appeler le médecin et cesser le test. Conserver les spécimens au froid. À la fin, expédier le tout au laboratoire sans délai. Le patient peut reprendre ses activités normales.

Imagerie par résonance magnétique
(IRM, RMN, *MRI*)

IRM cérébrale

- Lésions
- Accident cérébro–vasculaire, hématome sous–dural, anévrisme
- Infarctus cérébral, œdème cérébral
- Sclérose en plaques
- Néoplasies

Angiorésonance cérébrale

- Anévrisme
- Malformations vasculaires
- Sténose des principaux vaisseaux

IRM du rachis

- Hernie discale
- Dégénération discale
- Néoplasies
- Processus inflammatoires
- Anomalies congénitales
- Moelle épinière : sclérose en plaques

IRM musculo-squelettique

- Cancer osseux, ostéonécrose
- Processus inflammatoires
- Maladies articulaires
- Atteintes aux tendons
- Affections à la moelle osseuse
- Atrophie musculaire

IRM cardiaque

- Altérations de l'anatomie du cœur (volumes des ventricules, épaisseurs des parois)
- Malformations et maladies congénitales du cœur
- Péricardite
- Thromboses, anévrisme
- Ischémie myocardique

IRM abdominale et pelvienne

- Néoplasies
- Ascite
- Abcès, hémorragie, œdème
- Occlusion, sténose, anévrisme aortique
- Atteintes hépatiques et biliaires
- Affections pancréatiques
- Affections rénales
- Affections surrénaliennes
- Appareil génital chez la femme

Angiorésonance carotido-vertébrale

- Sténose carotido–vertébrale
- Thrombose
- Anévrisme

Angiorésonance rénale
- Sténose des artères rénales
- Anévrisme

Cholangiorésonance
- Calcul vésiculaire (cholélithiase)
- Cholédocholithiase
- Pancréatite chronique
- Malformation congénitale des voies biliaires

IRM des orbites
- Néoplasie
- Processus inflammatoire
- Malformation congénitale
- Malformations vasculaires

L'imagerie par résonance magnétique (IRM, ou *MRI* en anglais) est une méthode d'imagerie médicale basée sur le phénomène physico-chimique de résonance magnétique nucléaire (RMN).

Des noyaux d'atomes d'hydrogène, placés dans un champ magnétique puissant et bombardés par des radiofréquences de longueurs d'onde spécifiques sont le siège d'altérations momentanées de leur état d'énergie que l'on nomme résonance ; ces dérangements nucléaires provoquent à leur tour l'émission d'ondes électromagnétiques que la machine capte et transmet sous forme numérique à un ordinateur.

Les différents tissus de l'organisme (os, muscles, vaisseaux, tissus adipeux, sang, etc.), ayant chacun une composition chimique particulière, ont chacun une façon caractéristique d'émettre ces ondes, que l'ordinateur peut interpréter et convertir en images. La machine peut ainsi produire des images en coupes, et dans tous les plans, du corps et des organes.

Dans certains cas, des agents de contrastes à base de métaux peuvent être utilisés. Les images obtenues par résonance magnétique sont visibles sur écran vidéo et enregistrables sur support magnétique (bandes, disques).

L'IRM, contrairement à la radiographie conventionnelle et à la tomodensitométrie, n'utilise pas les rayons X, avec ce qu'ils comportent de restrictions. De plus, les forces en jeu (magnétisme, fréquences radio) ne sont que peu atténuées par le tissu osseux (la voûte crânienne par exemple), et permettent des vues extrêmement précises des structures molles sous-jacentes. Plus important encore, les images obtenues par résonance magnétique reflètent davantage la composition chimique des structures anatomiques que celles obtenues par la radiologie conventionnelle. Par ailleurs, les agents de contraste utilisés sont moins toxiques et causent moins d'effets secondaires que ceux de la radiologie conventionnelle et de la tomodensitométrie.

Les inconvénients de cette méthode d'imagerie sont les coûts très élevés de l'appareillage et donc l'allongement potentiel des listes d'attente, le risque de réactions claustrophobes de certains sujets (avec la plupart des techniques le sujet doit être placé dans une machine impressionnante sans contact direct avec l'extérieur) et son interdiction pour les sujets ayant des implants métalliques (cardio-stimulateurs, corps étrangers métalliques oculaires, etc.).

INTÉRÊT CLINIQUE

L'IRM donne sa pleine mesure dans l'examen du système nerveux central (cerveau, moelle épinière). Elle est aussi très performante dans l'examen du système musculo-squelettique, des organes du bassin et de l'abdomen (foie, pancréas, rate, surrénales, organes reproducteurs), du cœur et des gros vaisseaux et des structures vasculaires fines (angiorésonance, ou angio–IRM).

CONTRE–INDICATIONS

Sujets ayant des implants métalliques : cardio–stimulateurs, certaines prothèses valvulaires, cardiodéfibrillateurs, corps étranger oculaire, neurostimulateur, implant cochléaire constituent des contre–indications absolues ; balles et éclats de projectile ; sujets très obèses.

ENSEIGNEMENT AU PATIENT

Expliquer au patient que cette technique d'imagerie médicale est basée sur l'inter-action de champs magnétiques et d'ondes radio, qu'elle est extrêmement performante, tout à fait indolore et qu'elle ne présente aucun danger de radiations. L'examen aura lieu au service de radiologie et sera effectué par une équipe de technologues et de radiologistes. Il peut prendre de 15 minutes à une heure.

Si possible, lui montrer une photographie ou une illustration de l'appareil et lui expliquer comment se passera l'examen. L'inviter à exprimer ses craintes, particulièrement s'il est porté à avoir des réactions claustrophobes, et que dans tous les cas une légère sédation peut lui être offerte. Le prévenir qu'il pourra entendre des bruits de machine, qui sont normaux. Il restera tout le temps en contact vocal avec l'opérateur.

Aucun jeûne préalable n'est indiqué. Toutefois, le patient devra se départir de tout objet métallique sans exception et se débarrasser de toute trace de maquillage (certains maquillages contiennent de minuscules paillettes métalliques).

PROTOCOLE

L'examen est effectué dans un service d'imagerie médicale par un personnel qualifié.

Bien qu'il existe dans certains services des appareils plus légers et ouverts, dans la plupart des cas le sujet sera étendu sur le dos sur une table étroite qui se meut et qui l'entraînera à l'intérieur de l'aimant où il sera soumis à des champs magnétiques et des radiofréquences. On lui demandera de rester immobile pour toute la durée de l'examen, soit de quelques minutes à quelques dizaines de minutes. Le sujet demeure tout ce temps en contact vocal avec l'opérateur de la machine.

Immunoglobuline stimulatrice de la thyroïde (TSI) – Sang

RÉSULTAT NORMAL
Négatif

RÉSULTAT POSITIF
Maladie de Grave, exophtalmie, hyperthyroïdie

*C*ette immunoglobuline est un auto-anticorps qui se lie aux récepteurs thyroïdiens de la TSH. Son action, paradoxalement, consiste à stimuler la sécrétion d'hormone thyroïdienne comme le fait la TSH.

La signification biologique ou physiopathologique de ce mécanisme est inconnue. Il se trouve seulement que la vaste majorité des sujets atteints de la maladie de Grave fabriquent cette immunoglobuline.

INTÉRÊT CLINIQUE
Confirmation d'un diagnostic de maladie de Grave chez le sujet à bilan thyroïdien normal

ENSEIGNEMENT AU PATIENT
Expliquer au patient que ce test permet de détecter ou de confirmer un trouble de la glande thyroïde ; il devra subir un prélèvement de sang mais n'a pas à être à jeun au préalable.

PROTOCOCLE
Prélever du sang veineux dans un tube de 5 ou 7 ml à bouchon rouge ou tigré. Envoyer immédiatement au laboratoire.

Immunoscintigraphie
(oncoscint, prostascint)

RÉSULTATS NORMAUX

Aucune zone de radiation particulière

RÉSULTATS PATHOLOGIQUES POSSIBLES

Sites anormaux de fixation de l'anticorps monoclonal radioactif correspondant à des lésions tumorales

*P*lusieurs types de cellules cancéreuses ont à leur surface des molécules qui leur sont spécifiques; ce sont ce que l'on appelle des marqueurs de cancer et on en découvre sans cesse de nouveaux. Si l'on arrive à produire industriellement des anticorps dirigés spécifiquement contre ces marqueurs, par la technologie des anticorps monoclonaux, par exemple, et que l'on arrive à coupler ces anticorps à des substances radioactives, on dispose alors d'outils diagnostiques extrêmement précis qui sont à la base de l'immunoscintigraphie.

Parmi les anticorps monoclonaux radioactifs disponibles aujourd'hui, notons :

L'oncoscint

C'est un anticorps monoclonal couplé au chlorure d'indium 111 qui réagit avec des cancers colorectaux et ovariens à cause de sa spécificité contre l'antigène carcino-embryogénique de ces tumeurs.

Le prostascint

C'est un anticorps monoclonal couplé à l'indium 111, qui réagit spécifiquement avec les métastases du cancer de la prostate.

INTÉRÊT CLINIQUE

Dépistage, confirmation, localisation de tumeurs; suivis de traitements anticancéreux

CONTRE-INDICATIONS (RELATIVES)

Femmes enceintes ou allaitant; allergie au produit radiopharmacologique

ENSEIGNEMENT AU PATIENT

Expliquer dans ses mots au patient le principe de cet examen et lui indiquer quelles en seront les étapes et la durée. L'examen est tout à fait sécuritaire et sans douleur. Le rassurer quant à l'innocuité de cet examen : il ne sera soumis qu'à de faibles doses de radiations. De plus, la substance radioactive est éliminée de l'organisme assez rapidement (la plus grande partie après quelques heures). Le patient n'aura pas à se priver de nourriture avant l'examen.

PROTOCOLE

Cet examen est administré par le personnel technique du service de médecine nucléaire et il est interprété par un médecin spécialiste de la médecine nucléaire.

À des temps variables après l'injection intraveineuse de l'anticorps monoclonal radioactif, des scintigraphies sont prises sur tout le corps à la recherche de tumeurs. Chaque session prend 60 à 90 minutes.

Indices globulaires

VGM (♂, ♀): 80–98 fl

CGMH (♂, ♀): 320 –360 g/l

TGMH (♂, ♀): 27–33 pg/cellule

SIGNIFICATION DE VALEURS ANORMALES

VGM ⇓ Anémies microcytaires, dues à un désordre du métabolisme du fer (le plus fréquemment), à une déficience de la synthèse des porphyrines et de l'hème ou à une déficience de la synthèse des globines, thalassémie

⇑ Anémies macrocytaires, dues à une déficience en vitamine B_{12} ou en acide folique, ou à un problème métabolique relié à une de ces deux substances, maladie hépatique, alcoolisme, médications

CGMH ⇓ Anémies hypochromes, dues à une déficience de fer et à des pertes chroniques de sang, thalassémie

⇑ Sphérocytose

TGMH ⇓ Anémies microcytaires, anémies hypochromes

⇑ Anémies macrocytaires

FACTEURS AFFECTANT LES RÉSULTATS

VGM ⇑ Augmentation des réticulocytes, leucocytose importante

⇑, ⇓ Anisocytose (voir Frottis sanguin): faux normal possible

CGMH ⇑ Hyperlipidémie, rouleaux (voir Frottis sanguin), agglutinines froides

TGMH ⇑ Hyperlipidémie, hyperleucocytose, héparinémie élevée

*L*es indices globulaires sont des valeurs calculées à partir de l'hémoglobine, de l'hématocrite et de la numération des globules rouges. Ils nous renseignent sur la taille moyenne des globules rouges et sur leur contenu en hémoglobine. Ces indices globulaires sont essentiellement utiles dans la caractérisation des anémies. Trois de ces indices sont actuellement d'usage courant:

Le volume globulaire moyen (VGM)

Cet indice nous renseigne sur la taille moyenne des globules rouges et les classe en normocytaires (taille normale), microcytaires (taille anormalement petite) et macrocytaires (taille anormalement grande). C'est l'indice le plus important pour établir la cause sous–jacente d'une anémie. Cette valeur s'exprime en femtolitres (fl) et elle se calcule comme suit:

$$\frac{(\text{Hématocrite} \times 10)}{\text{G.R. (en } 10^{12}/\text{l)}}$$

La concentration globulaire moyenne en hémoglobine (CGMH)

Cet indice nous renseigne sur la concentration en hémoglobine des globules rouges et les classe en normochromes (concentration normale) et hypochromes (concentration anormalement basse). Cette valeur s'exprime en grammes d'hémoglobine par litre de globules rouges (g/l) et elle se calcule comme suit:

$$\frac{\text{Hémoglobine (g/l)}}{\text{Hématocrite}}$$

La teneur globulaire moyenne en hémoglobine (TGMH)

Cet indice nous renseigne sur le contenu moyen en hémoglobine des globules rouges. Cette valeur s'exprime en picogrammes par cellule (pg/cell.) et elle se calcule comme suit:

$$\frac{\text{Hémoglobine (g/l)}}{\text{G. R. (en } 10^{12}/l)}$$

PROTOCOLE

Voir formule sanguine complète.

Insuline – Sang

VALEURS DE RÉFÉRENCE

Adultes, enfants : 35 – 180 pmol/l

Nouveau-nés : 20 – 145 pmol/l

RÉSULTATS ANORMAUX

⇑ Insulinome, syndrome de Cushing

⇓ Diabète, hypopituarisme

FACTEURS AFFECTANT LES RÉSULTATS

Examens récents aux radioisotopes, valeurs élevées d'anticorps anti-insuliniques (⇓), obésité (⇑), contraceptifs oraux (⇑), médication

L'insuline est l'hormone hypoglycémiante produite par les îlots de Langerhans du pancréas. Stimulé par une glycémie élevée, le pancréas sécrète de l'insuline, qui aura pour effet de faciliter l'entrée et l'utilisation du glucose dans les cellules et ainsi abaisser la glycémie.

Un défaut de production d'insuline, non compensé, entraîne une hyperglycémie, l'apparition de glucose dans l'urine et tous les ennuis métaboliques et physiologiques du diabète sucré.

Un excès de production d'insuline est habituellement dû à un insulinome ou à une hyperplasie des îlots de Langerhans.

Par ailleurs, d'autres paramètres influent sur l'insulinémie, tels des modifications de la fonction surrénalienne (glucocorticoïdes) et de la fonction hypophysaire (ACTH).

L'interprétation de l'insulinémie doit être faite à la lumière de la glycémie (voir ce test), et même des résultats du test de tolérance au glucose (voir ce test).

INTÉRÊT CLINIQUE

Diabète, insulinome, troubles des surrénales, de l'hypophyse

ENSEIGNEMENT AU PATIENT

Expliquer au patient que ce test sert à étudier le fonctionnement de son pancréas. Le test nécessite une prise de sang et le patient doit être à jeun depuis 10 heures. Si un test de tolérance au glucose doit être mené simultanément, expliquer la procédure au patient (voir ce test).

PROTOCOLE

Pour l'insulinémie, prélever du sang veineux dans un tube de 7 ml à bouchon lavande en plus du ou des prélèvements pour la glycémie s'il y a lieu.

Lactate déshydrogénase, ou LD, ou LDH – Sang

RÉSULTATS ANORMAUX

⇑ Infarctus du myocarde: élévation persistante sur quelques jours de la LDH totale avec un pic à 48 heures; augmentation du rapport LDH-1/LDH-2

⇑ Atteintes hépatique, rénale, pulmonaire, pancréatique, hémolyse, traumatismes musculaires, lymphomes, embolie pulmonaire, hypoxie

FACTEURS AFFECTANT LES RÉSULTATS

⇑ Activité physique intense, hémolyse de l'échantillon, prothèses cardiaques

⇓ Entreposage au froid > 12 h

*L*a déshydrogénase de l'acide lactique est une enzyme qui convertit l'acide lactique en acide pyruvique, et vice-versa. Elle est omniprésente: cœur, foie, poumons, reins, cerveau, muscle squelettique, etc. Lorsqu'un de ces tissus est le siège d'une lésion, ses cellules meurtries libèrent dans les liquides avoisinants, puis dans le sang, des quantités anormales de l'enzyme. Les globules rouges en contiennent aussi: l'hémolyse libère de la LDH.

Cliniquement, on distingue cinq variétés de LDH (ou isoenzymes), plus ou moins spécifiques à certains organes:

- LDH-1: cœur, globules rouges (17 à 27% de la LDH totale)
- LDH-2: ganglions lymphatiques, reins (28 à 38% de la LDH totale)
- LDH-3: poumons (19 à 25% de la LDH totale)
- LDH-4: reins, pancréas (10 à 16% de la LDH totale)
- LDH-5: foie et muscle strié (5 à 13% de la LDH totale)

INTÉRÊT CLINIQUE

Traditionnellement, infarctus du myocarde; à cette fin, cependant, cette épreuve est de plus en plus supplantée par le dosage de la troponine (voir ce test). Dans l'infarctus du myocarde, l'intérêt de la LDH est qu'elle reste élevée plus longtemps dans le sang que la créatine kinase, par exemple: elle monte en 24 à 48 heures, atteint un sommet en 48 à 72 heures, puis retourne à la normale en 5 à 10 jours.

ENSEIGNEMENT AU PATIENT

Expliquer au PATIENT que ce test sert à localiser des lésions tissulaires éventuelles dans l'organisme, entre autres au niveau cardiaque. Il n'a pas à être à jeun. Le test nécessitera une ponction veineuse et peut-être même quelques-unes, s'il y a lieu, pour observer l'évolution de la situation.

PROTOCOLE

Prélever du sang veineux dans un tube de 5 ou 7 ml à bouchon rouge ou tigré. Noter l'heure du prélèvement. Manipuler délicatement l'éprouvette pour éviter l'hémolyse (les globules rouges contiennent de la LDH!). Envoyer immédiatement l'éprouvette au laboratoire; ne pas réfrigérer.

Lavement baryté
(simple et double contraste)

IMAGES PATHOLOGIQUES POSSIBLES
- Lésions : ulcères, tumeurs bénignes, cancer
- Polypes
- Sténose
- Hernie, invagination de la paroi
- Volvulus, télescopage
- Fistules
- Diverticules
- Zones inflammatoires
- Colite ulcéreuse
- Zones d'inflammation : diverticulite, colite ulcéreuse, colite granulomateuse
- Parasites (Ascaris)
- Affections de la partie terminale du grêle (voir Transit du grêle)

FACTEURS AFFECTANT LA LECTURE
Vide incomplet du côlon avant l'examen : la présence de contenu fécal gêne beaucoup la lecture.

*C*et examen radiographique du côlon fait appel aux propriétés opacifiantes d'une émulsion de sulfate de baryum que l'on administre en lavement après évacuation complète du contenu intestinal. L'agent de contraste remplit complètement le gros intestin et se rend aussi, idéalement, à la partie distale du coecum et à l'appendice, permettant en même temps l'examen de ces structures.

L'examen permet de vérifier la position du côlon, sa configuration interne et sa motilité. Il met en évidence la présence de structures anormales tels diverticulites, tumeurs, polypes, ulcères, ainsi que de l'obstruction et des zones d'inflammation.

EXAMEN À DOUBLE CONTRASTE
Afin d'améliorer le contraste et de visualiser de façon plus précise la paroi du côlon, l'examen en double contraste consiste en l'opacification du côlon grâce à un mince film de baryum de haute densité et à une dilatation optimale du cadre colique par insufflation d'air.

EXAMEN À L'AGENT DE CONTRASTE HYDROSOLUBLE
Le sulfate de baryum étant contre-indiqué chez certains sujets, on peut utiliser plutôt un agent hydrosoluble iodé. De plus, cette approche permet de mettre en évidence des sites de perforation. Elle est aussi privilégiée au moment d'un épisode aigü.

INDICATIONS
Polypes et cancers, dépistage d'ulcères, de diverticules, du cancer colorectal ; problèmes de transit

ENSEIGNEMENT AU PATIENT
Expliquer au patient la pertinence de cet examen et son déroulement. Il devra se conformer à un série de mesures préparatoires ; les lui expliquer et le rassurer quant à l'innocuité de l'ensemble de l'examen, malgré qu'il s'agit d'un examen relativement élaboré pour le patient.

PROTOCOLE

Suivre les indications de l'établissement et du radiologiste pour la préparation du patient. Une préparation colique laxative est nécessaire lorsque l'examen est effectué en routine. L'examen est effectué au service de radiologie par une équipe spécialisée selon le protocole du service.

Lipase sérique

Les valeurs sont exprimées en U/l (unités par litre) et varient d'un laboratoire à l'autre.

Exemple : 13 – 141 U/l en turbidimétrie à 30°

RÉSULTATS ANORMAUX
⇑ • Pancréatite : l'augmentation de la lipase sérique persiste plusieurs jours suite à une pancréatite aiguë, bien après que l'amylase soit redescendue à la normale, d'où son intérêt dans le diagnostic de la pancréatite aiguë ; la lipase est plus spécifique que l'amylase totale en cas de pancréatite
 • Autres lésions : pancréatite chronique, ulcère gastrique ou duodénal perforés, ulcère gastrique non perforé, traumatismes abdominaux, dysfonction rénale

FACTEURS AFFECTANT LES RÉSULTATS
⇑ • Médicaments : cholinergiques, codéine, morphine, indométhacine, ERCP
 • Macrolipase (lipase complexée à des IgG)

*L*a lipase est une enzyme produite par le pancréas et déversée dans le duodénum. Elle effectue la digestion des triglycérides (graisses) alimentaires. Normalement, on la retrouve dans le sang en très petites quantités. Cette lipase sérique est normalement excrétée par le rein.

En conséquence, une atteinte du pancréas (pancréatite) causera une augmentation de la lipase sérique.

INTÉRÊT CLINIQUE
Investigation de douleurs abdominales

ENSEIGNEMENT AU PATIENT
Expliquer au patient que ce test aide à déterminer la cause de douleurs abdominales. Lui dire que le test nécessite une ponction veineuse. Il doit s'abstenir de manger huit heures avant la prise de sang.

PROTOCOLE INFIRMIER
Prélever du sang veineux dans un tube de 5 ou 7 ml à bouchon rouge.

Lipides fécaux (graisses fécales)

Normalement, les lipides de l'alimentation sont en grande partie absorbés grâce à l'action des enzymes pancréatiques et des sels biliaires et grâce à une muqueuse intestinale fonctionnelle, ne laissant dans les selles que moins de 5 g/24 h de lipides non absorbés.

Une déficience enzymatique ou biliaire ou une malabsorption intestinale entraîne la présence dans les selles de plus grandes quantités de lipides, constituant ce que l'on appelle de la stéatorrhée, que l'on peut constater par l'apparence et l'odeur particulière des selles.

INTÉRÊT CLINIQUE

Diagnostic et évaluation de troubles digestifs (malabsorption). La mesure des lipides fécaux se fait idéalement sur les matières fécales de 72 heures.

ENSEIGNEMENT AU PATIENT

Expliquer au patient le principe de la démarche et, si nécessaire, lui enseigner comment effectuer une collecte des matières fécales sur 72 heures. Si un régime alimentaire particulier ou des restrictions alimentaires sont prescrites, les lui expliquer précisément. Insister sur la nécessité d'une collecte sans contamination par de l'urine ou du papier hygiénique. Lui procurer le matériel nécessaire à la collecte ou lui indiquer où il peut se le procurer. Les spécimens doivent être conservés au réfrigérateur

PROTOCOLE

Prendre les arrangements pour une collecte des selles de 72 heures ; voir à ce que les spécimens soient immédiatement expédiés au laboratoire ou conservés au réfrigérateur. Voir à ce que les restrictions alimentaires prescrites soient observées.

Liquide amniotique

Apparence

Normalement clair, incolore ou très légèrement jaunâtre ; peut avoir des flocons blanchâtres à la fin de la grossesse (*vernix caseosa*) ; des traces de sang frais sont habituellement dues à la ponction ; une coloration rouge porto, cependant, indique la présence probable d'un hématome rétroplacentaire.

Bilirubine (absorbance à 450 nm)

Une petite quantité de bilirubine est normale, croissant de la 14e à la 24e semaine, puis décroissant à près de zéro à terme ; un écart positif important par rapport à cette norme signe une anémie hémolytique du nouveau-né.

Méconium

Normalement absent, ce mélange de mucopolysaccharides, de cellules desquamées et de lipides provient du tube digestif fœtal ; on en trouve dans le liquide amniotique en cas de détresse fœtale, dû au relâchement (anormal) du sphincter anal ; la présence de méconium est normale à terme en cas de présentation de siège.

Alphafœtoprotéines

(Normalement < 2 µg/ml, augmenté en cas de grossesse multiple) ; une augmentation importante se note en cas de néphrose congénitale, de fibrose kystique, de syndrome de Turner, de malformations fœtales de type spina bifida, omphalocèle, etc.

Rapport lécithine/sphingomyéline

(Normalement > 2 à terme) la lécithine entre dans la composition d'un phospholipide surfactant de la face interne des alvéoles pulmonaires qui les garde ouvertes pour assurer le va-et-vient des gaz dans le poumon lorsque celui-ci est arrivé à maturité ; sans ce surfactant, le nouveau-né est en détresse respiratoire, les alvéoles ne restant pas ouvertes pour assurer les échanges gazeux ; le rapport L/S est donc un indice de la maturité respiratoire, et donc de la viabilité du bébé.

Phosphatidylglycérol

Constituant mineur du phospholipide surfactant des alvéoles ; sa présence croît dans le liquide amniotique à partir de la 35e semaine ; comme il est fabriqué par les cellules alvéolaires d'un poumon à maturité, sa présence signe de façon certaine la maturité fœtale.

Analyse chromosomique

La culture des lymphocytes présents dans le liquide amniotique permet de déterminer le complément chromosomique du fœtus et donc son sexe et toute aberration chromosomique possible.

*L*e liquide amniotique est ce liquide dans lequel baigne le fœtus tout au long de sa croissance et ce jusqu'à l'accouchement. Il est produit en partie par le sang de la mère, en partie par le sac amniotique et en partie par le fœtus lui-même. Il recèle donc de nombreux renseignements quant au déroulement de la grossesse et son analyse est indiquée lorsque l'on soupçonne des problèmes en cours de grossesse ou des défauts génétiques du fœtus.

Le liquide amniotique est prélevé par amniocentèse, c'est à dire une ponction à l'aide d'une aiguille qui traverse la paroi abdominale puis la paroi utérine avant d'atteindre la cavité amniotique.

INTÉRÊT CLINIQUE
À cause des risques inhérents à la ponction, l'amniocentèse n'est indiquée que dans des circonstances la justifiant sérieusement : grossesse à risque, histoire d'avortements répétés, crainte d'anomalies congénitales ou de défauts chromosomiques, etc. L'analyse du liquide permet en outre, lorsque nécessaire, de déterminer l'âge du fœtus, sa viabilité, sa maturité respiratoire et son sexe.

CONTRE-INDICATIONS DE L'AMNIOCENTÈSE
- Hématome rétroplacentaire
- Placenta pracvia
- Mère à risque de travail précoce
- Mère à béance isthmique

ENSEIGNEMENT AU PATIENT
Vérifier le niveau de connaissances de la patiente (et de son conjoint ou d'un proche) sur les questions reliées à l'amniocentèse et répondre à toutes ses interrogations en l'aidant à faire le point si nécessaire. Expliquer-lui la procédure et offrez-lui un support affectif approprié. La patiente devra vider sa vessie avant le prélèvement si la grossesse est avancée (20 semaines et plus)

PROTOCOLE
L'amniocentèse est un acte médical.

Préparer le plateau à amniocentèse. Prendre la pression sanguine de la mère et ausculter le cœur fœtal. Surveiller l'état de la patiente durant l'opération et calmer son anxiété s'il y a lieu. Noter la couleur du liquide à sa sortie.

Après le prélèvement mettre un pansement sur le site de la ponction. Maintenir le spécimen à l'abri de la lumière et l'expédier dès que possible. Ausculter de nouveau le cœur fœtal et comparer avec la première lecture.

SOINS ET SURVEILLANCE APRÈS L'EXAMEN
Offrez à la patiente de demeurer couchée quelque temps si elle ne se sent pas tout à fait bien. Vérifier une dernière fois le site de la ponction pour tout signe d'écoulement.

Demander à la patiente d'aviser dans les heures qui suivent s'il y a quelque signe d'inquiétude : écoulement, saignement, fièvre, douleur abdominale, mouvements anormaux du fœtus, etc.

COMPLICATIONS DE L'AMNIOCENTÈSE
- Dommages à la mère (vessie, intestins, infection)
- Dommages placentaires, fœtaux
- Perte de liquide amniotique
- Hémorragie de la mère et risque d'iso-immunisation du fœtus
- Prématurité (travail précoce)
- Embolie amniotique
- Avortement

Liquide céphalo-rachidien (LCR)

Pression

Normale: 50–180 mm H_2O; une augmentation de la lecture signifie une augmentation de la pression intra-crânienne, qui est signe de tumeur, infection, saignement intracrânien, hydrocéphale, obstruction des veines jugulaires ou augmentation de la pression veineuse systémique.

Apparence

Normalement incolore et complètement claire; une teinte rouge signe un saignement au niveau du crâne ou des vertèbres, bien que du sang vieux de quelques jours confère plutôt une teinte jaunâtre; une légère turbidité peut être due à la présence de globules blancs ou de protéines; la présence de pus signe une méningite bactérienne.

Globules rouges

Normalement absents, sinon: hémorragie intracrânienne ou au niveau des vertèbres; quelques globules rouges résultent souvent du traumatisme local dû à la ponction.

Globules blancs

Normalement absents, sauf pour quelques petits lymphocytes; polynucléaires: méningite bactérienne ou abcès cérébral; mononucléaires: méningite tuberculeuse ou virale, ou encéphalite. Des globules blancs témoignent aussi d'une leucémie lorsque celle-ci est présente.

Protéines totales

Normalement, il n'y a pas ou peu de protéines dans le LCR; une augmentation est signe de méningite, d'encéphalite, de myélite, de maladie démyélinisante (sclérose en plaque) ou de tumeur

Électrophorèse des protéines

L'électrophorèse permet de déceler une augmentation des immunoglobulines dans le LCR: un index IgG $> 0,6$ est signe de sclérose en plaque, de neurosyphilis ou de trouble auto-immun du SNC. La présence de bandes oligoclonales (dans la région des gamma-globulines) signe aussi une sclérose en plaque.

Glucose

Normal 2,8–4,4 mmol/l, soit 60 à 70% du niveau sanguin. Une diminution est due à la présence de bactéries (méningite) ou de cellules tumorales (tumeur) qui consomment ce glucose.

Culture, colorations de Gram, de Ziehl-Nielsen

Négatifs; sinon: méningite bactérienne, tuberculose

Cytologie

Négatif; sinon: tumeur, cellules malignes

Sérologie

VDRL (Venereal Disease Research Laboratory) et FTA (Fluorescent Treponemal Antibody) négatifs; sinon: neurosyphilis

*L*e liquide céphalo-rachidien ou LCR est un liquide aqueux, incolore, qui circule lentement dans les ventricules cérébraux et l'espace sous-arachnoïde tout autour du cerveau et de la moelle épinière. Ce volume minuscule de liquide (environ 150 ml) est formé aux plexus choroïdes des ventricules et réabsorbé par des petits vaisseaux de l'espace sous-arachnoïde. De routine, on a accès à ce liquide en ponctionnant à l'aide d'une aiguille l'espace arachnoïdien au niveau des vertèbres lombaires où il n'y a plus de tissus médullaire (ponction lombaire).

INTÉRÊT CLINIQUE

Mesure de la pression en vue de détecter une surproduction de LCR ou un blocage de sa circulation, diagnostic de méningite bactérienne ou virale, d'hémorragie, de tumeur ou d'abcès intra crânien

CONTRE-INDICATIONS DE LA PONCTION LOMBAIRE

- Infection au site de la ponction
- Pression intracranienne élevée
- Arthrite dégénérative des articulations de la colonne

ENSEIGNEMENT AU PATIENT

Expliquer au patient que cette épreuve sert à analyser le liquide qui circule dans son système nerveux en vue de déceler des anomalies qui pourraient expliquer son état. Le prélèvement se fera par ponction au niveau des vertèbres lombaires, sous anesthésie locale et le sujet n'a pas à être à jeun préalablement. Expliquer qu'il sera important, tout au long de l'épreuve, de relaxer et de ne pas bouger, l'épreuve ne devant durer que quelques minutes. Lui expliquer que l'inconvénient le plus pénible de cette épreuve est un mal de tête qui pourrait survenir suite au prélèvement de liquide.

PROTOCOLE

La ponction lombaire est un acte médical.

Rassembler le matériel, préparer psychologiquement le patient; celui-ci aura de préférence vidé sa vessie et ses intestins avant le prélèvement. Placer le patient en décubitus, les genoux ramenés sur l'abdomen et le menton appuyé sur son thorax. Placer un oreiller sous sa taille de façon à maintenir la colonne vertébrale bien droite. Vérifier si le patient est confortable. L'aider à conserver cette position pendant toute la durée du prélèvement, et à ne pas se mouvoir, lui expliquant que tout mouvement pourrait entraîner un traumatisme. Observer le patient tout au long de l'opération, à l'affût de réactions anormales.

Après lecture de la pression hydrostatique à l'aide d'un manomètre, on prélève habituellement trois tubes de 5-10 ml. Noter la couleur du liquide à sa sortie, au début et à la fin. Numéroter les tubes par ordre de remplissage

Après la ponction, désinfecter et placer un pansement au site. Expédier immédiatement au laboratoire le(s) spécimen(s), numérotés s'il y a lieu.

SOINS ET SURVEILLANCE APRÈS L'EXAMEN

Le patient devra demeurer couché sur le dos pour une heure. sauf instructions contraires du médecin. Encourager le malade à boire beaucoup de liquides (eau, café) afin de prévenir ou de soulager le mal de tête. Vérifier les signes vitaux régulièrement. Surveiller le site de la ponction. Surveiller les signes neurologiques.

COMPLICATIONS DE LA PONCTION LOMBAIRE

- Allergie à l'anesthésique
- Perforation de vaisseaux sanguins sous-cutanés
- Infection par le site de ponction : méningite
- Écoulement persistant du LCR
- Hémorragie sous-arachnoïde
- Hémorragie rétropéritonéale
- Hernie cérébrale ou cérébelleuse, risquées chez les sujets à forte pression intra-crânienne
- Compression médullaire
- Lésion des nerfs de la *cauda equina* ou de la moelle épinière, paralysie

Liquide d'ascite
(paracentèse, ponction d'ascite)

RÉSULTATS DE L'ANALYSE (NORMAUX ET ANORMAUX)

Apparence

Le liquide est habituellement un transsudat, peu abondant (< 50 ml), clair, séreux, incolore ou très légèrement jaunâtre. Un liquide jaune signe généralement une cirrhose hépatique ; un liquide blanchâtre contient du chyle échappé d'un réseau lymphatique intestinal ou thoracique bloqués par un lymphome, un carcinome. Un liquide rougeâtre contient du sang issu du traumatisme dû à la ponction ou issu d'un traumatisme abdominal existant : tumeur, pancréatite hémorragique. Un liquide verdâtre ou brunâtre contient de la bile (perforation de la vésicule), du liquide de pancréatite hémorragique ou des matières intestinales (perforation).

Globules rouges

Absents, sinon hémorragie

Globules blancs

< 500/mm³, sinon : péritonite, cirrhose, tuberculose

Protéines

< 40 g/l ; des valeurs supérieures, surtout comparées à la protéinémie, signent un épanchement de type exsudatif ; voir SAAG

SAAG (Serum – Ascites Albumin Gradient)

C'est la différence, ou gradient, entre l'albumine du sérum et l'albumine du liquide d'ascite, qui permet de distinguer entre un exsudat et un transsudat :

< 10 g/l : exsudat (tension portale normale) ; lymphome, carcinome, tuberculose, péritonite, pancréatite

> 11 g/l : transsudat (hypertension portale : cirrhose, syndrome néphrotique, insuffisance cardiaque, hépatite, syndrome de Budd–Chiari, thrombose de la veine porte, tuberculose péritonéale, ascite de cause cardiaque, myxoedème, traumatisme abdominal

Glucose

Normalement égal à la glycémie ; si inférieur : péritonite bactérienne ou carcinome péritonéal

Amylase

140–400 U/l ; augmentée dans les affections du pancréas et les atteintes intestinales de type nécrotique ou perforé

Ammoniac

< 50 µg/dl ; augmenté dans ulcères perforés, rupture intestinale, appendicite perforée

Phosphatase alcaline

80–250 U/l ; augmentée dans rupture, perforation ou strangulation du petit intestin

Déshydrogénase lactique

Comparable ou inférieure à celle du sérum ; si élevée : infection

Cytologie

Normale : pas de cellule cancéreuse

L'ascite est un liquide séreux s'accumulant dans la cavité péritonéale, cet espace virtuel séparant les viscères abdominaux et la paroi abdominale, suite à des troubles d'ordre circulatoire ou inflammatoire. L'accumulation liquidienne peut être de deux natures possibles: un transsudat ou un exsudat:

Transsudat

Liquide clair, pratiquement incolore, avec peu ou pas de contenu solide (cellules, globules sanguins) et faible en protéines; ce liquide s'accumule suite à une circulation sanguine insuffisante ou obstruée de la région, dû notamment à une hypertension portale.

Exsudat

Liquide visqueux, plus ou moins opaque ou turbide, contenant possiblement du pus, des globules sanguins, des cellules ou des débris cellulaires, riche en protéines et pouvant coaguler à cause d'un contenu en fibrinogène; ce liquide résulte d'un processus inflammatoire, infectieux ou cancéreux.

La notion d'exsudat ou de transsudat, en ce qui concerne le liquide d'ascite, perd de sa vogue, actuellement, à faveur de la notion de gradient albumine sérique/albumine de l'ascite (SAAG), qui est plus à propos lorsqu'il s'agit de déterminer la cause de l'accumulation de liquide dans le péritoine: si la différence entre l'albumine sérique et l'albumine du liquide d'ascite dépasse 1,1 g/dl, on parle d'hypertension portale tout simplement, sinon, on parle de liquide exsudatif.

L'extraction de ce liquide se fait par ponction à travers la paroi abdominale à l'aide d'une simple aiguille, d'un trocart ou d'une canule, selon l'importance du volume de liquide.

INTÉRÊT CLINIQUE

Thérapeutique: soulagement du malade. Diagnostique: détermination de la cause de l'épanchement. La paracentèse est normalement contre-indiquée chez les thrombocytopéniques et chez les sujets à chirurgie abdominale récente.

CONTRE-INDICATIONS DE LA PARACENTÈSE

• Anomalies de la coagulation
• Chirurgie abdominale importante récente

ENSEIGNEMENT AU PATIENT

Expliquer au malade que cette manœuvre sert à le soulager des pressions exercées par l'épanchement ainsi qu'à déterminer les causes de cet épanchement. Il n'est pas nécessaire d'être à jeun au préalable. Le patient sentira une légère douleur au moment de l'insertion de l'aiguille, bien que cette opération se fasse sous anesthésie locale. Le tout durera environ 30 minutes. Procurer au malade un environnement calme et serein.

PROTOCOLE

La paracentèse est un acte médical.

Préparer le plateau à paracentèse. La vessie doit être vidée au préalable, de préférence. Mesurer la circonférence de l'abdomen et le poids du malade avant le prélèvement. Pour l'opération, le malade doit être couché en position Fowler haute. Surveiller les signes vitaux et conforter le malade durant la manœuvre. Noter l'apparence du liquide à la sortie : couleur, turbidité

Après le prélèvement, couvrir le site de ponction d'un pansement et expédier le liquide au laboratoire sans délai, bien identifié. Mesurer de nouveau la circonférence de l'abdomen et le poids du malade s'il y a eu extraction d'un volume important de liquide.

SOINS ET SURVEILLANCE APRÈS L'EXAMEN

Surveiller le site de la ponction pour tout signe d'écoulement excessif, de saignement ou de réaction inflammatoire. Surveiller les signes vitaux, surtout si le volume extrait est important.

COMPLICATIONS DE LA PARACENTÈSE

Péritonite

Hypovolémie si un grand volume a été aspiré

Rupture accidentelle de vaisseaux

Liquide pleural (thoracocentèse)

RÉSULTATS DE L'ANALYSE DU LIQUIDE PLEURAL

Apparence

Normalement le liquide est clair et tout à fait fluide ; un liquide visqueux, purulent, est signe d'infection ; un liquide rougeâtre est signe de saignement

pH

Normalement celui du sang ; ⇓ empyème

Globules rouges

Normalement absents ; si présents : tuberculose, tumeur, traumatisme

Globules blancs

Normalement moins de 1000/ml ; au–delà de ce nombre, le liquide est un exsudat : pneumonie, tuberculose, infarctus pulmonaire, tumeur

Protéines

Un transsudat contient moins de 30 g/l de protéines ; au delà de cette valeur, on a affaire à un exsudat : inflammation, infection, tumeur

Déshydrogénase lactique (LDH)

Augmentée en cas d'exsudat

Glucose

Concentration égale à celle du sang ; une diminution est observée en cas de tuberculose, de cancer, d'arthrite rhumatoïde et d'infection

Triglycérides

Normalement <1 g/l ; au–delà de cette valeur, il faut rechercher une exsudation d'origine lymphatique, un lymphome, une chirurgie récente ou une néoplasie

Culture et colorations de Gram et de Ziehl-Nielsen

Normalement négatifs ; sinon : *Mycobacterium tuberculosis*, *Haemophilus influenzae*, *Bacteroides*, staphylocoques, streptocoques...

Cytologie

Positif : cancer du poumon, du sein, lymphome

RÉSULTATS ANORMAUX (SOMMAIRE)

Transsudat

Cirrhose, insuffisance cardiaque, hypertension veineuse pulmonaire ou systémique, syndrome néphrotique, hypoprotéinémie

Exsudat

Empyème, pneumonie, tuberculose, tumeur, insuffisance du drainage lymphatique, lymphome, infarctus pulmonaire, arthrite rhumatoïde, traumatisme

*L*e liquide pleural est un liquide séreux remplissant la cavité pleurale, cet espace virtuel situé entre les deux feuillets de la plèvre : le feuillet viscéral bordant immédiatement le poumon et le feuillet pariétal faisant corps avec les côtes et le diaphragme.

Ce liquide est normalement clair, pratiquement exempt de cellules, et surtout de faible volume, servant essentiellement de lubrifiant lors des mouvements profonds d'inspiration et d'expiration : l'espace qu'il remplit a, normalement, un volume virtuel.

Dans de nombreuses pathologies affectant cette région, du liquide pleural s'accumule entre les deux feuillets de la plèvre. Selon le cas, ce liquide a les caractéristiques d'un transsudat ou d'un exsudat :

Transsudat
Liquide clair, avec peu ou pas de contenu solide (globules sanguins, débris, etc.), faible en protéines : ce liquide résulte d'une circulation sanguine insuffisante de la région.

Exsudat
Liquide visqueux, plus ou moins opaque, contenant possiblement du pus, des globules sanguins, des cellules et des débris cellulaires, riche en protéines et pouvant coaguler à cause d'un contenu en fibrinogène : ce liquide résulte d'un processus inflammatoire, infectieux ou cancéreux.

Le prélèvement du liquide pleural se fait par thoracocentèse (ponction de la cavité pleurale à l'aide d'une aiguille ou d'un cathéter) afin de diminuer la pression qui gène les mouvements respiratoires et d'analyser le liquide pour fin diagnostique.

INTÉRÊT CLINIQUE
Évacuation du liquide ; analyse physique, biochimique, cytologique et microbiologique du liquide en vue d'en déterminer la nature et l'origine

CONTRE-INDICATION DE LA THORACOCENTÈSE
• Anomalie de la coagulation

ENSEIGNEMENT AU PATIENT
Exposer au patient les buts de cet examen et lui expliquer la procédure : prélèvement de liquide pleural par ponction, précédé (s'il y a lieu) d'un examen ultrasonographique ou radiologique du thorax ; il n'est pas nécessaire qu'il soit à jeun au préalable ; la manœuvre durera 15 à 30 minutes, causera un léger malaise mais se fera sous anesthésie locale ; on lui administrera, si nécessaire, une légère sédation au préalable.

PROTOCOLE
La thoracocentèse est un acte médical. Planifier la radiologie ou l'ultrasonographie s'il y a lieu et préparer le matériel nécessaire.

• Prendre les signes vitaux avant l'examen ; administrer la médication s'il y a lieu.
• Positionner le patient de façon à distendre les côtes pour faciliter l'accès à la plèvre : en position assise au bord du lit, les bras relevés, le haut du thorax et la tête inclinés et reposant confortablement sur des oreillers ; en position couchée sur le côté du corps non affecté, les bras relevés, la tête reposant confortablement sur un oreiller.

- Durant l'examen, surveiller les signes vitaux et l'état général du patient.
- Noter et consigner sur la formule du laboratoire l'apparence du liquide pleural tel qu'il est aspiré : couleur, opacité
- Expédier les spécimens au laboratoire sans délai.

SOINS ET SURVEILLANCE APRÈS L'EXAMEN

Après l'examen, couvrir le site de la ponction d'un pansement, surveiller l'état général et les signes vitaux du patient et le placer en position couchée sur le côté opposé à la ponction pour au moins une heure ; surveiller tout signe d'épanchement.

COMPLICATIONS DE LA THORACOCENTÈSE

- Épanchement important suite à la ponction ou emphysème sous-cutané
- Saignement intrapleural dû à des dommages occasionnés par la ponction
- Pneumothorax
- Œdème pulmonaire
- Bradycardie, hypotension, si un volume important de liquide a été enlevé
- Réaccumulation de liquide pleural

Liquide synovial
(arthrocentèse, ponction articulaire)

RÉSULTATS DE L'ANALYSE (NORMAUX ET ANORMAUX)

Apparence et viscosité

Liquide normalement clair et légèrement jaune, très visqueux;

Protéines

< 20 g/l

Glucose

Suit de près la glycémie; ⇓ arthrite septique, arthrite rhumatoïde

Globules blancs

Normalement < 2000/mm^3; ⇑ arthrite septique (surtout si prédominance de polynucléaires neutrophiles), mais aussi: goutte et arthrite rhumatoïde

Culture, colorations

Négatifs, sauf si arthrite septique (gonocoque) ou tuberculose (*Mycobacterium*)

Étude du complément

Normal sauf si lupus érythémateux, arthrite rhumatoïde et autre affection auto-immune

Cristaux

Négatif, sauf cristaux d'acide urique (goutte), de pyrophosphate calcique (pseudo-goutte) ou de cholestérol (arthrite rhumatoïde)

Degré d'inflammation

Non inflammatoire (c'est le cas normal ou s'il y a ostéoarthrite ou arthrite post-traumatique): liquide clair, leucocytes < 2000/mm^3, protéines < 20 g/l, taux de glucose identique à celui du sang;

Légèrement inflammatoire (arthrite rhumatoïde, lupus érythémateux, infection au bacille de la tuberculose, mycoses): liquide légèrement trouble, leucocytes entre 5000 et 30 000/mm^3, protéines autour de 25 g/l, glucose diminué jusqu'à 50% du niveau sanguin

Modérément inflammatoire (goutte et pseudogoutte): liquide modérément trouble, leucocytes entre 20 000 et 80 000/mm^3, protéines jusqu'à 35 g/l

Très inflammatoire (arthrite à gonocoques et autres agents bactériens): liquide très trouble ou purulent, leucocytes entre 50 000 et 100 000/mm^3, glucose à moins que 50% de celui du sang

Le liquide synovial ou liquide articulaire est sécrété par la membrane synoviale, qui a aussi pour fonction de le retenir en place autour de l'articulation. C'est un liquide visqueux, qui a la consistance du blanc d'œuf et qui permet ainsi le glissement indolore des deux os l'un sur l'autre. Il est normalement peu abondant et les articulations où l'on peut le prélever pour analyse sont celles du genou, de l'épaule, de la hanche, du poignet et de la cheville. Le prélèvement se fait par arthrocentèse, c'est à dire par ponction à l'aide d'une aiguille sous la membrane synoviale.

INTÉRÊT CLINIQUE

L'analyse du liquide synovial permet de diagnostiquer localement la cause de troubles articulaires : infection, inflammation (arthrite, synovite), néoplasies impliquant l'articulation. L'arthrocentèse permet aussi l'injection locale d'anti-inflammatoires.

CONTRE-INDICATIONS DE L'ARTHROCENTÈSE

Infection au site de l'articulation

ENSEIGNEMENT AU PATIENT

Expliquer au patient l'utilité de l'arthrocentèse et lui expliquer le déroulement de l'opération. Le prévenir que malgré une anesthésie locale, il pourra sentir une certaine douleur au moment de la pénétration de l'aiguille dans l'articulation. Si une détermination du glucose sur le liquide est demandée, il devra demeurer à jeun 8 heures avant le prélèvement. Vérifier si le patient est allergique à l'anesthésique qui sera utilisé.

PROTOCOLE

L'arthrocentèse est un acte médical.

Administrer une légère sédation 30 minutes avant la ponction si nécessaire. Préparer le plateau à arthrocentèse et la médication à injecter s'il y a lieu. Porter des gants durant toute l'opération et appliquer la technique aseptique la plus stricte.

À la fin du prélèvement, noter l'apparence du liquide synovial et expédier au laboratoire sans délai.

SOINS ET SURVEILLANCE APRÈS L'EXAMEN

Si nécessaire, appliquer des sacs de glace sur le site pour atténuer la douleur. Surveiller le site de ponction pour signes d'hémorragie ou d'infection Le patient devra restreindre ses mouvements autour de l'articulation pour quelques jours.

COMPLICATIONS DE L'ARTHROCENTÈSE

* Infection
* Hémorragie à l'articulation

Lymphocytes T et B

VALEURS DE RÉFÉRENCE

Lymphocytes T : 50% à 90% des lymphocytes totaux

Lymphocytes B : 5% à 20% des lymphocytes totaux

RÉSULTATS ANORMAUX

Lymphocytes T ⇊ : immunodéficiences congénitales et acquises, thérapies immuno-nosuppressives anti-rejet

Lymphocytes B ⇈ : leucémie lymphoïde chronique

*P*armi les lymphocytes présents dans le sang on distingue deux grands types, les lymphocytes B et les lymphocytes T. Les deux sont nécessaires à la fonction immunitaire : protection antimicrobienne, rejet des greffes, etc.

Les lymphocytes T, les plus abondants, sont responsables de l'immunité cellulaire cytotoxique. Les lymphocytes B, beaucoup moins abondants mais essentiels, sont responsables de l'immunité humorale, c'est à dire la production des anticorps circulants.

Ces deux types de lymphocytes étant produits dans des constituants différents du système immunitaire, il est intéressant d'en déterminer les proportions relatives lorsque l'on constate une surproduction ou une déficience de lymphocytes circulants chez un individu. Cette mesure est possible en laboratoire grâce aux anticorps monoclonaux réagissant très spécifiquement avec les marqueurs de surface des différents types de lymphocytes.

INTÉRÊT CLINIQUE

Diagnostic des états lymphoprolifératifs et des conditions d'immunodéficience

ENSEIGNEMENT AU PATIENT

Informer le patient, s'il y a lieu, que ce test sert à déterminer la cause d'une surproduction ou d'une déficience de lymphocytes. Le test nécessite un prélèvement de sang mais le sujet n'a pas à être à jeun au préalable.

PROTOCOLE

Prélever du sang veineux dans deux tubes de 7 ml à bouchon rouge, l'un pour la détermination des lymphocytes T et B comme tels et l'autre pour la formule sanguine complète, nécessaire aux calculs et à l'interprétation du test. Les deux échantillons doivent être pris au même moment. Identifier les tubes en marquant la date et l'heure du prélèvement.

Magnesium – Sang, urine

Le magnésium est un cation, c'est à dire un ion porteur d'une charge électrique positive (Mg^{++}). Tout le magnésium vient de l'alimentation. Il voyage dans le sang à faible concentration et se concentre surtout dans les os et dans les cellules actives de l'organisme, où il joue un rôle essentiel dans le transfert de l'énergie. Ses effets sont notoires dans les activités neuro–musculaires de l'organisme. Il est excrété par les reins.

En tant que l'un des trois principaux cations intracellulaires (potassium, magnésium, calcium), sa mobilité est liée à celle des autres ions intracellulaires et extracellulaires (sodium, chlorures, bicarbonates) et il entre en jeu dans le maintien de l'équilibre ionique de l'organisme.

INTÉRÊT CLINIQUE

Évaluation de patients se présentant avec convulsions, arythmies; signes d'hypocalcémie

ENSEIGNEMENT AU PATIENT

Expliquer au patient que ce test sert mesurer la concentration du magnésium, un minéral important du fonctionnement de l'organisme. Le test nécessitera une prise de sang. Il n'a pas à se priver de liquides ni de nourriture avant le test mais devra éviter d'ingérer des antiacides à base de magnésium les jours précédant la prise de sang.

PROTOCOLE

Prélever du sang veineux dans un tube de 5 ou 7 ml à bouchon rouge ou tigré. Manipuler avec précaution afin d'éviter l'hémolyse. Urine: collecte des urines de 24 h.

Maladie de Lyme – Sérologie

RÉSULTATS NORMAUX

ELISA: négatif

Titre IFA (IgM): < 1:256

RÉSULTATS PATHOLOGIQUES

Sérologie positive en présence d'«érythème chronique migrateur»: maladie de Lyme

Tests sérologiques positifs à répétition: maladie de Lyme actuelle ou passée

FACTEURS AFFECTANT LES RÉSULTATS

- Individus atteints depuis moins d'un mois (faux négatifs)
- Hyperlipidémie (faux négatifs)
- Concentration élevée du facteur rhumatoïde (faux positifs)
- Infection par une autre bactérie spirochète (*Treponema* et autres): faux positif
- Individus asymptomatiques immunisés (faux positifs)

AUTRES OUTILS DIAGNOSTIQUES

- Isolement de la bactérie d'une lésion, du sang ou du LCR et culture: difficile et lent
- PCR (*Polymerase Chain Reaction*): mise en évidence de l'ADN de la bactérie

*L*a maladie de Lyme est causée par une bactérie spiralée (un spirochète), *Borrelia burgdorferi*, qui se transmet de l'animal à l'Homme par une tique du cerf (chevreuil), surtout l'été et l'automne. La morsure de la tique produit sur la peau une lésion caractéristique appelée «érythème chronique migrateur» facile à reconnaître.

En l'absence de traitement, l'infection par *Borrelia burgdorferi* produit des lésions multiples et graves aux articulations, au cœur et au système nerveux.

Les premiers marqueurs sérologiques de la maladie (des IgM) sont détectables dans le sang à partir de 3 à 4 semaines après la morsure de tique, avec un pic à 6–8 semaines puis diminuent graduellement jusqu'à disparaître. Un deuxième contingent d'anticorps (des IgG) est mesurable 2 à 3 mois après la morsure et ceux-ci demeurent élevés longtemps, jusqu'à plusieurs années.

Les techniques pour mettre en évidence la présence d'anticorps sont l'IFA (*Indirect Fluorescent Assay*), l'ELISA (*Enzyme-Linked Immunosorbent Assay*) et le WB (*Western Blot*). Cependant, aucun de ces tests seul n'est fiable de façon absolue, chacun menant parfois à des faux positifs et des faux négatifs. Le diagnostic doit donc tenir compte et des manifestations cliniques et de la sérologie.

INTÉRÊT CLINIQUE

Confirmation d'un diagnostic de maladie de Lyme, à compter de 3 ou 4 semaines après le début de l'infection

ENSEIGNEMENT AU PATIENT

Expliquer au patient que cette épreuve aide à confirmer un diagnostic de maladie de Lyme. Le sujet devra subir une ponction veineuse et il devra se priver de nourriture 12 heures auparavant. Il peut néanmoins prendre des liquides à satiété.

PROTOCOLE

Prélever du sang veineux dans un tube de 5 ml à bouchon rouge. Envoyer immédiatement au laboratoire.

Mammographie

IMAGES PATHOLOGIQUES POSSIBLES
- Kystes, abcès, mastite suppurative
- Masses bénignes : fibroadénomes
- Masses malignes
- Microcalcifications bénignes ou malignes

FACTEURS AFFECTANT LA LECTURE
- Implants mammaires
- Chirurgie mammaire antérieure

L'examen des seins aux rayons X permet de détecter et de qualifier les diffé-rents types de masses qui peuvent s'y développer : kystes, fibroadénomes, calcifications, tumeurs cancéreuses et autres.

Cet examen radiologique est un complément à la palpation manuelle des seins et il est fortement recommandé de l'effectuer régulièrement après l'âge de quarante ans. À cet égard, les recommandations officielles diffèrent d'un pays à l'autre. Aux États-Unis, le National Institute of Health recommande un examen annuel. Au Québec, le programme de dépistage officiel recommande une mammographie à tous les deux ans après l'âge de 50 ans et annuel pour celles qui ont des antécé-dents personnels ou familiaux.

Le grand avantage de la mammographie est qu'elle permet de détecter des masses (potentiellement cancéreuses) de moins d'un centimètre, non palpables à l'examen manuel, à un stade (< 1 cm) où le pronostic de guérison est excellent.

Compte tenu du très faible niveau de radiations déployé par les appareils utilisés en mammographie, on considère qu'un examen bi-annuel après cinquante ans ne présente que de faibles risques liés aux radiations et que, de toute façon, l'im-mense avantage préventif dépasse largement ces risques minimes.

INDICATIONS DE LA MAMMOGRAPHIE
- À tous les deux ans chez la femme de plus de cinquante ans
- Annuellement s'il y a déjà eu une tumeur cancéreuse à un sein ou si l'histoire familiale montre un risque élevé
- S'il y a douleurs ou masses palpables aux seins

ENSEIGNEMENT À LA PATIENTE
Comme l'analyse radiologique des seins se fait plus facilement et avec plus d'assu-rance lorsque l'on peut examiner les clichés par comparaison dans le temps, il est conseillé aux patientes de toujours passer leurs mammographies au même labo-ratoire ou, sinon, d'apporter avec elles leur radiographies antérieures

Expliquer à la patiente que cet examen permet de détecter des masses (possi-blement cancéreuses) que la palpation ne permet pas de détecter. Lui expliquer l'avantage préventif d'un examen bi-annuel après l'âge de 50 ans. Expliquer le déroulement de l'examen.

La patiente n'a pas à être à jeun préalablement mais elle doit se défaire de tout artifice pouvant gêner la mammographie, y compris toute forme de maquillage, de déodorant axillaire ou de poudre corporelle au niveau de la région thoracique. La patiente devrait se présenter en chemisier plutôt qu'en robe puisque l'examen exige qu'elle se dévêtisse jusqu'à la taille.

PROTOCOLE

L'examen a lieu au service de radiologie et est effectué par une technologue formée à cet effet ou par une radiologiste. La personne se tient debout devant un appareil spécialement conçu pour ce type d'examen. Le sein est soigneusement étalé sur une surface plate, sous laquelle se trouve la pellicule photographique. Un panneau est ensuite rabattu sur le sein formant compression et offrant stabilité de la glande pour la courte durée du cliché.

Deux clichés sont pris à chacun des seins, un vertical et l'autre à 45 degrés. L'examen dure en tout moins de quinze minutes.

Mononucléose infectieuse – Sérologie

RÉSULTATS NORMAUX (en regard d'une mononucléose infectieuse)

Monotest négatif (ou positif mais en absence de symptômes de mononucléose)

VCA négatif

EBNA négatif (mais il est aussi négatif en phase aiguë de mononucléose infectieuse)

EA négatif

RÉSULTATS PATHOLOGIQUES

Monotest positif: en présence de symptômes, mononucléose infectieuse; aussi: lupus érythémateux, syphilis, cryoglobulinémie

VCA positif: phase aiguë ou séquelle de mononucléose infectieuse; lymphome de Burkitt; carcinome naso-pharyngé

EBNA positif: séquelle de mononucléose infectieuse; lymphome de Burkitt; carcinome naso-pharyngé

EA positif

FACTEURS AFFECTANT LES RÉSULTATS

Faux positifs: lymphome, hépatite, leucémie, médicaments (narcotiques, phénytoïne)

*L*a mononucléose infectieuse est une maladie due au virus d'Epstein–Barr qui survient typiquement chez le jeune adulte (15–25 ans) et se traduit cliniquement en phase aiguë par de la fièvre, une pharyngite, une polyadéno-pathie et une hyperleucocytose à prédominance de monocytes et de lymphocytes incluant des formes anormales.

Seule la sérologie peut confirmer l'étiologie virale (virus d'Epstein–Barr) de ces signes cliniques et donc le diagnostic de mononucléose infectieuse, et éliminer d'autres pathologies apparentées. On dispose couramment en laboratoire de quatre tests sérologiques:

1. Le Monotest, non spécifique, qui consiste à mettre en évidence, dans le sérum, des anticorps de phase aiguë dirigés contre des antigènes apparentés à ceux du virus; 80% des individus atteints de mononucléose infectieuse répondent positivement à ce test; par contre, certains sujets atteints de lupus érythémateux, de syphilis et de cryoglobulinémie sont aussi positifs. Cependant, un Monotest positif accompagné de signes cliniques indiscutables constitue un diagnostic positif de la mononucléose infectieuse.

2. Le VCA: test d'anticorps anti–antigène de capside (anti–VCA, ou *Viral Capsid Antigen*), spécifique au virus d'Epstein–Barr; il est positif en phase aiguë et dans les mois et même les années qui suivent la phase aiguë. Par ailleurs, il est aussi positif dans le lymphome de Burkitt et dans le carcinome naso-pharyngé.

3. Le EBNA (*Epstein-Barr Nuclear Antigen*), spécifique au virus d'Epstein-Barr : il détecte les anticorps dirigés contre des antigènes du «noyau» du virus, est négatif en phase aiguë mais positif par la suite. Cet anticorps est aussi présent dans le lymphome de Burkitt et dans le carcinome naso–pharyngé.

4. Le EA (*Early antigen*) : détection de l'antigène viral.

INTÉRÊT CLINIQUE

Dépistage, confirmation, diagnostic différentiel d'une mononucléose infectieuse

ENSEIGNEMENT AU PATIENT

Expliquer au patient, selon le cas, que l'examen sérologique sert à déterminer ou confirmer une mononucléose infectieuse. Un prélèvement de sang veineux sera nécessaire ; le patient n'a pas à être à jeun préalablement.

PROTOCOLE

Prélever du sang veineux dans un tube de 5 ou 7 ml à bouchon rouge. Expédier au laboratoire immédiatement. Pour les tests spécifiques (VCA, EBNA), laisser le sang coaguler une heure à la T° de la pièce puis transférer le sérum dans un tube stérile ; expédier le sérum au laboratoire le plus tôt possible.

MTS : culture de *Chlamidia trachomatis*

RÉSULTATS POSSIBLES

Négatif ou positif pour *Chlamidia trachomatis*

Une des MTS les plus répandues est l'urétrite à *Chlamidia*, mettant en cause les sérotypes D, E, F, G, H, I et K de *Chlamidia trachomatis*. Il s'agit d'une forme particulière de bactérie que l'on dit parasite intracellulaire obligatoire en ce qu'elle ne se développe qu'à l'intérieur des cellules de l'hôte. Les symptômes sont très semblables à ceux de la gonorrhée (infection de l'urètre chez l'homme, du canal cervical chez la femme, du pharynx et de la région ano–rectale chez les deux sexes et de la conjonctive de l'œil chez le nouveau–né). D'ailleurs les deux agents bactériens, *Neisseria gonorrheae* et *Chlamidia trachomatis* se retrouvent en même temps chez un grand nombre de sujets atteints.

NB : Ne pas confondre cette bactérie avec d'autres formes de *Chlamidia*, qui donnent d'autres types de maladies :

C. trachomatis sérotypes A, B, Ba et C : trachome (infection de l'œil)

C. trachomatis sérotypes L1, L2 et L3 : lymphogranulomatose vénérienne ou LGV : affection des ganglions lymphatiques de la région pelvienne, qui est aussi une MTS

C. psittaci : la psittacose, une pneumonie transmise par les excréments d'oiseaux

C. pneumoniae : pneumonie semblable à la psittacose mais non transmise par les oiseaux

INTÉRÊT CLINIQUE

Confirmation d'une MTS et dépistage (cette maladie est très répandue et une des mesures possibles de prévention est le dépistage)

ENSEIGNEMENT AU PATIENT

Expliquer l'objectif de cet examen et la manière dont se transmet la chlamidiase. Des prélèvements seront effectués à l'urètre chez l'homme, au canal cervical chez la femme, puis au canal anal et à la gorge si indiqué.

Si l'épreuve est positive, encourager le patient à en aviser son ou ses partenaires sexuels et à les amener à consulter. Pour les prélèvements uro–génitaux, l'homme doit éviter d'uriner au moins une heure et la femme de se doucher au moins 24 heures avant le prélèvement.

PROTOCOLE

Urètre (♂)

Le sujet doit être couché ; nettoyer le méat urinaire à l'aide d'un tampon avant le prélèvement ; porter des gants et pratiquer la méthode aseptique ; introduire dans l'urètre un écouvillon stérile fin conçu à cet effet, l'y laisser quelques secondes, le tourner légèrement en place puis le retirer.

Canal cervical (♀)

Le sujet doit être installé en position gynécologique ; porter des gants et pratiquer la technique aseptique ; mettre en place un spéculum lubrifié à l'eau tiède ; nettoyer la région cervicale de son mucus à l'aide d'un tampon d'ouate introduit au bout d'une pince ; introduire un écouvillon stérile dans le canal cervical, l'y laisser quelques secondes, le tourner légèrement en place puis le retirer.

Canal anal (♂, ♀)

Porter des gants ; introduire à 2 cm dans le canal anal un écouvillon stérile et l'y laisser quelques secondes, le tourner contre les parois du canal, puis le retirer.

Pharynx (♂, ♀)

Porter un masque et des gants ; pratiquer la méthode aseptique ; dégager la langue du patient à l'aide d'un abaisse-langue, bien éclairer le fond de la gorge et l'examiner pour localiser les sites d'inflammation ou de purulence ; racler doucement mais positivement avec l'écouvillon ces sites ou l'ensemble de la région. retirer l'écouvillon en prenant bien soin d'éviter le contact avec toute autre structure au passage.

Inoculer le prélèvement sur un milieu de transport (sucrose phosphate 2SP) et expédier au laboratoire immédiatement (sinon sur de la glace sèche–pour un maximum de 24 heures), où l'inoculum sera placé en culture de cellules.

MTS : culture de *Neisseria gonorrheae*

RÉSULTATS POSSIBLES
Négatif ou positif pour *Neisseria gonorrheae*

*L*a gonorrhée, ou blennorragie, ou gonococcie, est une MTS très répandue, due au gonocoque (*Neisseria gonorrheae*), une bactérie diplocoque à Gram négatif. Typiquement, après une incubation de 3–4 jours, les bactéries prolifèrent, causant chez l'homme une urétrite aiguë (écoulement purulent et brûlure à la miction) et chez la femme une urétrocervicite discrète et même souvent asymptomatique.

Les autres sites d'infection varient, d'un sujet à l'autre, selon l'exposition au germe : pharynx (sexe oral chez l'homme et chez la femme), région ano–rectale (sexe anal, chez l'homme et chez la femme), conjonctive de l'œil chez le nouveau-né (germes transmis par une mère infectée), vulvo–vaginite de la fillette exposée aux sécrétions d'adultes.

L'identification du germe responsable se fait par culture sur milieu sélectif (Thayer–Martin).

INTÉRÊT CLINIQUE
Confirmation d'une infection à gonocoque.

ENSEIGNEMENT AU PATIENT
Expliquer l'objectif de cet examen et la manière dont se transmet la gonorrhée. Des prélèvements seront effectués à l'urètre chez l'homme, au canal cervical chez la femme, puis au canal anal et à la gorge si indiqué.

Si l'épreuve est positive, encourager le patient à en aviser son ou ses partenaires sexuels et à les amener à consulter. Pour les prélèvements uro–génitaux, l'homme doit éviter d'uriner au moins une heure et la femme de se doucher au moins 24 heures avant le prélèvement.

PROTOCOLE
Urètre (♂)
Le sujet doit être couché ; nettoyer le méat urinaire à l'aide d'un tampon avant le prélèvement ; porter des gants et pratiquer la méthode aseptique ; introduire dans l'urètre un écouvillon stérile fin conçu à cet effet, l'y laisser quelques secondes, le tourner légèrement en place puis le retirer.

Canal cervical (♀)
Le sujet doit être installé en position gynécologique ; porter des gants et pratiquer la technique aseptique ; mettre en place un spéculum lubrifié à l'eau tiède ; nettoyer la région cervicale de son mucus à l'aide d'un tampon d'ouate introduit au bout d'une pince ; introduire un écouvillon stérile dans le canal cervical, l'y laisser quelques secondes, le tourner légèrement en place puis le retirer.

Canal anal (♂, ♀)
Porter des gants ; introduire à 2 cm dans le canal anal un écouvillon stérile et l'y laisser quelques secondes, le tourner contre les parois du canal, puis le retirer.

Pharynx (♂, ♀)

Porter un masque et des gants; pratiquer la méthode aseptique; dégager la langue du patient à l'aide d'un abaisse-langue, bien éclairer le fond de la gorge et l'examiner pour localiser les sites d'inflammation ou de purulence; racler doucement mais positivement avec l'écouvillon ces sites ou l'ensemble de la région; retirer l'écouvillon en prenant bien soin d'éviter le contact avec toute autre structure au passage.

Pédiatrie

Suivre le protocole de l'institution

Mettre en culture, en pratiquant la technique aseptique, par frottis sur milieu de Thayer–Martin (expédier immédiatement au laboratoire) ou sur milieu de transport Transgrow (acheminer au laboratoire le plus proche en dedans de 48 heures). Disposer des écouvillons aseptiquement.

NB : Si la recherche d'anticorps est demandée en même temps, prélever un autre écouvillon et le plonger dans le liquide de transport (pour ELISA ou ELISA–PCR) et l'y agiter, puis le retirer.

Myélogramme
(examen de la moelle osseuse)

Valeurs de référence (en % des cellules totales)

Myéloblastes : 0,3 à 5

Promyélocytes : 1 à 8

Myélocytes	neutrophiles : 5 à 19
	éosinophiles : 0,5 à 3
	basophiles : 0 à 0,5
Métamyélocytes	neutrophiles : 18 à 34
	éosinophiles : 0 à 1
	basophiles : 0 à 0,2
Granulocytes	neutrophiles : 12 à 30
	éosinophiles : 0,5 à 4
	basophiles : 0 à 3

Monocytes : 0 à 3

Lymphocytes : 3 à 20

Mégacaryocytes : 0 à 3

Plasmocytes : 0 à 2

Lignée érythrocytaire : 7 à 30

Ratio myéloïde/érythroïde : < 4

Résultats anormaux possibles

Leucémies : myéloïde ou lymphoïde, chronique ou aiguë

Anémies : mégaloblastique, macrocytaire, normocytaire

Agranulocytose, déficience plaquettaire

Myélomes, carcinomes, métastases, hyperplasies, polycythémie, myélofibrose

*L*a moelle osseuse est l'organe hématopoïétique par excellence, étant le site du développement et de la maturation de la masse des éléments solides du sang, globules rouges, globules blancs et plaquettes. On y trouve de tout, à partir des cellules les moins différenciées jusqu'aux produits terminaux (globules rouges, globules blancs et plaquettes), en passant par toute la gamme des cellules intermédiaires constituant autant de lignées de différenciation. La moelle osseuse est aussi parfois le site de métastases et de proliférations pathologiques.

L'examen au microscope de son contenu fournit donc des renseignements fondamentaux, à la source peut-on dire, sur toutes les maladies relatives à l'hématopoïèse. On se procure un échantillon de moelle par biopsie ou par aspiration, que l'on étale sur lame en frottis, puis que l'on traite avec différents colorants pour examen au microscope.

Intérêt clinique

Cet examen, envahissant et souvent douloureux, est indiqué dans l'étude de troubles sérieux de l'hématopoïèse et la détection de proliférations pathologiques.

ENSEIGNEMENT AU PATIENT

Expliquer en ses mots au patient l'importance de cet examen. Préciser que l'examen est quelquefois douloureux mais qu'il se fait sous anesthésie locale et que des sédatifs lui seront prescrits si nécessaire. Lui exposer le déroulement de l'examen, précisant quel sera le site de la ponction, et obtenir de lui ou d'un proche un consentement éclairé signé.

PROTOCOLE

La ponction ou la biopsie est effectuée par un hématologiste. Demeurer près du patient afin de le rassurer et répondre à toutes ses questions durant l'opération.

Myoglobine – Sang, urine

La myoglobine est une protéine échangeuse d'oxygène semblable à l'hémoglobine, que l'on trouve dans les cellules du muscle squelettique et du muscle cardiaque. On trouve normalement peu ou pas de cette substance dans le sang circulant. Cependant, lorsque du tissu musculaire est traumatisé, ischémié ou qu'il souffre d'inflammation, il libère des quantités de myoglobine dans le sang, où elle peut être dosée. La quantité mesurée est proportionnelle à l'étendue du dommage.

INTÉRÊT CLINIQUE

Détection et évaluation des atteintes musculaires cardiaque (infarctus) ou squelettiques selon les circonstances cliniques; le dosage de la myoglobine peut servir de marqueur précoce de l'infarctus.

ENSEIGNEMENT AU PATIENT

Expliquer que ce test permet de dire s'il y a eu infarctus du myocarde, ou d'évaluer l'étendue de dommages à des muscles squelettiques, selon les circonstances. Il y aura prise de sang (le patient n'a pas à être à jeun) ou collecte d'un spécimen d'urine.

PROTOCOLE

Sang

Lorsque l'on soupçonne un infarctus, la prise de sang doit être effectuée dans les 4 à 8 heures suivant l'incident. Prélever du sang veineux dans un tube de 7 ml à bouchon rouge. Éviter l'hémolyse de l'échantillon. Envoyer immédiatement au laboratoire.

Urine

(La myoglobine apparaît plus tard dans l'urine – jusqu'à 24 heures) prélever un échantillon d'urine et expédier au laboratoire immédiatement.

5' – nucléotidase – Sang

La 5'–nucléotidase est une phosphatase dont l'activité est semblable à la phosphatase alcaline (ALP): son activité libère dans le sang des phosphates inorganiques. À la différence de l'ALP, cependant, qui est synthétisée par différents organes dont le foie, la 5'–nucléotidase n'est fabriquée que par le foie. Son augmentation dans le sang est donc assez spécifique d'un dérèglement hépatique.

INTÉRÊT CLINIQUE

Confirmer l'origine hépatique d'une augmentation de l'ALP: elle sera d'origine hépatique si la 5'–nucléotidase est également élevée. Cette épreuve perd de sa vogue.

ENSEIGNEMENT AU PATIENT

Expliquer au patient que ce test permet de détecter une maladie du foie. Il y aura prise de sang mais sans jeune préalable obligatoire.

PROTOCOLE

Prélever du sang veineux dans un tube de 5 ou 7 ml à bouchon rouge.

Œstradiol – Sang

Les œstrogènes (dont l'œstradiol) sont des hormones stéroïdiennes fémini-santes fabriquées par les follicules ovariens et, chez la femme enceinte, par le corps jaune et le placenta. Ces hormones sont largement responsables de l'apparition des caractères sexuels secondaires chez la femme, puis du déroulement normal du cycle menstruel et de la grossesse. Leur production est assurée par les follicules ovariens et contrôlée par des hormones hypophysaires (FSH et LH). Elles sont aussi produites par le corps jaune après l'ovulation et par le placenta durant la grossesse. Après la ménopause, la production d'œstrogènes diminue à un niveau stable.

Chez l'homme, elles sont fabriquées, en quantités moindres, par le testicule et, éventuellement, par certaines tumeurs.

L'œstradiol est le plus puissant des œstrogènes. Il est responsable 1) du développement et du maintien des caractères sexuels secondaires de la femme ; 2) de la préparation de l'utérus à l'implantation et à la nidation de l'ovule fécondé. Chez la femme, il atteint un pic dans le sérum et dans l'urine à l'ovulation. Chez l'homme, il est fabriqué en petites quantités par le testicule.

INTÉRÊT CLINIQUE

Femme : Investigation endocrinienne, études de fertilité, étude de la maturation sexuelle, suivi de la grossesse et détermination de la viabilité du fœtus. Homme : certaines tumeurs, troubles du développement des caractères sexuels secondaires.

ENSEIGNEMENT AU PATIENT

Expliquer la pertinence de cette épreuve dans la situation clinique particulière de la patiente ou du patient. Un prélèvement sanguin intraveineux sera nécessaire, sans jeûne préalable nécessaire.

PROTOCOLE

Prélèvement intraveineux : tube à bouchon rouge ou doré : 5 ou 7 ml. Expédier immédiatement au laboratoire.

Osmolalité – Urine

L'osmolalité d'une solution est une propriété physique mesurable qui traduit la concentration totale en particules de cette solution ; ces particules peuvent être des ions (H^+, Na^+, K^+, Cl^-, HCO_3^-, etc.) ou des molécules, petites (glucose, acide aminé, etc) ou grosses (protéines). L'osmolalité traduit donc le degré de concentration (ou de dilution) de la solution.

Ainsi, dans le cas de l'urine, plus l'osmolalité est forte, plus l'urine est concentrée, et vice–versa, reflétant ainsi le pouvoir d'élimination des reins, cela compte tenu de l'osmolalité du sang qui y passe. En effet, le sang dilué de celui qui vient d'ingurgiter de grandes quantités d'eau devrait normalement produire une urine diluée (à faible osmolalité). À l'opposé, un sujet privé de liquides pendant plusieurs heures produira une urine concentrée (à forte osmolalité).

Le test d'osmolalité urinaire renseigne donc de façon précise sur la capacité d'élimination et de concentration des reins. Le test peut être passé sur un échantillon normal d'urine, ou après privation de liquides, ou encore après sur–hydratation.

INTÉRÊT CLINIQUE

Surveillance de patients ayant une maladie rénale, de personnes souffrant de dérangements endocriniens ; investigation de l'hyponatrémie et de l'hypernatrémie

ENSEIGNEMENT AU PATIENT

Expliquer que ce test sert à évaluer l'état de fonctionnement des reins. Selon l'objectif poursuivi, un seul échantillon d'urine peut suffire, mais dans d'autres cas (épreuve de privation d'eau par exemple), plusieurs échantillons peuvent être nécessaires et il est important que le patient suive étroitement les directives, selon les objectifs poursuivis et selon le protocole suivi. Lui expliquer ce protocole.

PROTOCOLE

Mettre en marche le protocole de préparation du patient tel que prescrit ; bien marquer les spécimens quand à l'heure de la collecte et au type de préparation du patient. Si le patient a été privé de boire, lui offrir des boissons de son choix après la collecte des spécimens.

Oxalates – Urine 24 h

VALEURS DE RÉFÉRENCE
0,11–0,46 mmol/24 heures

RÉSULTATS ANORMAUX
⇑ Métabolisme producteur de quantités excessives d'acide oxalique: hyperoxalurie essentielle
Maladie de Crohn
Certaines maladies métaboliques héréditaires
Résection de l'ileum
Insuffisance rénale
Empoisonnement à l'éthylène glycol (antigel de radiateur d'automobile)

FACTEURS AFFECTANT LES RÉSULTATS
⇑ Ingestion massive de tomates, de rhubarbe, de fraises, d'épinards, de viande

L'acide oxalique, producteur d'ions oxalate, est un produit normal du métabolisme de l'acide glyoxylique (et de la glycine, un acide aminé). Il s'en trouve aussi dans l'alimentation normale. Il est normalement excrété dans l'urine sur une base continue. Cependant, sa solubilité dans l'urine à des pH acides est limitée, d'où le risque de formation de cristaux d'oxalates.

Certains sujets absorbent plus que d'autres l'acide oxalique d'origine alimentaire ou en produisent davantage dans leur métabolisme, entraînant une augmentation de l'oxalurie; des excès de consommation de vitamine C ainsi que la maladie de Crohn et l'empoisonnement à l'éthylène glycol (antigel pour radiateurs d'automobile) augmentent aussi l'oxalurie. Cette hyperoxalurie constitue un risque de néphrolithiases (cristaux d'oxalate de calcium formant des calculs rénaux). Enfin, certains sujets ont une tendance mal expliquée à fixer l'oxalate au rein et à la vessie, causant de l'inflammation et de la fibrose à ces endroits, puis des lithiases.

INTÉRÊT CLINIQUE
Détection de l'hyperoxalurie essentielle chez les enfants; explication de calculs rénaux, suivi de radiographies révélant la présence de cristaux aux reins

ENSEIGNEMENT AU PATIENT
Expliquer l'utilité de ce test, qui se fait sur les urines de 24 heures. Expliquer la technique de collecte des urines de 24 heures s'il y a lieu. Le patient évitera les tomates, les épinards, la rhubarbe, les fraises une semaine avant la collecte des urines.

PROTOCOLE
Mettre en œuvre une routine de collecte des urines de 24 heures ou enseigner au patient comment l'effectuer, en précisant l'importance d'une technique propre et sans contamination. L'urine doit être collectée dans un récipient opaque à la lumière, avec un agent de conservation (30 ml d'acide chlorhydrique 6 N).

Parasitoses – Diagnostic

*U*ne parasitose est une infection ou une infestation par un parasite, c'est à dire un organisme qui vit, à un moment ou à un autre de son cycle vital, aux dépens d'un hôte (ici, l'Homme), causant ou non des dommages.

Chez l'Homme, les parasites sont soit des protozoaires, soit des vers (endoparasites), soit encore des arthropodes (ectoparasites).

Ancylostoma duodenale

Ver nématode causant l'ankylostomiase, de la même façon que *Necator americanus*, très semblable ; se transmet par voie transcutanée par contact avec du sol contaminé puis gagne la circulation sanguine pou se retrouver éventuellement dans les selles ; diagnostic : recherche des œufs dans les selles

Ascaris lumbricoides

Ver nématode responsable de l'ascaridiase ; se transmet par l'eau et le sol contaminés (enfants, personnes vivant en contact étroit avec le sol) ; diagnostic : recherche de vers et d'œufs dans les selles, de larves dans les sécrétions bronchiques)

Cysticercus cellulosae

Ce microorganisme, causant la cysticercose, est en fait la larve de *Taenia solium* (voir ce terme) qui s'installe dans le muscle de porcs alimentés de façon mal contrôlée et se transmet à l'Homme par consommation de viande de porc mal cuite ; diagnostic : sérologique (recherche des antigènes dans le liquide céphalo–rachidien)

Diphyllobothrium latum

Ver cestode responsable de la bothriocéphalose, semblable à la taeniase ; il se transmet à l'Homme par du poisson contaminé par des matières fécales d'origine humaine ou animale (ours, chien) ; diagnostic : recherche des œufs dans les selles (microscopie)

Echinococcus granulosus

Ce ver nématode, un taenia, est responsable des kystes hydatiques, ou hydatidose ; il se transmet à l'Homme par contact avec des animaux infestés : chien, loup, orignal, mouton ; diagnostic : présence de kyste hydatique par échographie, sérologie (ELISA, immunofluorescence)

Ectoparasites

Insectes : poux, puces ; acariens : tiques, mites infestant la surface de la peau ; transmis par des animaux ou encore entre humains par suite de promiscuité ou de manque d'hygiène ; diagnostic : symptômes, examen à l'œil nu ou à la loupe

Entamoeba histolytica

Protozoaire responsable de l'amibiase, maladie intestinale causant douleurs et diarrhées ; il s'attrape par l'eau et les aliments contaminés ; on l'identifie par recherche des amibes dans les selles et par des techniques sérologiques (ELISA, agglutination au latex, immunofluorescence)

Enterobius vermicularis (pinworms)

Ver nématode causant l'entérobiase ou oxyurose ; ses œufs sont transmis par l'eau et les aliments contaminés ou, chez les enfants, par contact direct ; on les identifie dans les matières fécales ou dans la région périanale (« *scotch tape test* ») par examen au microscope

Fasciola hepatica (la douve du foie)

Ver plat (trématode) responsable de la fasciolase; se transmet par le sol, l'eau, les aliments, les objets contaminés par des résidus de matières fécales d'origine animale ou humaine; diagnostic: recherche des trophozoïtes et des kystes dans les selles

Giardia lamblia

Protozoaire flagellé causant la giardiase, ou lambliase; ils se transmettent par l'eau des cours d'eau contaminée par des matières fécales humaines ou animales; on les identifie par examen au microscope des matières fécales; il existe aussi des méthodes sérologiques (ELISA, immunofluorescence, fixation du complément)

Plasmodium falciparum, malariae, vivax et ovale

Protozoaires causant le paludisme, ou malaria; transmis par piqûre de mouches (anophèle) infestées; diagnostic: examen de frottis sanguins au microscope, sérologie (ELISA, immunofluorescence)

Filaires (Wuchereria bancrofti, Dracunculus medinensis, Onchocerca volvulus, Loaloa)

Vers nématodes causant la filariose, la dracunculose, l'onchocercose, la loase; se transmettent par des moustiques, des taons, des petits crustacés d'eau douce (eau contaminée); diagnostic: examen au microscope du sang ou d'exsudats cutanés

Leishmania

Protozoaires flagellés causant la leishmaniose et transmis à l'Homme par contact direct ou par piqûre d'insecte (le phlébotome); diagnostic: portrait clinique, biopsie, examen au laboratoire de raclages de peau, sérologie (ELISA, immunofluorescence, fixation du complément)

Necator americanus

Voir Ancylostoma duodenale

Paragonimus (ou douve du poumon)

Ver plat (trématode) causant la paragonimiase; transmis à l'Homme par la consommation de crustacés contaminés mal cuits; diagnostic: recherche des œufs ou des adultes dans les selles, dans les biopsies et dans les sécrétions bronchiques, sérologie (ELISA, fixation du complément)

Schistosoma

Ver plat non segmenté du groupe des trématodes, causant la schistosomiase, ou bilharziose; se transmet par l'eau contaminée de larves, qui s'installent dans la peau et gagnent le foie par voie sanguine pour se retrouver enfin dans les matières fécales; diagnostic: recherche d'œufs dans les selles, sérologie (Elisa, immunofluorescence)

Strongyloïdes stercoralis

Ver nématode causant la strongyloïdose, ou anguillulose; le parasite se transmet par la viande de porc ou de bœuf infectés insuffisamment cuite; diagnostic: recherche d'œufs et de sporocytes dans les selles

Taenia saginata (« ver solitaire »)

Ver cestode causant la taeniase; il se transmet par la viande de bœufs qui ont été contaminés par des excréments d'origine humaine; on identifie le ver par son apparence macroscopique, dans les selles, par son apparence microscopique et par l'examen au microscope des œufs, qui permet de différencier T. saginata et T. solium

Taenia solium

Voir *T. saginata* (même pathologie, même méthode diagnostique)

Toxocara canis (Ascaris du chien)

Ver nématode causant la toxocarase, qui s'attrape par l'eau contaminée, les excré-ments de chien, le sol (enfants), les aliments contaminés et le passage trans-placentaire des larves; diagnostic sérologique (ELISA, immunofluorescence)

Toxoplasma gondii

Protozoaire parasite intracellulaire obligatoire causant la toxoplasmose; le chat, contaminé par ses aliments (oiseaux, souris ou nourriture domestique mal cuite), le transmet à l'Homme, qui peut lui-même aussi s'infecter par de la nourriture de mauvaise qualité ou mal cuite; les trophozoïtes traversent la barrière placentaire; diagnostic sérologique (ELISA, test de Sabin–Feldman ou test de lyse, immunofluo-rescence)

Trichinella spiralis

Ver nématode responsable de la trichinose; se transmet par la viande crue ou mal cuite du porc, lui-même infecté par une alimentation mal contrôlée; diagnostic: biopsie, sérologie (ELISA)

Trichomonas vaginalis

Protozoaire transmis par voie sexuelle, responsable de la trichomonase chez la femme; on l'identifie par l'examen microscopique des sécrétions vaginales, par culture et par immunofluorescence.

Parathormone, ou PTH – Sang

VALEURS DE RÉFÉRENCE
1,0–5,2 pmol/l

RÉSULTATS ANORMAUX

⇑ PTH et ⇑ Ca : Hyperparathyroïdie primaire (adénome des parathyroïdes)

⇑ PTH et Ca normal : Hyperparathyroïdie secondaire (reins, déficience en vit. D, malabsorption du Ca

⇓ PTH et ⇓ Ca : Hypoparathyroïdie

⇓ PTH et ⇑ Ca : production ectopique d'ADH

FACTEURS AFFECTANT LES RÉSULTATS
Examen récent aux radioisotopes, médication

⇑ Grossesse, lactation

⇓ Dommage aux parathyroïdes lors d'une chirurgie

*L*a parathormone, ou PTH (hormone parathyroïdienne) est fabriquée par les glandes parathyroïdes. Sa production est stimulée par une hypocalcémie et son effet résulte en une augmentation de la calcémie et une diminution de la phosphatémie, par un jeu de mécanismes d'ajustement au niveau des os et au niveau rénal.

Le dosage sanguin de la parathormone sert surtout au diagnostic des troubles de la calcémie, à la détection d'anomalies de la pathyroïde et de foyers ectopiques de production de l'hormone. L'interprétation des résultats nécessite une détermination parallèle de la calcémie.

INTÉRÊT CLINIQUE
Diagnostic différentiel de troubles du calcium et de la parathyroïde

ENSEIGNEMENT AU PATIENT
Expliquer au patient que ce test sert à étudier la fonction de ses glandes parathyroïdes. Il y aura prise de sang et le sujet devra être à jeun depuis 10 heures.

PROTOCOLE
Prélever du sang veineux dans deux tubes à bouchons rouges distincts ; mettre sur glace immédiatement et. expédier immédiatement au laboratoire.

Phénylalanine – Sang

VALEURS DE RÉFÉRENCE
0–1 mois : 55–147 µmol/l

1–24 mois : 22–108 µmol/l

RÉSULTATS ANORMAUX

⇑ Présomption de phénylcétonurie, à confirmer par un dosage de la phény-lalanine et de la tyrosine plasmatique, ainsi que par le dosage de l'acide phénylpyruvique de l'urine

FACTEURS AFFECTANT LES RÉSULTATS
Malnutrition, faible apport en protéines

La phénylalanine est un des 20 acides aminés nécessaires à la synthèse des protéines de l'organisme. Dans son métabolisme normal, une partie de la phénylalanine disponible est transformée en tyrosine par une enzyme, la phény-lalanine hydroxylase, la tyrosine étant aussi un des 20 acides aminés nécessaires à la synthèse des protéines. Par un défaut congénital, certains bébés n'ont pas l'enzyme nécessaire pour opérer cette transformation. Il en résulte :

- L'accumulation de phénylalanine dans le sang, avec production de dérivés phénylcétoniques dans l'urine : phénylcétonurie
- La diminution de la tyrosine plasmatique.

C'est la phénylcétonurie, maladie métabolique qui se traduit par une encépha-lopathie et un retard mental aux conséquences très débilitantes.

Cette maladie métabolique est héréditaire, autosomique et récessive. On peut la dépister par le présent test.

INTÉRÊT CLINIQUE
Dépistage de la phénylcétonurie à la naissance

ENSEIGNEMENT AU PATIENT
Expliquer aux parents que ce test de routine permet le dépistage d'une maladie métabolique héréditaire. Leur expliquer la méthode de prélèvement du sang au talon. Si nécessaire, leur expliquer que ce défaut métabolique se traite aujourd'hui avec succès.

PROTOCOLE
Le test doit se faire après trois jours d'allaitement au sein ou au biberon (lait de formule), car la phénylalanine est un acide aminé essentiel. Déposer une goutte de sang dans chacun des trois cercles du papier filtre conçu à cet effet ou prélever du sang dans un tube hépariné.

Phlébographie (veinographie) des membres inférieurs

IMAGES PATHOLOGIQUES POSSIBLES
- Phlébothromboses
- Obstruction veineuse due à une tumeur
- Anomalie veineuse congénitale
- Signes de dysfonction des valvules veineuses

Une veinographie des membres inférieurs consiste à examiner aux rayons X les veines principales de la jambe après injection d'un opacifiant radiologique à base d'iode. L'injection de l'iode se fait dans une des veines superficielles tributaires de la veine principale par simple ponction veineuse. L'opacifiant, lorsque injecté, se rend éventuellement dans la veine principale, puis dans la fémorale, permettant des clichés sur toute la longueur de la jambe si souhaité.

INDICATIONS

Détection de phlébothromboses, d'obstructions veineuses, recherche de causes d'œdème

ENSEIGNEMENT AU PATIENT

Expliquer la pertinence de cette épreuve compte tenu de la situation particulière du patient. En exposer le déroulement.

Le prévenir des effets possibles de l'injection de l'opacifiant à base d'iode : sensation de chaleur au moment de l'injection, légère céphalée, goût salin ou métallique au niveau de la bouche, nausée légère après l'injection.

L'examen sera passé au service de radiologie ; il nécessite un jeûne de 4 heures et il peut durer au delà d'une heure.

PROTOCOLE

L'examen est effectué par l'équipe du service de radiologie (voir plus haut).

Préparer le patient en fonction des directives du service de radiologie. Le patient doit normalement être à jeun depuis 4 heures et il doit vider sa vessie avant de se rendre à la salle d'examen.

SOINS ET SURVEILLANCE APRÈS L'EXAMEN

Maintenir le patient alité, le membre injecté immobilisé, et surveiller les signes vitaux et le pouls fémoral jusqu'à ce que le patient soit complètement remis (une heure ou deux). Surveiller le site de la ponction et les signes d'hypersensibilité à l'iode.

COMPLICATIONS POSSIBLES

- Infiltration sous-cutanée de l'opacifiant (douleur, cellulite)
- Thrombophlébite causée par l'opacifiant
- Embolie pulmonaire causée par le déplacement d'un caillot sanguin (rare)

Phosphatase alcaline, ou ALP – Sang

La phosphatase alcaline est une enzyme influant sur la calcification des os et le transport des lipides. On la trouve dans de nombreux tissus (rein, muqueuse intestinale, placenta) et, en quantités particulièrement élevées, dans les conduits biliaires et les os. Il s'en déverse normalement une certaine quantité dans le sang.

Cependant, des lésions des canaux biliaires, ainsi qu'une augmentation de l'activité des ostéoblastes (croissance osseuse active) entraînent une augmentation marquée de la phosphatase alcaline sérique.

Il existe différents types d'ALP (isoenzymes) selon sa provenance dans l'organisme. Ce que l'on mesure de routine est la phosphatase alcaline totale. Il est aussi possible, dans certains laboratoires, d'en déterminer les différentes fractions, ce qui indique la provenance de l'excès d'enzyme (foie, os).

INTÉRÊT CLINIQUE

Maladies hépatiques (cirrhose, tumeur, métastases), obstruction des voies biliaires intrahépatiques (cholestase) et extrahépatiques, maladies osseuses (effets de la PTH sur les ostéoblastes) ; évaluation d'une thérapie à la vitamine D.

ENSEIGNEMENT AU PATIENT

Expliquer au patient que ce test sert à étudier la fonction hépatique et l'activité osseuse. Il devra subir une ponction veineuse et devra rester à jeun depuis 8 heures avant le test.

PROTOCOLE INFIRMIER

Prélever du sang veineux dans un tube de 5 ou 7 ml à bouchon rouge. Manipuler l'échantillon délicatement afin d'éviter l'hémolyse. Expédier immédiatement l'échantillon au laboratoire.

Phosphates,
ou phosphore inorganique – Sang

VALEURS DE RÉFÉRENCE

Nouveau-nés : 1,4 – 3 mmol/l

Enfants : 1,29 – 2,26 mmol/l

Adultes : 0,81 – 1,45 mmol/l

Personnes âgées : tendance à la baisse

RÉSULTATS ANORMAUX

⇓ Hyperalimentation, hyperparathyroïdie, troubles rénaux (tubulaires), acidose diabétique, malnutrition/malabsorption

⇑ Insuffisance rénale, hypoparathyroïdie, augmentation de l'apport alimentaire, rhabdomyolyse

FACTEURS AFFECTANT LES RÉSULTATS

⇓ Ingestion excessive d'antiacides à base de calcium, administration intraveineuse de glucose, certains médicaments

⇑ Ingestion excessive de vitamine D, laxatifs contenant du phosphore

La plus grande partie du phosphore de l'organisme (environ 90%) est localisé dans les os, lié au calcium. Le reste est situé dans les autres tissus et dans le sang sous forme de phosphates organiques (phosphore lié à des molécules organiques tels les nucléotides, les phospholipides, les lipoprotéines) et sous forme de sels inorganiques (phosphates libres, PO_4^-). C'est cet anion qui est dosé lorsque l'on parle de phosphates inorganiques ou de phosphore inorganique sanguin, autrement dit la phosphatémie.

Les phosphates de l'organisme viennent de l'alimentation et ils sont excrétés par le rein. Dans le sang, la concentration des phosphates est régulée par une hormone de la parathyroïde, la parathormone, qui diminue la résorption des phosphates, donc diminue la phosphatémie. Il est intéressant de noter que cette parathormone exerce l'effet contraire sur le calcium : elle augmente la calcémie. Les fluctuations du calcium et des phosphates sanguins vont donc à l'inverse l'un de l'autre. Une augmentation de la calcémie est le plus souvent accompagnée d'une baisse de la phosphatémie et inversement. La régulation des phosphates sanguins est donc liée au métabolisme du calcium et à tout ce qui peut l'influencer.

INTÉRÊT CLINIQUE

Investigation des maladies rénales, endocriniennes, osseuses et du métabolisme du calcium (et par extension de l'équilibre acido-basique, le calcium étant un ion chargé positivement)

ENSEIGNEMENT AU PATIENT

Expliquer que ce test sert à mesurer le phosphore sanguin, une substance minérale importante de l'organisme. Il y aura prise de sang mais aucune restriction de boire ni de manger.

PROTOCOLE

Prélever du sang veineux dans un tube de 5 ou 7 ml à bouchon tigré. Éviter l'hémolyse.

Plaquettes – Numération, volume plaquettaire moyen

VALEURS DE RÉFÉRENCE

Numération : 160–400 x 10^9/l

Volume plaquettaire moyen : 7–10 μm^3

RÉSULTATS ANORMAUX

Nombre : ⇑ Thrombocytose primaire, myélofibrose, maladies myéloprolifératives, polyglobulie essentielle, arthrite rhumatoïde, anémie ferriprive

⇓ Thrombocytopénies, leucémie myéloïde et lymphoïde, hypersplénisme, lupus érythémateux, anémie pernicieuse, chimiothérapie anticancéreuse, infection grave

Volume : ⇑ Purpura thrombocytopénique idiopathique, prothèses cardiaques, maladies myéloprolifératives, leucémie myéloïde, splénectomie

⇓ Myélosuppression chimique, syndrome de Wiskott–Aldrich

FACTEURS AFFECTANT LES RÉSULTATS

Nombre : ⇑ Activité physique intense, altitude, médication

⇓ Avant les menstruations et dans la grossesse, médication

*L*es plaquettes, ou thrombocytes, sont les plus petits éléments figurés du sang. Ce sont des particules de l'ordre de 1 µm, sans forme précise, résultant de l'émiettement du cytoplasme de cellules de la moelle osseuse appelées mégacaryocytes.

Les plaquettes jouent un rôle essentiel dans le processus de la coagulation, notamment en constituant des bouchons aux endroits où les petits vaisseaux sanguins se briseraient sous l'effet d'un traumatisme, empêchant ou diminuant ainsi l'hémorragie.

Une baisse anormale du nombre des plaquettes s'appelle une thrombocytopénie et un excès constitue une thrombocytose.

Le volume moyen des plaquettes est un bon indicateur du mécanisme de production des plaquettes chez un individu, augmentant en cas de réponse aiguë de la moelle et diminuant en cas de déficience de la moelle à produire des quantités suffisantes de plaquettes

INTÉRÊT CLINIQUE

La numération des plaquettes est un élément de la formule sanguine complète dans certains laboratoires ; dans tous les cas, elle est une partie élémentaire des études de coagulation.

ENSEIGNEMENT AU PATIENT ET PROTOCOLE

Voir formule sanguine complète

Plasminogène

VALEURS DE RÉFÉRENCE

♂ : 75–125% du standard

♀ : 65–150% du standard

Nouveau-nés : 25–60% du standard

RÉSULTATS ANORMAUX

⇓ Fibrinolyse primitive
   Coagulation intravasculaire disséminée
   Hypercoagulabilité
   Déficience héréditaire (rare)
   Maladies hépatiques
   Malnutrition grave

FACTEURS AFFECTANT LES RÉSULTATS

⇑ Grossesse

⇑, ⇓ Certains médicaments

Cette épreuve est un élément de l'étude de la coagulation. Plus précisément, elle concerne ce qui se passe après la formation d'un caillot sanguin. Le plasminogène est une protéine qui, sous l'action d'activateurs plasmatiques, se transforme en plasmine. Le rôle de la plasmine est de dissoudre le caillot de fibrine quelque temps après sa formation, ce qui limite dans le temps les effets de la coagulation sanguine. Ce processus de fibrinolyse, complexe, met également en jeu un ensemble de facteurs qui gravitent autour du plasminogène (activateurs du plasminogène, anti-plasmines, etc.). Il interfère aussi avec certaines étapes du processus de la coagulation.

INTÉRÊT CLINIQUE

Analyse de la coagulation et de la fibrinolyse

ENSEIGNEMENT AU PATIENT

Expliquer au patient que cette épreuve permet de déterminer si son organisme est capable d'effectuer de façon efficace la dissolution des caillots sanguins. Il y aura prise de sang mais aucune restriction alimentaire n'est indiquée avant le prélèvement.

PROTOCOLE

Prélever du sang veineux dans un tube de 7 ml à bouchon bleu. Remplir le tube à capacité ; mêler, délicatement mais complètement, le sang et l'anticoagulant du tube. Expédier immédiatement au laboratoire, sur glace. Surveiller le site de ponction après le prélèvement.

Porphyrines et porphobilinogène – Urine

Les porphyrines sont des constituants du groupe hème de l'hémoglobine. La présence dans l'urine de porphyrines ou de leurs précurseurs métaboliques accompagne un groupe de maladies dues à une synthèse défectueuse de l'hémoglobine, les porphyries. Ce défaut métabolique peut être de nature génétique (porphyries congénitales) ou il peut résulter de troubles tels des anémies hémolytiques ou des dysfonctions hépatiques. Dans le groupe des porphyrines dosées dans l'urine, on distingue :

• Les porphyrines : uroporphyrines et coproporphyrines

• Les précurseurs des porphyrines : porphobilinogène et acide delta–aminolévulinique

• Le présent test mesure les trois premiers, l'acide delta–aminolévulinique faisant l'objet d'un test à part.

INTÉRÊT CLINIQUE

Diagnostic différentiel des porphyries

ENSEIGNEMENT AU PATIENT

Expliquer que ce test sert à détecter des troubles du métabolisme de l'hémoglobine. Le patient devra se prêter à une collecte des urines de 24 heures ; lui expliquer la technique si nécessaire.

PROTOCOLE

Effectuer une collecte des urines de 24 heures ou assister le patient à le faire. La collecte doit se faire dans des récipients à l'épreuve de la lumière car les substances que l'on recherche sont photo–sensibles. Les récipients ou le sac collecteur doivent être conservés sur de la glace et expédiés sans délai au laboratoire dès la fin de la période de 24 heures.

Potassium – Sang

*L*e potassium est un cation (K$^+$) essentiel à la contraction musculaire : muscle cardiaque, muscles squelettiques et muscles lisses (du tube digestif notamment). Tout le potassium de l'organisme vient des aliments. Maintenu en faible concentration dans le sang, presque tout ce potassium est absorbé par les cellules où sa concentration est trente fois plus élevée que dans le sang. Il est excrété irréversiblement par les reins.

La concentration sanguine du potassium (kaliémie), très sensible, est contrôlée par l'aldostérone qui a pour effet de favoriser son excrétion par le rein ; elle est aussi influencée par les mouvements du sodium aux reins et dans les cellules de l'organisme, ainsi que par les ajustements acido-basiques de l'organisme.

INTÉRÊT CLINIQUE

Surveiller les patients qui ont des signes cliniques d'hyperkaliémie ou d'hypokaliémie, des dérangements neuro-musculaires, des arythmies, des problèmes endocriniens et des problèmes rénaux.

ENSEIGNEMENT AU PATIENT

Expliquer au patient que ce test sert à mesurer les concentrations du potassium sanguin, électrolyte important dans le fonctionnement de l'organisme. Il devra se prêter à un prélèvement de sang mais n'aura pas à se priver de boire ni de manger avant le test.

PROTOCOLE

Prélever du sang veineux dans un tube de 5 ou 7 ml à bouchon rouge. Éviter de laisser le garrot serré trop longtemps avant la ponction veineuse, ce qui pourrait tromper les résultats du test. Centrifuger le plus tôt possible sur place ou expédier immédiatement au laboratoire.

Potassium – Urine de 24 h

e potassium urinaire est surtout utile pour déterminer si la cause d'une hypokaliémie est d'origine rénale ou extra-rénale. Dans tous les cas, le potassium urinaire doit être interprété à la lumière du potassium sanguin. (Voir Potassium – sang)

INTÉRÊT CLINIQUE

Suivi avancé de l'équilibre potassique

ENSEIGNEMENT AU PATIENT

Expliquer que ce test permet un suivi de sa fonction rénale. Le patient devra se prêter à une collecte de son urine de 24 heures. Lui expliquer la technique. Insister sur l'importance d'une collecte propre afin d'éviter que l'urine recueillie ne soit contaminée par des matières fécales ou autres.

PROTOCOLE

Procéder à la collecte des urines de 24 heures. Garder l'urine au froid pour toute la durée de la collecte. Expédier au laboratoire sans délai ou conserver au froid.

Pregnanetriol – Urine

Le prégnanetriol est synthétisé à partir de la 17–OH progestérone et il est lui-même un précurseur des adrénocorticostéroïdes; il est excrété dans l'urine et sa concentration dans l'urine suit de près la concentration de la progestérone dans le sang (voir ce test).

INTÉRÊT CLINIQUE

Investigation de la fonction ovarienne, suivi de la grossesse. Cette épreuve, passablement spécialisée, est de plus en plus remplacée par le dosage de la 17–OH progestérone.

ENSEIGNEMENT À LA PATIENTE

Expliquer l'utilité de ce test selon les circonstances. Le test se fait sur les urines de 24 heures. Expliquer la technique de collecte si nécessaire. Les urines doivent être conservées au froid.

PROTOCOLE

Effectuer la collecte des urines de 24 heures ou s'assurer qu'elle a été effectuée selon les normes. Les urines doivent être conservées au froid et expédiées au laboratoire dès la fin de la collecte. Acidifier avec 25 ml d'acide acétique 50%. Noter sur la formule du laboratoire le statut gynécologique de la patiente.

Produits de dégradation de la fibrine (PDF)

Cette épreuve est un élément de l'étude de la coagulation. Plus précisément, elle concerne le processus de fibrinolyse, c'est à dire le processus de dissolution du caillot sanguin.

La structure de base du caillot sanguin est un réseau de molécules de fibrine. Quelque temps après la formation de ce réseau, le plasminogène du plasma sanguin est activé en plasmine, qui le brise, le dissout en libérant divers produits de dégradation : c'est le processus de la fibrinolyse.

Ces produits de dégradation sont détectables et mesurables dans le plasma et permettent de mesurer l'ampleur du phénomène de fibrinolyse.

NB : La détermination des PDF est essentiellement une épreuve similaire à la détermination des D–dimères

INTÉRÊT CLINIQUE
Dépistage et mesure de la coagulation intravasculaire disséminée et d'états thrombolytiques

ENSEIGNEMENT AU PATIENT
Expliquer au patient que cette épreuve sert à mesurer sa tendance à la formation de caillots sanguins, qu'elle nécessite une prise de sang mais qu'aucune restriction alimentaire n'est indiquée.

PROTOCOLE
Prélever du sang veineux dans un tube de 7 ml à bouchon bleu. Remplir le tube à capacité ; mêler, délicatement mais complètement, le sang et l'anticoagulant du tube. Expédier immédiatement au laboratoire, sur glace. Surveiller le site de ponction après le prélèvement.

Progestérone – Sang

*L*a progestérone est une hormone fabriquée chez la femme par le corps jaune, après l'ovulation (phase lutéale). Cette production augmentée a pour effet de préparer l'endomètre pour l'implantation de l'embryon : épaississement, enrichissement, vascularisation de la paroi des trompes et de l'utérus. S'il n'y a pas d'implantation, la progestérone baisse et l'endomètre retourne à son état d'avant l'ovulation : c'est la menstruation. S'il y a implantation, le corps jaune, d'abord, puis le placenta par la suite, continuent de sécréter de la progestérone qui maintient l'embryon, puis le fœtus en place, entre autres en inhibant les contractions utérines. De plus, la progestérone prépare les glandes mammaires à la lactation.

INTÉRÊT CLINIQUE

Études de fertilité, monitoring de la grossesse, évaluation de la fonction placentaire ; tumeurs ovariennes ou surrénaliennes

ENSEIGNEMENT À LA PATIENTE

Expliquer à la patiente, si nécessaire, le rôle de la progestérone dans la fertilité et la grossesse. Le test se fait sur un prélèvement de sang mais la patiente n'a pas à être à jeun.

PROTOCOLE

Prélever du sang veineux dans un tube de 5 ou 7 ml à bouchon rouge. Indiquer le statut gynécologique de la patiente. Expédier immédiatement au laboratoire.

Prolactine – Sang

VALEURS DE RÉFÉRENCE

♂ : Nouveau-né : 0–3,6 nmol/l
1 à 12 mois : 0–1,2 nmol/l
1 à 18 ans : 0,04–0,6 nmol/l
Adulte : 0,16–0,92 nmol/l

♀ : Nouveau-né : 0–3,6 nmol/l
1 à 12 mois : 0–1,2 nmol/l
1 à 18 ans : 0,04–0,6 nmol/l
Adulte : 0,16–1,2 nmol/l

RÉSULTATS ANORMAUX

⇑ Adénome hypophysaire

⇓ Insuffisance hypophysaire, destruction de l'hypophyse par une tumeur

FACTEURS AFFECTANT LES RÉSULTATS

Heure du jour, états émotifs, stress, médication, stimulation du mamelon, examens radioimmunologiques récents

La prolactine est une hormone fabriquée par l'hypophyse, chez l'homme et chez la femme. Son utilité chez l'homme est mal connue mais on sait que son activité, chez l'homme et chez la femme, est d'une grande complexité, agissant sur des cellules cibles au niveau de multiples organes.

Chez la femme, cette hormone exerce son action notamment sur les glandes mammaires : développement, maintien et production de lait sous stimulation mécanique. Après l'accouchement, cette hormone est produite en grandes quantités, aussi longtemps que la mère allaite : la stimulation continue du mamelon envoie au cerveau des stimuli qui maintiennent la sécrétion de l'hormone. Elle exerce aussi une influence sur le cycle menstruel

En temps normal, la production de cette hormone est soumise à de nombreuses fluctuations : sommeil, stress, états émotifs divers, etc. et elle est inhibée par la dopamine.

INTÉRÊT CLINIQUE

Investigation d'adénomes hypophysaires, aménorrhée, galactorrhée, infertilité, hypogonadisme

ENSEIGNEMENT AU PATIENT

Informer le patient que ce test sert à étudier le fonctionnement de l'hypophyse. Il y aura prise de sang et le sujet devra se maintenir au repos une heure avant le prélèvement.

PROTOCOLE

Prélever du sang veineux dans un tube de 5 ou 7 ml à bouchon rouge.

Protéine C

ette épreuve est un élément de l'analyse de la coagulation.

La protéine C est fabriquée par le foie et présente normalement dans le sang. Sa synthèse et son fonctionnement sont dépendants de la vitamine K. La protéine C est un inhibiteur des facteurs V et VIII de la coagulation (voir Facteurs de la coagulation) en même temps qu'un activateur de la fibrinolyse (voir Plasminogène).

Cet agent anticoagulant contribue à maintenir l'équilibre dynamique nécessaire entre la coagulation et son inhibition, entre la formation de caillots et leur résorption. Son absence ou sa diminution entraînent de graves problèmes de thromboses et de coagulation non contrôlée.

Une déficience primitive de protéine C est héréditaire (homozygotie, rare, hétérozygotie, plus fréquente) ; par ailleurs, comme cette protéine est synthétisée au foie et qu'elle est dépendante de la vitamine K, il se trouve des cas de déficience secondaire reliée à ces deux déterminants.

La protéine C agit conjointement avec son co-facteur, la protéine S (voir ce test).

INTÉRÊT CLINIQUE

Dépistage de déficience primitive ou secondaire en protéine C ; diagnostic différentiel de problèmes de coagulation non contrôlée ; évaluation du risque de thrombose

ENSEIGNEMENT AU PATIENT

Expliquer au patient que cette épreuve sert à éliminer une cause possible de problèmes de coagulation non contrôlée ; évaluation du risque de thrombose

PROTOCOLE

Prélever du sang veineux dans un tube de 7 ml à bouchon bleu. Remplir le tube à capacité ; mêler, délicatement mais complètement, le sang et l'anticoagulant du tube. Expédier immédiatement au laboratoire, sur glace. Surveiller le site de ponction après le prélèvement.

Protéine S

VALEURS DE RÉFÉRENCE

Protéine S libre : 0,70 à 1,34 fois le standard

Protéine S libre sous coumadin : 0,32 à 0,84 fois le standard

Protéine S totale : 0,75 à 1,15 fois le standard

Ratio S/II : 0,60 à 1,40

RÉSULTATS ANORMAUX

⇓ Déficience familiale (augmente le risque de thrombose)
   Déficience secondaire : • manque de vitamine K
                         • maladie hépatique
                         • cancers

FACTEURS AFFECTANT LES RÉSULTATS

⇓ Grossesse, contraceptifs oraux
   Nouveau-né
   Traitement aux anticoagulants (warfarine)

ette épreuve est un élément de l'analyse de la coagulation.

La protéine S est fabriquée par le foie et présente normalement dans le sang. Sa synthèse et son fonctionnement sont dépendants de la vitamine K. La protéine S est un co-facteur de la protéine C et potentialise l'effet de cette dernière comme inhibiteur des facteurs V et VIII de la coagulation (voir Facteurs de la coagulation) en même temps que comme activateur de la fibrinolyse (voir Plasminogène).

Ces deux agents combinés agissent comme anticoagulants et contribuent à maintenir l'équilibre dynamique nécessaire entre la coagulation et son inhibition, entre la formation de caillots et leur résorption. L'absence ou la diminution de protéine S entraîne de graves problèmes de thromboses et de coagulation non contrôlée.

Une déficience de protéine S est souvent congénitale, ou familiale ; par ailleurs, comme cette protéine est synthétisée au foie et qu'elle est dépendante de la vitamine K, il se trouve des cas de déficience secondaire reliée à ces deux déterminants.

INTÉRÊT CLINIQUE

Dépistage de déficience en protéine S ; diagnostic différentiel de problèmes de coagulation non contrôlée ; évaluation du risque de thrombose

ENSEIGNEMENT AU PATIENT

Expliquer au patient que cette épreuve sert à éliminer une cause possible de problèmes de coagulation non contrôlée. Le test nécessite une prise de sang mais aucune restriction alimentaire n'est indiquée.

PROTOCOLE

Prélever du sang veineux dans un tube de 7 ml à bouchon bleu. Remplir le tube à capacité ; mêler, délicatement mais complètement, le sang et l'anticoagulant du tube. Expédier immédiatement au laboratoire, sur glace. Surveiller le site de ponction après le prélèvement.

Protéines de Bence–Jones – Urine

*L*es protéines de Bence–Jones sont des petites protéines fabriquées, dans la moelle osseuse, par des plasmocytes anormaux chez les sujets atteints de myélome multiple et d'autres maladies cancéreuses semblables. Ces protéines sont en réalité des chaînes légères kappa et lambda constituant normalement nos immunoglobulines (anticorps).

Ces protéines sont petites et filtrent donc facilement au rein, d'où leur présence dans l'urine. Comme elles sont plus faciles à mettre en évidence dans l'urine que dans le sang, on les cherche plutôt dans l'urine. Noter que les protéines de Bence–Jones ne sont souvent pas détectées par la recherche de protéines dans l'analyse d'urine de routine plutôt sensible à l'albumine.

INTÉRÊT CLINIQUE
Confirmer un diagnostic de myélome multiple chez les sujets en manifestant les symptomes (douleurs osseuses, anémie, fatigue)

ENSEIGNEMENT AU PATIENT
Expliquer que ce test a pour but la recherche de protéines anormales dans l'urine. Le sujet devra fournir un spécimen d'urine du matin. Insister sur l'importance d'un prélèvement propre, non contaminé. Dans certains cas, une collecte des urines de 24 heures sera indiquée; expliquer le protocole si nécessaire

PROTOCOLE
Expédier le spécimen d'urine au laboratoire sans délai. S'il y a collecte des urines de 24 heures, conserver les spécimens ou le sac collecteur sur de la glace.

Protéines sériques (protéines totales et électrophorèse) – Sang

Valeurs de référence (analyse semi-quantitative)

Protéines totales : 60–80 g/l

Albumine : 35–55 g/l

Alpha$_1$ globulines : 2–4 g/l

Alpha$_2$ globulines : 4–9 g/l

Bêta globulines : 6–10 g/l

Gamma globulines : 7–16g/l

NB : Ces valeurs sont inférieures chez les enfants et encore moindres chez le nouveau-né, et moindres encore chez le prématuré ; voir les données de chaque établissement

Résultats anormaux

Protéines totales : ⇑ Déshydratation/hémoconcentration, maladies inflammatoires chroniques, diabète, infections, myélome multiple
⇓ Malnutririon/malabsorption, hémodilution, désordres hépatiques, syndrome néphrotique, maladies inflammatoires, dysprotéinémie héréditaire

Albumine : ⇑ Déshydratation/hémoconcentration
⇓ Malnutrition/malabsorption, désordres hépatiques, rénaux, maladies inflammatoires, dysprotéinémie héréditaire

Alpha$_1$ globulines : ⇑ Maladies inflammatoires
⇓ Déficience en alpha$_1$–antitrypsine

Alpha$_2$ globulines : ⇑ Maladies inflammatoires, syndrome néphrotique
⇓ Insuffisance hépatique, maladie de Wilson

Bêta globulines : ⇑ Hypercholestérolémie, anémie ferriprive

Gamma globulines : ⇑ Infections aiguës et chroniques, maladies inflammatoires, myélome multiple
⇓ Sida, immunodéficiences héréditaires

(Voir Immunoglobulines, électrophorèse)

Facteurs affectant les résultats

⇑ Différentes hormones et médicaments, application prolongée du tourniquet

⇓ Grossesse, contraceptifs oraux, hémodilution due à des perfusions massives ou à une ponction trop rapprochée du site de perfusion, médicaments

Les protéines sont de grosses molécules omniprésentes dans l'organisme. Elles agissent comme éléments structurants : membranes cellulaires, fibres nerveuses, peau, tissu conjonctif, muscle, etc. Elles déterminent aussi les activités de l'organisme en agissant comme enzymes, comme hormones, comme anticorps, comme agents de transport, etc.

Dans le sang, les protéines circulantes constituent une portion importante du contenu sérique, de l'ordre de 80 grammes par litre. Cette masse est importante dans le maintien de la pression oncotique du sang, qui favorise sa rétention de l'eau dans les vaisseaux.

Cliniquement, dans cette population très variée de protéines sériques, on distingue au prime abord cinq grandes classes : l'albumine, et les globulines alpha$_1$, alpha$_2$, bêta et gamma.

L'ALBUMINE : cette classe constitue plus de la moitié des protéines sériques et exerce donc une fonction oncotique importante. Ces protéines sont fabriquées par le foie et agissent entre autres comme agents de transport pour différentes substances.

LES GLOBULINES ALPHA$_1$ ET ALPHA$_2$: on y trouve surtout des protéines de transport et des protéines intervenant dans le processus inflammatoire et de protection tissulaire, dont l'alpha$_1$-antitrypsine.

LES GLOBULINES BÊTA : on y trouve des protéines de transport, des lipoprotéines, des agents de la coagulation et des protéines intervenant dans les processus de défense immunitaire (le complément).

LES GAMMA GLOBULINES : ce sont les anticorps ou immunoglobulines, c'est à dire des protéines fabriquées contre différents antigènes par les plasmocytes, tels les constituants des bactéries et des virus, les toxines, et même quelquefois des constituants de l'organisme (processus auto-immuns).

Au laboratoire, on peut mettre en évidence ces différentes classes de protéines par la méthode d'électrophorèse.

INTÉRÊT CLINIQUE

Étant donnée leur importance biologique, la détermination des protéines et de leurs fractions dans le sérum présente un intérêt diagnostique, et ce, dans plusieurs contextes cliniques : troubles de la nutrition, du foie, des reins, processus inflammatoires, infections, défense immunitaire (ou sa déficience), diabète, cancers, etc. Cependant, la principale indication de l'électrophorèse des protéines sériques réside dans la recherche de bandes monoclonales, ou paraprotéines (immunoglobulines et fragments issus de tumeurs), qui nécessite une confirmation par des méthodes spécialisées.

ENSEIGNEMENT AU PATIENT

Expliquer au patient que cette épreuve sert à mesurer le contenu en protéines de son sérum. Un prélèvement sanguin sera nécessaire mais il n'est pas nécessaire de se priver de manger ni de boire préalablement.

PROTOCOLE

Prélever du sang veineux dans un tube à bouchon rouge.

Pyruvate kinase
érythrocytaire (PK) – Sang

Cette enzyme est nécessaire au métabolisme du glucose, notamment dans les globules rouges. Son absence des globules rouges entraîne une défectuosité de la membrane cellulaire et est la cause d'anémies hémolytiques au même titre que l'absence de G6PD. Comme dans le cas de la G6PD, sa déficience est héréditaire et due à un gène autosomique récessif (gène situé sur un chromosome non sexuel). Les sujets en seront donc plus ou moins affectés, selon leur génotype.

INTÉRÊT CLINIQUE
Diagnostic de l'anémie à déficience en pyruvate kinase; détection des sujets asymptomatiques porteurs du gène; counselling familial.

ENSEIGNEMENT AU PATIENT
Expliquer au patient que ce test sert à diagnostiquer une anémie héréditaire et à dépister les sujets porteurs du gène. Le test nécessite un prélèvement sanguin, sans jeûne préalable obligatoire.

PROTOCOLE
Prélever du sang veineux dans un tube à bouchon lavande. Remplir le tube complètement. Mélanger bien, et délicatement, le sang à l'anticoagulant.

Radiographie de l'abdomen

IMAGES PATHOLOGIQUES POSSIBLES
- Kystes, tumeurs, masses anormales, corps étrangers ;
- Rupture de viscère ;
- Distension d'organe ;
- Lithiases rénales, urinaires ou à l'appendice ;
- Accumulation de liquides (ascite) ;
- Accumulation de gaz dans l'intestin ;
- Déplacement d'organe ;
- Hypertrophie d'organe ;

Une radiographie de l'abdomen permet de voir l'ensemble des organes de la cavité abdominale : tube digestif (estomac, petit intestin, côlon), foie et vésicule biliaire, pancréas, gros vaisseaux (aorte abdominale, veine cave inférieure, appareil urinaire (reins, uretère, vessie), appareil génital (ovaires, utérus) ainsi que toute structure anormale qui pourrait apparaître dans la cavité.

La radiographie abdominale permet une première approche radiologique avant, s'il y a lieu, des examens plus spécifiques.

INDICATIONS
Douleurs abdominales, masses palpables au toucher abdominal, accumulation de gaz au tube digestif, présomption de la présence d'une tumeur, d'un corps étranger, d'anomalies du système urinaire, etc.

ENSEIGNEMENT AU PATIENT
Expliquer au patient que cet examen permet une vue globale de la cavité abdominale qui permettra de diriger l'investigation en regard des troubles qu'il présente. Il pourra se nourrir normalement dans les heures précédant l'examen, qui sera effectué au service de radiologie si le patient peut se déplacer.

PROTOCOLE
L'examen s'effectuera au service de radiologie ou au chevet du malade s'il ne peut se déplacer. Le patient devra se vêtir d'une jaquette d'hôpital et se départir de tout objet personnel avant l'examen.

Radiographie du thorax ou radiographie pulmonaire

La radiographie du thorax, aussi appelée radiographie pulmonaire, est un des examens cliniques les plus souvent demandés. Elle permet de détecter de nombreuses irrégularités possibles, non seulement au niveau des poumons mais dans toute la région thoracique :

Appareil respiratoire

Trachée, hile pulmonaire, bronches principales, lobes pulmonaires et plèvres (si porteurs d'anomalies)

Structures osseuses

Cage thoracique, sternum, clavicules, colonne vertébrale

Structures cardio-vasculaires

Cœur et péricarde, crosse aortique

Autres

Thyroïde, œsophage, diaphragme

Étant donnée la richesse et l'importance des structures présentes dans la région thoracique, la radiographie du thorax est souvent considérée comme un examen de routine, voire même de dépistage et permet quelquefois des trouvailles aux conséquences vitales pour le patient.

L'examen et la comparaison de clichés successifs ou périodiques permet de découvrir l'apparition récente de structures pathologiques ou d'en suivre l'évolution.

ENSEIGNEMENT AU PATIENT

Expliquer au patient que cet examen permet de détecter et de diagnostiquer toute une gamme d'états pathologiques possibles, notamment aux niveaux respiratoire, cardio–vasculaire et osseux. Le patient n'a pas à être à jeun. Il devra toutefois se départir, avant l'examen, de tout vêtement de ville, de tout bijoux et objet métallique.

PROTOCOLE

L'examen est effectué au service de radiologie ou, plus rarement, au chevet du malade par un(e) technologue en radiologie. De préférence, le patient se tient debout devant l'appareil et un cliché postéro–antérieur et un autre, latéral, sont pris. On demande au sujet de retenir son souffle au moment du cliché. Les radiographies sont analysées par un radiologiste.

Radiographie osseuse

La radiographie osseuse permet d'observer, avec beaucoup de clarté, l'une ou l'autre des différentes pièces du squelette : crâne (os crâniens, sinus), cage thoracique (côtes, sternum), extrémités et leurs attaches osseuses, bassin, colonne vertébrale (cervicale, thoracique, lombaire, sacrée, coccyx).

INDICATIONS
- Atteintes osseuses de nature mécanique : fractures, dislocations ;
- Atteintes à la constitution de l'os : détérioration, dégénérescence, inflammation, nécrose, abcès ;
- Atteintes à la moelle osseuse ;
- Malformations et déformations ;
- Cancers et métastases ;
- Présence d'un corps étranger ;
- Suivi d'une chirurgie orthopédique.

ENSEIGNEMENT AU PATIENT
Expliquer au patient s'il le faut la pertinence d'une radiographie dans son cas particulier. L'examen sera effectué au service de radiologie et aucune restriction alimentaire n'est nécessaire avant l'examen. Le patient devra se départir de tout objet pouvant nuire à la radiographie à la partie de son corps concernée.

PROTOCOLE
L'examen sera effectué au service de radiologie

Reflux gastro-œsophagien (scintigraphie)

RÉSULTATS POSSIBLES
Positif ou négatif

*N*ormalement, un sphincter situé à la limite de l'œsophage et de l'estomac empêche le reflux du contenu gastrique dans l'œsophage. Le défaut d'un tel blocage entraîne des douleurs œsophagiennes (brûlements), de la nausée, du vomissement et de la dysphagie, sans compter les effets à long terme sur la muqueuse œsophagienne (cancers) et les complications mécaniques possibles.

Par scintigraphie, on peut mettre en évidence ce reflux œsophagien et même le mesurer. La méthode consiste à administrer au sujet une boisson (lait, jus de fruits...) contenant une substance marquée au technétium 99m et à prendre des images par scintigraphie de la région œsophagienne en conditions contrôlées.

INTÉRÊT CLINIQUE
Mise en évidence et mesure du reflux œsophagien

CONTRE-INDICATIONS (RELATIVES)
Grossesse, allaitement

ENSEIGNEMENT AU PATIENT
Expliquer dans ses mots au patient le principe de cet examen et lui indiquer quelles en seront les étapes et la durée. L'examen est tout à fait sécuritaire et sans douleur. Le rassurer quant à l'innocuité de cet examen : il ne sera soumis qu'à de faibles doses de radiations. De plus, la substance radioactive est éliminée de l'organisme assez rapidement (la plus grande partie après quelques heures). Le patient n'aura pas à se priver de nourriture avant l'examen.

PROTOCOLE
La manipulation est prise en charge par le personnel spécialement formé du service de médecine nucléaire.

On demandera au sujet de manger comme normalement avant le test. Juste avant la scintigraphie, on lui demandera d'ingérer une boisson contenant le marqueur radioactif puis on effectuera les scintigraphies nécessaires (durée : une heure). S'il y a lieu, au cours de l'examen, on exercera sur son abdomen une certaine pression à l'aide d'un coussin gonflable pour créer une condition favorable à un reflux.

Dans certains cas, on effectuera des scintigraphies thoraciques quelques heures après la fin du test, pour vérifier s'il n'y a pas de traces d'une aspiration.

Rénine plasmatique – Sang

*L*a rénine est une enzyme fabriquée par le rein en réponse à une baisse du sodium sérique, à une augmentation du potassium sérique, ou à une diminution d'arrivée de sang au rein. Cette enzyme provoque l'apparition d'angiotensine II, qui est un vasoconstricteur et qui stimule la production par les surrénales d'aldostérone, laquelle favorise la rétention du sodium et donc de l'eau au rein ; en résumé :

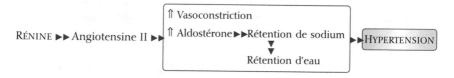

RÉNINE ▶▶ Angiotensine II ▶▶ ⇑ Vasoconstriction / ⇑ Aldostérone ▶▶ Rétention de sodium ▼ Rétention d'eau ▶ HYPERTENSION

On voit donc que la rénine exerce un effet à la fois vasoconstricteur et hypervolémiant, donc un effet hypertenseur.

INTÉRÊT CLINIQUE

Étude de l'hypertension, investigation de l'hyperaldostéronisme primaire

ENSEIGNEMENT AU PATIENT

Comme il existe plusieurs variantes de ce test, se renseigner préalablement auprès du médecin traitant et du laboratoire, s'il y a lieu, quant au protocole précis qui sera suivi, puis l'expliquer au patient, en précisant l'objectif de cette épreuve et les indications pré-test qui devront être respectées.

PROTOCOLE

Vérifier si nécessaire avec le médecin traitant et le laboratoire quel protocole, précisément, sera suivi. Pour le prélèvement, le sujet sera en position debout ou couchée, selon la prescription. Prélever du sang veineux dans un tube refroidi à bouchon lavande ; bercer doucement le tube pour mêler le sang et l'anticoagulant. Mettre le spécimen sur glace et l'expédier immédiatement au laboratoire.

Repas baryté à simple et double contraste

IMAGES PATHOLOGIQUES POSSIBLES

Œsophage

- Troubles de motilité (régurgitation, spasmes), reflux gastrique
- Varices œsophagiennes
- Tumeurs cancéreuses, ulcères
- Diverticules œsophagiens

Estomac

- Ulcère gastrique
- Hernie hiatale
- Tumeur gastrique bénigne, polypes, cancer de l'estomac
- Gastrite, maladie inflammatoire de l'estomac
- Perforation

Duodénum

- Ulcère duodénal
- Diverticules
- Cancer
- Perforation

Divers

- Compression de l'estomac par des organes hypertrophiés ou déplacés de la région abdominale

Cette méthode d'examen radiologique de la portion supérieure du tube digestif fait appel aux propriétés opacifiantes d'une émulsion de sulfate de baryum que le sujet ingère avant et pendant la prise d'une série de clichés au niveau de l'œsophage, de l'estomac et de la portion proximale du petit intestin. Le transit de l'agent de contraste à l'intérieur du tube digestif est suivi par le radiologiste sur un écran cathodique et à mesure que des vues intéressantes se présentent, celui-ci déclenche autant de clichés que souhaité, le but étant de radiographier en distension maximale des incidences orthogonales de tous les segments du tube digestif supérieur.

Le transit de l'agent opacifiant permet d'abord d'examiner la paroi interne de l'œsophage, la progression de son contenu et la présence de reflux, puis la paroi interne de l'estomac, le péristaltisme gastrique et la vidange gastrique; enfin le transit du baryum permet de vérifier la paroi interne du canal pylorique et du duodénum et leur fonctionnalité; l'examen peut être étendu à la région du grêle, bien que cette région fase habituellement l'objet d'un examen à part (voir Transit du grêle).

Au passage, le baryum permet de mettre en évidence la présence d'ulcérations, d'inflammation, de tumeurs de la paroi et de déformations du tractus dues à une hernie. De plus, l'hypertrophie ou le déplacement d'organes de la région (foie) provoquent des déformations ou des déplacements de la masse de l'estomac, ce qui est visible à cet examen.

EXAMEN À DOUBLE CONTRASTE

Pour l'examen à double contraste, on demande au patient d'ingurgiter des granules d'un produit effervescent qui crée des poches d'air dans l'estomac, augmentant ainsi le contraste en vue de l'examen détaillé de la paroi. Un agent limitant la motilité intestinale (glucagon, anticholinergique) est parfois utilisé, en injection i–v.

EXAMEN À L'AGENT DE CONTRASTE HYDROSOLUBLE

Le sulfate de baryum étant contre–indiqué chez certains sujets, on peut utiliser plutôt un agent hydrosoluble iodé. On utilise celui–ci, de toute façon, lorsqu'une rupture ou une fuite est soupçonnée.

INDICATIONS

Douleurs œsophagiennes et gastriques, problèmes de motilité œsophagienne ou gastrique, signes d'obstruction intestinale, de saignement (hématémèse, méléna), dépistage des ulcères et des tumeurs de la région gastro–duodénale.

ENSEIGNEMENT AU PATIENT

Expliquer au patient la pertinence de cet examen et son déroulement. Il devra se conformer à un série de mesures préparatoires ; les lui expliquer et le rassurer quant à l'innocuité de l'ensemble de l'examen, malgré qu'il s'agit d'un examen relativement élaboré pour le patient.

PROTOCOLE

La patient sera à jeun depuis 12 heures. Suivre les indications de l'établissement et du radiologiste pour la préparation du patient. L'examen est effectué au service de radiologie par une équipe spécialisée selon le protocole du service.

Réticulocytes – Numération

VALEURS DE RÉFÉRENCE

En nombre absolu : 20–80 x 10^9/l

En pourcentage du nombre total de globules rouges : 0,5 à 2%

RÉSULTATS ANORMAUX

⇑ Anémies hémolytiques de toutes origines
Hémorragies

⇓ Anémies non hémolytiques non traitées
Déficiences de la moelle osseuse, dysplasies médullaires
Radiations
Dysfonction hypophysaire ou surrénalienne
Leucémies

FACTEURS AFFECTANT LES RÉSULTATS

⇑ Nouveau-nés, enfants, grossesse, effet du traitement d'une anémie

⇓ Transfusion sanguine, présence de corps de Jolly

*L*es réticulocytes sont des globules rouges n'ayant pas atteint leur pleine maturité. Leur nom vient du fait qu'à la coloration sur lame on observe dans leur cytoplasme un fin réseau (réticulum) de matériel qui se colore en bleu violacé. Très tôt après leur sortie de la moelle osseuse (24 h) d'où ils originent, ils perdent leur réticulum et deviennent des globules rouges banals.

Dans le sang circulant ils ne constituent normalement que moins de deux pour cent des globules rouges mais leur numération est intéressante car leur présence plus ou moins abondante témoigne du degré d'activité érythropoïétique de la moelle osseuse. Une moelle osseuse active génère momentanément un plus grand nombre de réticulocytes circulants qu'une moelle osseuse au repos relatif ou en état de déficience.

INTÉRÊT CLINIQUE

La numération des réticulocytes est un élément de la formule sanguine complète (voir cette rubrique) dans la plupart des laboratoires. Plus spécifiquement, elle constitue une indication du degré de fonctionnement de la moelle osseuse. Une abondance de réticulocytes témoigne d'une forte activité de la moelle osseuse et inversement, d'où leur intérêt dans le diagnostic et le suivi des anémies et des dysfonctions de la moelle osseuse.

ENSEIGNEMENT AU PATIENT ET PROTOCOLE

Voir Formule sanguine complète

Rubéole – Sérologie

RÉSULTATS POSSIBLES

IgG positif: personne immunisée de longue date ou infection pWs récente

IgG négatif: aucune immunité (dépistage); cependant, dans les premières semaines d'une rubéole active, les IgG ne sont pas encore présents

IgM positif: maladie aiguë ou infection récente

IgM négatif: aucune infection en cours

FACTEURS AFFECTANT LES RÉSULTATS

Aucun

*L*a rubéole est une maladie contagieuse due au *Rubivirus* (virus de la rubéole). C'est une maladie anodine, immunisante, qui se traduit par des adénites cervicales et un exanthème généralisé, semblable à celui de la rougeole.

Chez la femme enceinte, cependant, une rubéole active, qu'elle soit asymptomatique ou qu'elle présente des signes cliniques manifestes, est dangereuse pour le fœtus (à divers degrés, allant de signes légers jusqu'à des malformations et à la mort fœtale), d'où l'intérêt de déterminer le statut immunologique de la femme en âge de procréer ou de la femme enceinte.

Le diagnostic sérologique de la rubéole consiste à rechercher les anticorps spécifiques (IgM et IgG) dirigés contre le virus, à l'aide de méthodes telles l'inhibition de l'agglutination, l'ELISA et les tests d'agglutination au latex

- Les IgM apparaissent tôt après l'infection et demeurent dans le sérum quelque temps après la maladie.
- Les IgG se développent un peu plus tard et demeurent dans le sérum indéfiniment, signant l'immunité de la personne.

INTÉRÊT CLINIQUE

Détermination du statut immunitaire des femmes en âge de procréer, des femmes enceintes (voir Torch test), du personnel à risque (milieu hospitalier et autre), en vue d'une vaccination possible; diagnostic de la rubéole congénitale chez le nouveau-né.

ENSEIGNEMENT AU PATIENT

Expliquer, si nécessaire, la pertinence de ce test sérologique, et qu'il consiste à mettre en évidence la présence d'anticorps anti–rubéole dans le sérum. Le test se fait par prélèvement intraveineux, sans jeûne préalable.

PROTOCOLE

Prélever du sang veineux dans un tube de 5 ou 7 ml à bouchon rouge.

Sang occulte dans les selles

RÉSULTAT NORMAL
Négatif

RÉSULTATS POSITIFS
Cancer, polypes, ulcères, varices, maladie inflammatoire du tube digestif (œsophagite, gastrite, entérite), hémorroïdes, traumatisme ou chirurgie récente

FAUX POSITIFS
Viandes rouges ou aliments à base de sang dans les trois jours précédant le prélèvement, activité physique violente, chirurgie dentaire récente, médication; aussi: navet, raifort

De très faibles quantités de sang occulte (non visible à l'œil) sont fréquentes dans les selles: des volumes n'excédant pas 3 ml/24 h sont considérés normaux et ne constituent pas un test positif. Cependant, différentes lésions de la paroi interne de l'intestin libèrent, sous l'effet abrasif du contenu intestinal, des quantités de sang qui, bien qu'occultes, sont mesurables chimiquement.

INTÉRÊT CLINIQUE
Recherche de lésions de la paroi intestinale, principalement de tumeurs. Certains sont d'avis que la recherche du sang occulte dans les selles devrait faire partie d'un examen général de routine chez les sujets au-delà de 50 ans.

ENSEIGNEMENT AU PATIENT
Expliquer, selon le cas, l'objectif poursuivi par la présente démarche. Le patient devra fournir un spécimen de matières fécales ou effectuer un prélèvement de ses selles sur un papier conçu à cet effet, qu'on lui procure en expliquant la marche à suivre. Il est de première importance que le sujet se prive de viandes rouges ou d'aliments contenant du sang pour les trois jours précédant le prélèvement afin d'éviter un faux positif.

PROTOCOLE
Arranger la collecte de l'échantillon avec le patient, à qui l'on remettra un carton de prélèvement ou, s'il y a lieu, procéder au prélèvement par toucher rectal; dans ce dernier cas, voir à éviter tout saignement dû à la manœuvre.

Expédier le spécimen au laboratoire ou effectuer le test sur place selon la technique en usage.

Un virage au bleu en dedans de 5 minutes constitue une réaction positive, et d'autant plus que le bleu est foncé, et d'autant plus que la réaction est rapide. Si la réaction est positive, vérifier auprès du patien s'il a bien respecté la consigne concernant l'interdiction de viande rouge.

Scinticisternographie

RÉSULTATS NORMAUX

Circulation normale, non obstruée, du liquide céphalo-rachidien et réabsorption normale

RÉSULTATS PATHOLOGIQUES POSSIBLES

Hydrocéphalie, diagnostic et localisation de la cause d'une rhinorrhée, d'une otorrhée.

*C*et examen scintigraphique de la dynamique du liquide céphalo-rachidien permet de vérifier le bon écoulement du liquide, de sa production à sa réabsorption, puis de découvrir les zones éventuelles de blocage ou d'obstruction à l'écoulement. Certains défauts de structure et certaines pathologies apparaîtront aussi à l'examen. Le test se fait le plus souvent par injection de DTPA couplé à de l'indium 111 dans le compartiment céphalo-rachidien, par voie de ponction lombaire.

INTÉRÊT CLINIQUE

Hydrocéphalies et autres blocages du LCR, rhinorrhées, otorrhées.

CONTRE-INDICATIONS

Femme enceinte ou allaitant ; allergie au produit radiopharmacologique ; infection au site de la ponction ; pression intracrânienne élevée ; arthrite dégénérative des articulations de la colonne

ENSEIGNEMENT AU PATIENT

Expliquer dans ses mots au patient le principe de cet examen et lui indiquer quelles en seront les étapes et la durée. L'examen est tout à fait sécuritaire et sans douleur. Le rassurer quant à l'innocuité de cet examen : il ne sera soumis qu'à de faibles doses de radiations. De plus, la substance radioactive est éliminée de l'organisme assez rapidement (la plus grande partie après quelques heures). Le patient n'aura pas à se priver de nourriture avant l'examen. Expliquer la technique de la ponction lombaire.

PROTOCOLE

Cet examen est administré par le personnel technique du service de médecine nucléaire et interprété par un médecin spécialiste de la médecine nucléaire.

La substance radiopharmacologique est injectée par voie de ponction lombaire, après quoi l'on demande au sujet de demeurer couché bien droit pour quelques heures. Des séances de scintigraphie sont prévues après 2 à 6 heures, puis après 24, 48 et parfois 72 heures. Chaque séance durera une heure.

SOINS ET SURVEILLANCE APRÈS L'EXAMEN

Le patient doit rester alité au moins une heure après la ponction lombaire. Encourager l'ingestion de liquides (eau, café) pour contrer une céphalée possible. Observer le site de la ponction. Surveiller tout signe de méningite, de complication neurologique, particulièrement aux membres inférieurs.

COMPLICATIONS POSSIBLES

Paralysie, méningite

Scintigramme au MIBG

RÉSULTATS NORMAUX

Aucune tumeur ou site d'hypersécrétion de catécholamines

RÉSULTAT PATHOLOGIQUE POSSIBLE

Zone de fixation, et localisation

La scintigraphie au métaiodobenzylguanidine (MIBG) marquée à l'iode 131 ou 123 permet de détecter des petites tumeurs productrices de catécholamines (épinéphrine et norépinéphrine). Ces tumeurs peuvent être bénignes ou malignes et elles ne sont pas tant nuisibles par leur présence comme telle que par le fait qu'elles sécrètent des catécholamines, à effets multiples, et notamment hypertenseur

Ces tumeurs se présentent dans la masse tissulaire de la médullosurrénale, dans les chaînes des ganglions sympathiques ou ailleurs, la plupart du temps dans la région abdominale. On les appelle paragangliomes et, dans le cas spécifique des surrénales, des phéochromocytomes. Comme le meilleur traitement du phéochromocytome est souvent la chirurgie, il est essentiel, avant toute intervention, de localiser les lésions avec précision.

INTÉRÊT CLINIQUE

Confirmation de l'existence de ces tumeurs et leur localisation en vue de la chirurgie (un cas d'hypertension artérielle sur 100 est dû à ces tumeurs).

CONTRE-INDICATIONS (RELATIVES)

Femme enceinte ou allaitant ; personne allergique au MIBG

ENSEIGNEMENT AU PATIENT

Expliquer dans ses mots au patient le principe de cet examen et lui indiquer quelles en seront les étapes et la durée. L'examen est tout à fait sécuritaire et sans douleur. Le rassurer quant à l'innocuité de cet examen. il ne sera soumis qu'à de faibles doses de radiations. De plus, la substance radioactive est éliminée de l'organisme assez rapidement (la plus grande partie après quelques heures). Le patient n'aura pas à se priver de nourriture avant l'examen.

PROTOCOLE

Cet examen est administré par le personnel technique du service de médecine nucléaire.

On injectera une dose de MIBG par voie intraveineuse 24 heures avant la scintigraphie. L'examen en scintigraphie comme tel prend deux heures et il peut être répété sur 48 ou 72 heures.

Scintigraphie à l'octréotide

RÉSULTATS NORMAUX

Aucune zone de radioactivité anormale

RÉSULTATS ANORMAUX POSSIBLES

Zones détectées et localisation; interprétation possible: tumeur neuro-endocrinienne, sarcoïdose, etc.

Un grand nombre de tumeurs dites neuro-endocriniennes, primaires ou métastatiques, ont à la surface de leurs cellules des récepteurs de la somatostatine. Or l'octréotide est un analogue de la somatostatine. Lorsque couplé à de l'indium 111, l'octréotide pourra être injecté par voie intraveineuse et il ira se fixer à la membrane des cellules de ces tumeurs et permettra de les dépister et de les localiser. Ces tumeurs sont nombreuses: mentionnons les carcinoïdes, les gastrinomes, les insulinomes, les glucagonomes et les phéochromocytomes. D'autres structures captent aussi l'octréotide: granulomes tuberculoïdes, lymphomes, etc.

INTÉRÊT CLINIQUE

Dépistage, confirmation, localisation, suivi, de tumeurs neuro-endocriniennes

CONTRE-INDICATIONS (RELATIVES)

Femmes enceintes ou allaitant, personne allergique à la substance radiopharmacologique

ENSEIGNEMENT AU PATIENT

Expliquer dans ses mots au patient le principe de cet examen et lui indiquer quelles en seront les étapes et la durée. L'examen est tout à fait sécuritaire et sans douleur. Le rassurer quant à l'innocuité de cet examen: il ne sera soumis qu'à de faibles doses de radiations. De plus, la substance radioactive est éliminée de l'organisme assez rapidement (la plus grande partie après quelques heures). Le patient n'aura pas à se priver de nourriture avant l'examen.

PROTOCOLE

Cet examen est administré par le personnel technique du service de médecine nucléaire et est interprété par un médecin spécialiste en médecine nucléaire.

Une heure après l'injection intraveineuse de la substance radiopharmacologique, on procède à des scintigraphies dans plusieurs positions et sur tout le corps. La scintigraphie comme telle prend 30 à 90 minutes.

Scintigraphie au gallium

- Tumeurs solides : poumons, testicules, mésothéliome, os, cartilage
- Lymphomes, Hodgkin, leucémie, mélanomes, hépatome, sarcomes, neuro-blastome
- Abcès, tuberculose
- Infection chronique, sarcoïdose
- Processus inflammatoires non infectieux
- Fibrose interstitielle pulmonaire

*L*e gallium 67 (^{67}Ga) en sel de citrate a la propriété, mal comprise, de se fixer aux zones d'infection, d'inflammation, d'abcès et à certaines formes de tumeurs. Parmi les tumeurs, les lymphomes sont particulièrement avides de ^{67}Ga, mais aussi les sarcomes, les tumeurs osseuses, les hépatomes, les cancers du tube digestif, du rein, de l'utérus et du testicule.

La scintigraphie au gallium constitue donc un examen à portée générale, auquel on soumet d'ailleurs tout le corps par clichés successifs.

Le gallium prend plusieurs heures à s'imprégner dans les tissus et on l'injecte donc 24 à 48 heures avant l'examen ; par ailleurs, il y demeure et y déploie son rayonnement gamma selon sa durée de vie, n'étant pas excrété rapidement.

INTÉRÊT CLINIQUE
Recherche ou localisation de zones inflammatoires, infectieuses ou tumorales dans tout le corps

CONTRE-INDICATIONS (RELATIVES)
Grossesse, allaitement, allergie à la substance radiopharmacologique

ENSEIGNEMENT AU PATIENT
Expliquer dans ses mots au patient le principe de cet examen et lui indiquer quelles en seront les étapes et la durée. L'examen est tout à fait sécuritaire et sans douleur. Le rassurer quant à l'innocuité de cet examen : il ne sera soumis qu'à des doses acceptables de radiations. Le patient n'aura pas à se priver de nourriture avant l'examen.

PROTOCOLE
L'examen aura lieu au service de médecine nucléaire et le patient sera pris en charge par le personnel de ce service.

On procédera d'abord à une injection intraveineuse de citrate de gallium marqué, 24 (à 48) heures avant l'examen. Lors de la séance de scintigraphie, qui peut prendre moins d'une heure, on prendra quelques clichés de tout le corps. Le patient pourrait avoir à revenir le lendemain et parfois le surlendemain pour d'autres clichés.

Scintigraphie aux globules blancs radiomarqués

RÉSULTATS PATHOLOGIQUES POSSIBLES

Zones d'infection ou d'inflammation localisées : ostéomyélite, abcès, entérite, etc.

FACTEURS AFFECTANT LES RÉSULTATS

Faux négatifs : antibiothérapie, stéroïdothérapie, hémodialyse, hyperglycémie

Faux positifs : régurgitation de sécrétions respiratoires purulentes, hémorragie digestive

*C*et examen permet de déterminer ou de confirmer l'emplacement précis d'un processus infectieux ou inflammatoire appréhendé. La méthode consiste à prélever du sang du patient, à en extraire la fraction leucocytaire puis à marquer radioactivement les leucocytes ; on utilise à cet effet de l'indium 111 ou du technécium 99m. On réinjecte les globules blancs marqués et après un temps d'attente (4 à 24 heures avec le technécium, 24 à 48 heures avec l'indium) on procède à la scintigraphie.

Comme on sait, les globules blancs sont attirés sur les sites d'une infection ou d'un processus inflammatoire par le processus biologique de chémotaxie. On verra donc, sur le scintigramme, des zones actives aux endroits affectés.

INTÉRÊT CLINIQUE

Cette méthode est à la fois sensible et spécifique dans 90 % des cas d'inflammation aiguë ou d'infection ponctuelle (abcès par exemple), qu'elle permet de dépister ou de confirmer : ostéomyélite, abcès internes, complication de chirurgie, inflammation cachée, etc. Elle permet aussi de vérifier la stérilité d'une plaie chirurgicale interne ou de prothèses installées chirurgicalement.

ENSEIGNEMENT AU PATIENT

Expliquer dans ses mots au patient le principe de cet examen et lui indiquer quelles en seront les étapes et la durée. L'examen est tout à fait sécuritaire et sans douleur. Le rassurer quant à l'innocuité de cet examen : il ne sera soumis qu'à de faibles doses de radiations. De plus, la substance radioactive est éliminée de l'organisme assez rapidement (la plus grande partie après quelques heures). Le patient n'aura pas à se priver de nourriture avant l'examen.

PROTOCOLE

Cet examen est sous la responsabilité du personnel technique du laboratoire de médecine nucléaire.

Du sang veineux (60 ml) sera prélevé puis transporté au laboratoire pour extraction de la fraction leucocytaire et marquage radioactif des globules blancs. Il faut prévoir deux heures pour cette opération. La préparation sera injectée au patient sans autre forme de préparation puis celui-ci sera amené au département de médecine nucléaire ou de radiologie pour scintigraphie.

Scintigraphie cardiaque séquentielle synchronisée

RÉSULTATS NORMAUX
Fonction cardiaque normale

RÉSULTATS PATHOLOGIQUES POSSIBLES
Description des anomalies fonctionnelles et quantification des niveaux d'insuffisance

Cet examen scintigraphique permet une étude fonctionnelle et quantitative du cycle cardiaque. Cet examen, plutôt que de s'intéresser aux dommages myocardiques comme le font la scintigraphie de débit myocardique (voir ce test) ou la scintigraphie au pyrophosphate (voir ce test), s'intéresse à ce qui se passe dans les compartiments cardiaques où passe le sang pompé.

En un premier temps on injecte des globules rouges du patient marqués au technétium 99m. Tout de suite après, commence une série de clichés et de mesures synchronisés avec l'ECG, le tout contrôlé et calculé par ordinateur.

Les renseignements ainsi recueillis permettent essentiellement de déterminer la fraction d'éjection du ventricule gauche et d'évaluer la contraction des divers segments des ventricules.

Cette épreuve peut être effectuée au repos ou après effort, réel ou simulé.

INTÉRÊT CLINIQUE
Étude de la fonction ventriculaire gauche; détection d'anévrismes ventriculaires et d'anomalies fonctionnelles de la paroi ventriculaire gauche (zones d'akynésie ou d'hypokynésie).

CONTRE-INDICATIONS (RELATIVES)
Femmes enceintes ou allaitant

ENSEIGNEMENT AU PATIENT
Expliquer dans ses mots au patient le principe de cet examen et lui indiquer quelles en seront les étapes et la durée. L'examen est tout à fait sécuritaire et sans douleur. Le rassurer quant à l'innocuité de cet examen : il ne sera soumis qu'à de faibles doses de radiations. De plus, la substance radioactive est éliminée de l'organisme assez rapidement (la plus grande partie après quelques heures). Le patient n'aura pas à se priver de nourriture avant l'examen.

S'il y a test avec effort, un cathéter lui sera installé dans une veine périphérique. Des électrodes d'ECG seront fixées en plusieurs endroits de sa peau durant la plus grande partie de l'examen et sa pression, son pouls et son rythme cardiaque seront sous constante surveillance.

PROTOCOLE
Cet examen est administré par le personnel technique du service de médecine nucléaire et interprété par un médecin spécialiste en médecine nucléaire. La durée de l'épreuve est d'environ une heure.

Scintigraphie de débit myocardique

RÉSULTATS NORMAUX

Pas de zones d'ischémie ou de nécrose. ECG normal (si effort). Diagnostic de maladie artérielle coronarienne significative peu probable.

RÉSULTATS PATHOLOGIQUES POSSIBLES

Zones d'ischémie ou de nécrose (infarctus récents ou anciens). Diagnostic de maladie artérielle coronarienne évoqué ou confirmé.

*C*ette épreuve scintigraphique sert à examiner le myocarde, au repos, à l'exercice physique ou lors d'une stimulation pharmacologique de la circulation coronarienne en vue d'y déceler des zones d'ischémie (zones à circulation sanguine réduite ou absente) ou des zones infarcies (nécrosées suite à un infarctus), reflétant l'état de santé artérielle coronarienne de la personne.

La base de cette épreuve consiste à injecter par voie intraveineuse une substance radiopharmacologique ayant la propriété de se fixer de façon appréciable dans le myocarde et, par scintigraphie, en localiser les zones de fixation anormale. Pour fin d'examen du débit myocardique, on emploie couramment trois de ces marqueurs, qui ont chacun leurs propriétés et leurs avantages :

Le thallium 201

C'est un radioisotope qui, de façon analogue au potassium, a tendance à s'accumuler dans un myocarde sain, fonctionnel et bien irrigué par le sang ; il n'est que peu présent dans les zones ischémiques ou infarcies. À la scintigraphie, les régions saines émettront une radiation normale (zones chaudes) et les régions ischémiques ou infarcies n'émettront pas ou peu de radiations (zones froides).

Le technétium 99m-Sestamibi

Ce radiomarqueur a le même comportement que le thallium (zones froides : pathologiques, zones chaudes : normales) mais a l'avantage important du technétium 99m dont les propriétés physiques sont meilleures que celles du thallium 201.

Le technétium 99m-tétrofosmine

Propriétés très semblables à celles du technétium 99m sestamibi.

Examen au repos

Pour un examen au repos, on injecte un de ces marqueurs et l'appareil scintigraphique nous renseigne sur l'état du myocarde, indiquant les zones franchement ischémiques et les zones nécrosées suite à un infarctus.

Cependant, l'examen au repos ne dit pas tout de l'état de santé du myocarde ; en effet, des régions mal irriguées peuvent apparaître normales au repos mais manifester leur mauvais état d'irrigation sanguine à l'effort, lorsqu'elles sont sollicitées de façon aiguë, comme il peut arriver dans la vie courante. Pour ce faire, on place le patient dans une situation d'effort physique réel ou, si la chose est peu pratique pour toutes sortes de raisons, on simule les effets coronariens de l'effort physique à l'aide de substances telles le dipyridamole (Persantin), l'adénosine et la dobutamine, qui placent le système cardiovasculaire dans un état de fonctionnement semblable à celui de l'effort physique réel :

Examen à l'effort physique

On injecte la substance radiopharmacologique alors que le sujet, marchant sur tapis roulant, déploie un niveau d'effort cardiovasculaire appréciable, élevant son rythme cardiaque à son quasi maximum. Cet examen scintigraphique est couplé à un monitoring ECG pour une évaluation plus complète et une surveillance du patient.

Examen sous adénosine

L'adénosine agit sur des récepteurs situés au niveau des artères coronaires en causant une vasodilatation, comme le ferait l'effort physique. L'adénosine est un puissant vasodilatateur coronaire.

Examen sous dipyridamole (Persantin)

Le dipyridamole augmente la concentration de l'adénosine (voir ci-haut)

Examen sous dobutamine

Dans ce cas, on reproduit plus directement un effort cardiaque : ce produit augmente la fréquence et la force des contractions du muscle cardiaque.

INTÉRÊT CLINIQUE

Recherche et localisation de zones d'ischémie ou d'infarctus dans le myocarde ; diagnostic de la maladie artérielle coronarienne ; suivi de coronaroplasties, de pontages coronariens, de greffes cardiaques

CONTRE-INDICATIONS

Femmes enceintes ou allaitant ; l'examen à l'effort (physique ou pharmaco-induit) peut être contre-indiqué chez certains malades (angor instable) ; adénosine et dipyridamol peuvent être contre-indiqués chez les sujets asthmatiques ou allergiques à ces médicaments.

ENSEIGNEMENT AU PATIENT

Expliquer dans ses mots au patient le principe de cet examen et lui indiquer quelles en seront les étapes et la durée. L'examen est tout à fait sécuritaire et sans douleur. Le rassurer quant à l'innocuité de cet examen : il ne sera soumis qu'à de faibles doses de radiations. De plus, la substance radioactive est éliminée de l'organisme assez rapidement (la plus grande partie après quelques heures). Le patient n'aura pas à se priver de nourriture avant l'examen.

Un cathéter lui sera installé dans une veine périphérique. Des électrodes d'ECG seront fixées en plusieurs endroits de sa peau durant la plus grande partie de l'examen et sa pression, son pouls et son rythme cardiaque seront sous constante surveillance.

Le patient doit se plier à certaines restrictions alimentaires et médicamenteuses dans les heures précédant le test – voir au dossier. S'il doit passer le test sous persantin, ou adénosine, il doit se priver formellement de boissons contenant de la caféine ou d'autres substances apparentées (aminophylline, théophylline, etc.).

PROTOCOLE

Cet examen est administré par le personnel technique du service de médecine nucléaire et interprété par un médecin spécialiste en médecine nucléaire.

Scintigraphie de flot sanguin cérébral

RÉSULTATS NORMAUX
Distribution normale du flot sanguin cérébral

RÉSULTATS PATHOLOGIQUES POSSIBLES
• Localisation d'un foyer épileptogène
• Distribution du flot sanguin cérébral suggérant une démence
• Absence de flot sanguin cérébral (mort cérébrale)

*C*et examen permet de détecter des anomalies de la circulation sanguine de toutes origines.

INTÉRÊT CLINIQUE
1) localisation de foyers épileptogènes chez des patients pour qui l'on envisage un traitement chirurgical de l'épilepsie; 2) investigation d'appoint dans l'évaluation d'une démence; 3) détermination de la mort cérébrale

CONTRE-INDICATIONS (RELATIVES)
Femmes enceintes ou allaitant; allergie au produit radiopharmacologique

ENSEIGNEMENT AU PATIENT
Expliquer dans ses mots au patient le principe de cet examen et lui indiquer quelles en seront les étapes et la durée. L'examen est tout à fait sécuritaire et sans douleur. Le rassurer quant à l'innocuité de cet examen : il ne sera soumis qu'à de faibles doses de radiations. De plus, la substance radioactive est éliminée de l'organisme assez rapidement (la plus grande partie après quelques heures). Le patient n'aura pas à se priver de nourriture avant l'examen.

PROTOCOLE
Cet examen est administré par le personnel technique du service de médecine nucléaire et interprété par un médecin spécialiste en médecine nucléaire.

Après injection du produit marqué, des clichés scinti-tomographiques sont pris; la durée de l'examen est d'environ 2 heures.

Scintigraphie de vidange gastrique

RÉSULTATS NORMAUX
Temps de demi-vidange normal : < 60 min

RÉSULTATS PATHOLOGIQUES POSSIBLES
Vidange ralentie
Hypomotilité de la paroi gastrique (diabète, etc.)
Vidange accélérée
Hypermobilité gastrique («dumping»)

et examen sert à étudier la mécanique de la vidange gastrique.

Cette vidange est une opération complexe sur laquelle influent plusieurs facteurs : la nature chimique des aliments (glucides, lipides, protides), leur consistance (liquide, solide ou semi-solide), leur température, ainsi que l'action d'hormones telles la gastrine et la cholécystokinine ; le brassage des aliments dans l'estomac même et leur progression vers l'intestin sont l'effet de la contraction des muscles lisses de la paroi de l'estomac (péristaltisme).

L'examen scintigraphique est effectué après ingestion d'aliments. Le sujet se présente l'estomac vide (jeûne de 8 heures) et on lui fait ingérer une préparation contenant le traceur radioactif marqué à l'indium 111 ou au technétium 99m.

En plus de l'examen visuel de la vidange, on effectue le calcul du temps de demi-clairance.

INTÉRÊT CLINIQUE
Nausées, vomissements, diarrhées, crampes abdominales, inexpliqués

CONTRE-INDICATIONS (RELATIVES)
Femmes enceintes ou allaitant

ENSEIGNEMENT AU PATIENT
Expliquer dans ses mots au patient le principe de cet examen et lui indiquer quelles en seront les étapes et la durée. L'examen est tout à fait sécuritaire et sans douleur. Le rassurer quant à l'innocuité de cet examen : il ne sera soumis qu'à de faibles doses de radiations. De plus, la substance radioactive est éliminée de l'organisme assez rapidement (la plus grande partie après quelques heures). Le patient n'aura pas à se priver de nourriture avant l'examen.

PROTOCOLE
Cet examen est administré par le personnel technique du service de médecine nucléaire et interprété par un médecin spécialiste en médecine nucléaire.

On procure au patient à jeun une préparation liquide ou solide, ou les deux simultanément. L'examen se fait en temps réel et commence dès le début de l'ingestion de la préparation ; sa durée peut être de une à deux heures selon le cas.

Scintigraphie de reflux vésico-urétéral

RÉSULTATS NORMAUX
Pas de reflux

RÉSULTATS PATHOLOGIQUES POSSIBLES
Reflux vésico-urétéral unilatéral ou bilatéral, rejoignant ou non les cavités intra-rénales (bassinet, calices)

*C*et examen permet de mettre en évidence un reflux de l'urine de la vessie vers les uretères qui se présente surtout chez les enfants, à cause d'une anomalie congénitale du système urinaire ou suite à une infection.

Le test consiste à injecter dans la vessie par cathétérisme une solution radioactive (DTPA au technétium 99m), puis de remplir la vessie de solution physiologique. Le reflux urétéral, quand il se produit, apparaît plus ou moins précocément.

INTÉRÊT CLINIQUE
Confirmer un reflux vésico-urétéral

CONTRE-INDICATIONS
Allergie à la substance radiopharmacologique; contre-indications à un cathétérisme vésical

ENSEIGNEMENT AU PATIENT
Expliquer dans ses mots au patient le principe de cet examen et lui indiquer quelles en seront les étapes et la durée. L'examen est tout à fait sécuritaire et sans douleur. Le rassurer quant à l'innocuité de cet examen : il ne sera soumis qu'à de faibles doses de radiations. De plus, la substance radioactive est presque totalement éliminée de l'organisme après la première miction. Le patient n'aura pas à se priver de nourriture avant l'examen.

PROTOCOLE
Cet examen est administré par le personnel technique du service de médecine nucléaire et interprété par un médecin spécialiste en médecine nucléaire.

S'il s'agit d'un enfant, il est recommandé qu'un parent soit présent dans la salle au moment de l'examen.

Le sujet est placé en position couchée, sur le dos. On insère un cathéter dans l'urètre jusqu'à la vessie et on injecte la substance radioactive mêlée à la solution physiologique jusqu'à ce que le sujet ressente l'envie d'uriner. Au même moment, on surveille à l'écran de l'appareil scintigraphique le mouvement du liquide afin de détecter tout reflux vers les uretères.

Scintigraphie du ganglion sentinelle

*C*et examen est utilisé pour déterminer la localisation de ganglions lympha-tiques drainant en première ligne un site tumoral (par exemple un cancer du sein), que l'on peut appeler ganglions sentinelles à cause de leur position tout près de la tumeur. Cela permet de guider le chirurgien vers ces ganglions et d'en prélever des fragments pour biopsie.

Si l'analyse rapide de ces ganglions en pathologie ne révèle pas de cellules cancé-reuses, cela indique que le système lymphatique n'a pas été envahi et qu'il n'est pas nécessaire d'étendre l'opération aux ganglions régionaux.

L'étude débute par l'injection à proximité de la tumeur d'un colloïde radiomarqué au technétium 99m. Cet agent passera dans le réseau lymphatique de la région. Des scintigraphies y seront réalisées de quelques minutes à quelques heures après l'injection. De plus, le chirurgien repérera le(s) ganglion(s) sentinelle(s) durant l'opération à l'aide d'une sonde sensible à la radioactivité.

INTÉRÊT CLINIQUE

En limitant l'intervention à une biopsie ganglionnaire dans les cas où les ganglions sentinelles sont exempts de cellules cancéreuses, on réduit la durée de l'opération et on évite les complications associées à une exérèse ganglionnaire (l'œdème).

CONTRE-INDICATIONS (RELATIVES)

Grossesse, allaitement, allergie à la préparation radiopharmacologique

ENSEIGNEMENT AU PATIENT

Expliquer dans ses mots au patient le principe de cet examen et lui indiquer quelles en seront les étapes et la durée. L'examen est tout à fait sécuritaire et sans douleur. Le rassurer quant à l'innocuité de cet examen : il ne sera soumis qu'à de faibles doses de radiations. De plus, la substance radioactive est éliminée de l'orga-nisme assez rapidement (la plus grande partie après quelques heures). Le patient n'aura pas à se priver de nourriture avant l'examen. Selon le site de la tumeur à évaluer, l'injection dans son voisinage peut parfois être inconfortable.

PROTOCOLE

L'examen a lieu au service de médecine nucléaire et est effectué par un médecin spécialiste en médecine nucléaire. Les scintigraphies se font quelques minutes après l'injection du colloïde radiomarqué. Il peut arriver que l'on ait à reprendre ces scintigraphies quelques heures plus tard dans les cas où l'agent radioactif ne migre que lentement.

Scintigraphie des parathyroïdes

RÉSULTATS NORMAUX

Pas de zones anormales

RÉSULTATS PATHOLOGIQUES POSSIBLES

Zones anormales de radioactivité correspondant à des adénomes, bénins ou malins (sans qu'il ne soit possible de spécifier)

*C*et examen permet de localiser des adénomes parathyroïdiens responsables d'une hypersécrétion de parathormone chez une personne souffrant d'hyperparathyroïdie primaire. Plusieurs techniques différentes peuvent être utilisées mais toutes provoquent l'accumulation anormalement élevée d'une substance radiopharmacologique due à la présence de l'adénome.

INTÉRÊT CLINIQUE

Confirmation et localisation d'adénomes parathyroïdiens chez une personne suspectée d'hyperparathoïdie primaire

CONTRE-INDICATIONS (RELATIVES)

Femme enceinte ou allaitant ; allergie à la substance radiopharmacologique

ENSEIGNEMENT AU PATIENT

Expliquer dans ses mots au patient le principe de cet examen et lui indiquer quelles en seront les étapes et la durée. L'examen est tout à fait sécuritaire et sans douleur. Le rassurer quant à l'innocuité de cet examen : il ne sera soumis qu'à de faibles doses de radiations. De plus, la substance radioactive est éliminée de l'organisme assez rapidement (la plus grande partie après quelques heures). Le patient n'aura pas à se priver de nourriture avant l'examen.

PROTOCOLE

Cet examen est administré par le personnel technique du service de médecine nucléaire.

Les techniques varient mais l'examen dure en moyenne une heure ou deux.

Scintigraphie foie/rate

RÉSULTATS NORMAUX

Foie et rate de tailles et de formes normales, normalement placés dans l'abdomen, bénéficiant tous les deux d'une irrigation sanguine normale.

RÉSULTATS PATHOLOGIQUES POSSIBLES

Foie

Hépatite, cirrhose, traumatismes, hépatomes, sarcoïdoses, métastases, kystes, abcès, hémangiomes, adénomes, hépatomégalie, etc.

Rate

Rupture, infarctus, tumeurs, métastases, sarcoïdoses, kystes, abcès, leucémie, Hodgkin, splénomégalie

NB : Plusieurs de ces pathologies sont suggérées, seulement, par la scintigraphie, et doivent être confirmées par des biopsies ou d'autres examens.

*C*et examen scintigraphique du foie et de la rate s'effectue après injection d'une préparation colloïdale de sulfure de technétium 99m. Ce colloïde est presque exclusivement fixé, par phagocytose, par les cellules endothéliales du foie (à 90%) et de la rate (5–10%).

Chez un individu normal, l'absorption de l'agent radioactif (et donc la distribution de la radioactivité) est à peu près égale dans toute la masse du foie et, bien qu'à plus faible intensité, égale dans toute la masse de la rate.

Ce que détecte cet examen, ce sont des zones «froides», c'est à dire des zones qui, n'ayant pas fixé le colloïde radioactif, n'émettent pas de radiations. Ces zones froides correspondent à des pathologies dans le tissu hépatique normal ou dans le tissu splénique normal : tumeurs, zones cirrhotiques, inflammatoires, kystiques, zones d'hématome ou d'hémangiome, zones de rupture, d'infarctus, etc. Il faut noter cependant, et malheureusement, que seules les zones dont le diamètre dépasse 1 ou 2 cm peuvent être vues et localisées avec certitude, dans l'état actuel de la technique.

INTÉRÊT CLINIQUE

Dépistage de tumeurs, de métastases, de kystes, d'abcès, de ruptures, etc., du foie et de la rate; évaluation du volume et de l'hémodynamique du foie et de la rate; évaluation de maladies diffuses du foie (cirrhoses, etc.); suivi post–chirurgical.

CONTRE–INDICATIONS (RELATIVES)

Femmes enceintes, femmes allaitant, allergie au produit radiopharmaceutique

ENSEIGNEMENT AU PATIENT

Expliquer dans ses mots au patient le principe de cet examen et lui indiquer quelles en seront les étapes et la durée. L'examen est tout à fait sécuritaire et sans douleur. Le rassurer quant à l'innocuité de cet examen : il ne sera soumis qu'à de faibles doses de radiations. De plus, la substance radioactive est éliminée de l'organisme assez rapidement (la plus grande partie après quelques heures). Le patient n'aura pas à se priver de nourriture avant l'examen.

PROTOCOLE

Cet examen a lieu au service de médecine nucléaire et il est pris en charge par le personnel de ce service.

Quinze minutes après l'injection du radioisotope, on procédera à des scintigrammes dans différentes positions et à différents angles, l'ensemble des opérations devant durer environ une heure.

Scintigraphie gastro-intestinale (recherche de saignements)

RÉSULTATS NORMAUX
Pas de saignement

RÉSULTATS PATHOLOGIQUES
Hémorragie, et sa localisation

FACTEURS AFFECTANT LES RÉSULTATS
Résidus de baryum dans le tube digestif

La scintigraphie gastro-intestinale est la méthode la plus sensible pour déterminer l'origine d'un saignement gastro-intestinal, surtout en-dessous du niveau duodénal. Cette méthode est beaucoup plus sensible que l'approche radiologique traditionnelle (artériographie, repas baryté).

Le marqueur radioactif utilisé est le technétium 99m couplé aux propres globules rouges du patient et réinjecté.

Malgré sa grande sensibilité, cette méthode est plus ou moins précise dans sa localisation de l'hémorragie. Par ailleurs, les saignements à faible débit peuvent se manifester de façon capricieuse, surtout si le sujet est hémodynamiquement instable, nécessitant parfois plusieurs images scintigraphiques successives et allongeant d'autant le temps de décision lorsqu'une action s'impose.

INTÉRÊT CLINIQUE
Détection de saignements gastro-intestinaux ou abdominaux

CONTRE-INDICATIONS (RELATIVES)
Grossesse, allaitement, patients hémodynamiquement instables ; allergie à la substance radiopharmacologique

ENSEIGNEMENT AU PATIENT
Expliquer dans ses mots au patient le principe de cet examen et lui indiquer quelles en seront les étapes et la durée. L'examen est tout à fait sécuritaire et sans douleur. Le rassurer quant à l'innocuité de cet examen : il ne sera soumis qu'à de faibles doses de radiations. De plus, la substance radioactive est éliminée de l'organisme assez rapidement (la plus grande partie après quelques heures). Le patient n'aura pas à se priver de nourriture avant l'examen.

PROTOCOLE
Cet examen se fera au service de médecine nucléaire ou de radiologie, où le patient sera pris en charge par le personnel spécialisé. Une assistance ou une surveillance infirmière peut être indiquée.

Le matériel radioactif sera préparé sur place à partir (s'il y a lieu) des globules rouges du patient (prélèvement de 5 ml), et (ré)injecté. Puis, plusieurs images doivent être prises à intervalles de 5 minutes jusqu'à ce que l'origine du saignement soit trouvée. Normalement la durée de la scintigraphie ne dépasse pas une heure, sauf exception.

Scintigraphie hépatobiliaire

*L'*objectif de cet examen est de vérifier l'intégrité du tissu hépatique, de l'efficacité du transit de la bile dans les voies biliaires, de son emmagasinement dans la vésicule biliaire et de son expulsion au duodénum par le cholédoque.

On administre au sujet une substance pharmacologique particulièrement bien excrétée par le foie (par exemple, le technétium 99m DISIDA). Normalement, une partie importante de l'isotope radioactif aura été extrait par le foie et se sera trouvée dans la bile en-dedans de 30 minutes. Le défaut de ce transit ou son retard signe un disfonctionnement du système hépato-biliaire : blocage, inflammation des conduits biliaires ou de la vésicule.

INTÉRÊT CLINIQUE
Cholecystite aiguë, ictère, douleurs abdominales, suivi post-chirurgical

CONTRE-INDICATIONS (RELATIVES)
Grossesse, allaitement, allergie à la substance radiopharmacologique

ENSEIGNEMENT AU PATIENT
Expliquer dans ses mots au patient le principe de cet examen et lui indiquer quelles en seront les étapes et la durée. L'examen est tout à fait sécuritaire et sans douleur. Le rassurer quant à l'innocuité de cet examen : il ne sera soumis qu'à de faibles doses de radiations. De plus, la substance radioactive est éliminée de l'organisme assez rapidement (la plus grande partie après quelques heures). Le patient n'aura pas à se priver de nourriture avant l'examen.

PROTOCOLE
L'examen se déroule au service de médecine nucléaire et il est pris en charge par le personnel spécialisé de ce service.

On injectera la substance radiopharmacologique par voie intra-veineuse et aussitôt après commenceront les prises d'image jusqu'à ce que les résultats de la scintigraphie soient satisfaisants, ce qui prend normalement moins d'une heure, sauf en cas de maladie hépatique, auquel cas on peut attendre jusqu'à 2–4 heures avant d'obtenir des images satisfaisantes ou de constater la dysfonction biliaire.

Scintigraphie myocardique au pyrophosphate de technétium 99m

RÉSULTATS NORMAUX
Aucune zone de radiation anormale dans le myocarde

RÉSULTATS PATHOLOGIQUES POSSIBLES
Infarctus récent, sa localisation et son ampleur

FACTEURS AFFECTANT LES RÉSULTATS
Une accumulation du pyrophosphate peut se voir, sans rapport avec un infarctus, chez des sujets souffrant d'angine instable, de traumatisme de la paroi thoracique, ou ayant subi une cardioversion récente. Il s'accumulera aussi au niveau de calcifications valvulaires.

*L*e pyrophosphate de technétium 99m a la propriété de s'accumuler dans des zones de tissu infarci, entre autres au myocarde, pour des raisons mal expliquées. Cette fixation apparaît dans la zone infarcie après 24 à 48 heures et y demeure durant quelques jours, jusqu'à au-delà d'une semaine après l'infarctus.

Le pyrophosphate marqué au technétium radioactif formera une zone chaude (radioactive) à la scintigraphie, dont la spécificité dans le contexte clinique approprié est élevée.

INTÉRÊT CLINIQUE
Confirmation et localisation d'un infarctus récent

CONTRE-INDICATIONS
Femmes enceintes ou allaitant; allergie au produit radiopharmacologique

ENSEIGNEMENT AU PATIENT
Expliquer dans ses mots au patient le principe de cet examen et lui indiquer quelles en seront les étapes et la durée. L'examen est tout à fait sécuritaire et sans douleur. Le rassurer quant à l'innocuité de cet examen : il ne sera soumis qu'à de faibles doses de radiations. De plus, la substance radioactive est éliminée de l'organisme assez rapidement (la plus grande partie après quelques heures). Le patient n'aura pas à se priver de nourriture avant l'examen.

PROTOCOLE
Cet examen est administré par le personnel technique du service de médecine nucléaire et interprété par un médecin spécialiste en médecine nucléaire.

L'injection de pyrophosphate se fait par voie intraveineuse périphérique. Deux ou trois heures après l'injection, on procède à des clichés tomo-scintigraphiques sous plusieurs angles, le patient couché sur le dos ; l'examen dure environ 30 minutes.

Scintigraphie osseuse

RÉSULTATS PATHOLOGIQUES POSSIBLES
- Tumeur primaire de l'os ou métastases
- Fracture récente, mauvais traitements chez les enfants, blessures sportives
- Ostéomyélite
- Nécrose osseuse
- Arthrite dégénérative, arthrite rhumatoïde
- Maladie de Paget
- Infections osseuses

FAUX NÉGATIFS
Les myélomes multiples osseux et les métastases de cancer de la thyroïde peuvent ne pas se voir à cet examen.

La scintigraphie osseuse s'effectue en injectant d'abord une substance marquée radioactivement et qui a de l'affinité pour le tissu osseux; il peut s'agir par exemple d'un phosphate marqué au technétium 99m. Une partie importante de ce composé ira se fixer dans les os, et cela seulement aux régions osseuses irritées, nécrosées ou métaboliquement actives telles des tumeurs ou des fractures en voie de réparation. Ces régions «chaudes» émettront des rayons gamma qui seront détectés puis cartographiés, formant des images des régions étudiées.

INTÉRÊT CLINIQUE
Cette technique d'imagerie médicale est extrêmement sensible et permet de déceler des anomalies osseuses bien longtemps avant que celles-ci ne soient visibles à la radiologie: métastases osseuses, arthrite, ostéomyélite, fractures récentes même minuscules, maladie de Paget, etc.

CONTRE-INDICATIONS
Grossesse, allaitement

ENSEIGNEMENT AU PATIENT
Expliquer dans ses mots au patient le principe de cet examen et lui indiquer quelles en seront les étapes et la durée. L'examen est tout à fait sécuritaire et sans douleur. Le rassurer quant à l'innocuité de cet examen: il ne sera soumis qu'à de faibles doses de radiations. De plus, la substance radioactive est éliminée de l'organisme assez rapidement (la plus grande partie après quelques heures). Le patient n'aura pas à se priver de nourriture avant l'examen.

PROTOCOLE
Cet examen est administré par le personnel technique du service de médecine nucléaire ou de radiologie et les images sont analysées par un médecin spécialiste de la médecine nucléaire.

Prévoir une légère sédation s'il y a crainte d'agitation du patient, celui-ci devant maintenir sans bouger des positions qui pourraient être, pour certains, inconfortables. Demander au patient de vider sa vessie juste avant l'examen. Après l'examen, encourager le patient à boire et uriner souvent.

Scintigraphie pulmonaire de ventilation et de flot sanguin (V/Q)

RÉSULTATS NORMAUX

Poumon normal et fonctionnel : ventilation libre et flot sanguin intègre

RÉSULTATS PATHOLOGIQUES POSSIBLES

• Embolie

• Atteinte du tissu pulmonaire

*C*et examen, aussi appelé scintigraphie de ventilation/perfusion ou en anglais *V/Q Scan*, permet de vérifier l'intégrité de l'espace alvéolaire et de l'irrigation sanguine des poumons ; il vise donc les deux compartiments, aérien (ventilation) et sanguin (flot sanguin), des poumons. Il s'effectue d'ailleurs en deux étapes, complémentaires et pratiquement indissociables quant à leur signification diagnostique.

Scintigraphie de ventilation

Cette première étape consiste à faire respirer au malade un aérosol marqué au technétium 99m radioactif ou un gaz radioactif tels le krypton 81m ou le xénon 133, puis procéder à une scintigraphie ; un poumon dont les voies aériennes sont totalement libres apparaîtra uniformément radioactif ; au contraire, un poumon dont certaines zones sont obstruées (inflammation, infection, tumeurs, obstruction mécanique, etc) présentera des régions froides (sans radioactivité car l'air n'y pénètre pas).

Scintigraphie de flot sanguin

Cette deuxième étape consiste à injecter par voie intraveineuse de l'albumine macroagglutinée marquée au technétium 99m ; ces grosses particules stagneront temporairement dans le lit vasculaire entourant les alvéoles et produiront, dans le poumon intègre, une radioactivité uniforme. Si au contraire une ramification quelconque de l'artère pulmonaire est bloquée (embolie), on verra une zone froide correspondant à la région embolisée (sans radioactivité car le sang n'y pénètre pas).

INTÉRÊT CLINIQUE

Avant tout, diagnostic et localisation d'embolies pulmonaires ; accessoirement, détermination du pourcentage d'intégrité fonctionnelle des poumons, vérification de l'amplitude d'une pathologie pulmonaire (pneumonie, bronchite, asthme, fibrose, cancer, obstruction mécanique, etc.).

CONTRE INDICATIONS (RELATIVES)

Grossesse, allaitement ; allergie à la préparation radiopharmacologique

ENSEIGNEMENT AU PATIENT

Expliquer dans ses mots au patient le principe de cet examen et lui indiquer quelles en seront les étapes et la durée. L'examen est tout à fait sécuritaire et sans douleur. Le rassurer quant à l'innocuité de cet examen : il ne sera soumis qu'à de faibles doses de radiations. De plus, la substance radioactive est éliminée de l'organisme assez rapidement (la plus grande partie après quelques heures). Le patient n'aura pas à se priver de nourriture avant l'examen.

PROTOCOLE

Cet examen est administré par le personnel technique du service de médecine nucléaire.

On procédera d'abord au test de ventilation, au cours duquel on demandera au patient de respirer dans un masque ou à travers une pièce buccale un aérosol ou un gaz radioactif, auquel moment on prendra un ou plusieurs clichés scinti-graphiques.

Pour la scintigraphie de flot sanguin, on injectera de l'albumine macroagglutinée marquée radioactivement et on prendra encore quelques clichés scintigraphiques.

Scintigraphie rénale (de base, sous furosémide et sous captopril)

RÉSULTATS NORMAUX
Reins structuralement et fonctionnellement intègres

RÉSULTATS ANORMAUX POSSIBLES
Hypertension rénovasculaire, athérosclérose artérielle rénale, glomérulonéphrite, nécrose tubulaire aiguë, infarctus rénal, rejet de greffe, obstruction urinaire, pyélonéphrite, anomalies congénitales, traumatismes, tumeurs, abcès, kystes, etc.

L'examen des reins par scintigraphie se fait par injection intraveineuse de substances radioactives qui ont la propriété d'investir rapidement la circulation sanguine rénale et de passer rapidement au compartiment urinaire, permettant des clichés structurels et des mesures de la fonction rénale.

La scintigraphie rénale fournit en effet deux types de renseignements sur l'état du système rénal : des renseignements d'ordre structural (emplacement, forme, symétrie et intégrité structurale des reins et des voies urinaires) et des renseignements d'ordre fonctionnel (dynamique du flot sanguin rénal et dynamique de la fonction rénale : filtration, réabsorption, excrétion, écoulement du liquide urinaire).

Un premier examen, de flot sanguin consiste à injecter par voie intraveineuse une substance pharmacologique marquée au technétium 99m (par exemple, le MAG3. Des mesures et des calculs générés par ordinateur permettent d'évaluer la dynamique du flot sanguin rénal. Ce premier examen nous renseigne à la fois sur la structure des reins et sur la dynamique de leur irrigation sanguine. Suivent des scintigraphies sériées, prises à rythme lent, permettant d'évaluer la fonction du cortex rénal et des voies urinaires.

On peut ensuite injecter par voie intraveineuse du furosémide (Lasix), un diurétique accélérant la production d'urine, qui permet de déceler une obstruction à l'écoulement du liquide urinaire.

On peut aussi administrer par voie orale un inhibiteur de l'enzyme de conversion de l'angiotensine (le Captopril) pour évaluer une hypertension artérielle soupçonnée d'être secondaire à une sténose d'une artère rénale.

Enfin, durant tout ce temps, des clichés peuvent être pris sous tous les angles à la recherche de pathologies rénales focales (absence congénitale, tumeurs, kystes, abcès, etc.).

CONTRE-INDICATIONS (RELATIVES)
Grossesse, allaitement ; allergie aux produits pharmacologiques utilisés

INTÉRÊT CLINIQUE
Confirmation d'une pathologie rénale structurale ou fonctionnelle, étude de l'hypertension, suivi d'une greffe de rein, examen des voies urinaires

ENSEIGNEMENT AU PATIENT

Expliquer dans ses mots au patient le principe de cet examen et lui indiquer quelles en seront les étapes et la durée. L'examen est tout à fait sécuritaire et sans douleur. Le rassurer quant à l'innocuité de cet examen : il ne sera soumis qu'à de faibles doses de radiations. De plus, la substance radioactive est éliminée de l'organisme assez rapidement (la plus grande partie après quelques heures). Le patient n'aura pas à se priver de nourriture avant l'examen.

PROTOCOLE

Cet examen est administré par le personnel technique du service de médecine nucléaire. Il peut prendre de 30 minutes à quatre heures selon les renseignements recherchés.

Scintigraphie testiculaire

RÉSULTATS NORMAUX
Aucune zone anormale

RÉSULTATS PATHOLOGIQUES POSSIBLES
Torsion testiculaire, épididymite

*C*et examen scintigraphique sert essentiellement à différencier, lors de douleurs aiguës au niveau de la zone scrotale, une torsion testiculaire d'une épididymite.

Ces anomalies sont détectées grâce au pertechnétate radioactif (Tc 99m) injecté par voie intraveineuse qui dans la région scrotale peut donner, à la scintigraphie, des zones chaudes (surcroît de radiations) ou des zones froides, selon la nature de l'atteinte tissulaire (respectivement épididymite et torsion). Les images obtenues sont d'autant plus précises et éloquentes que l'examen est hâtif.

INTÉRÊT CLINIQUE
Toute douleur aiguë de la région scrotale

ENSEIGNEMENT AU PATIENT
Expliquer dans ses mots au patient le principe de cet examen et lui indiquer quelles en seront les étapes et la durée. L'examen est tout à fait sécuritaire et sans douleur. Le rassurer quant à l'innocuité de cet examen : il ne sera soumis qu'à de faibles doses de radiations. De plus, la substance radioactive est éliminée de l'organisme assez rapidement (la plus grande partie après quelques heures). Le patient n'aura pas à se priver de nourriture avant l'examen.

PROTOCOLE
Cet examen est administré par le personnel technique du service de médecine nucléaire et interprété par un médecin spécialiste en médecine nucléaire.

S'il s'agit d'un enfant, il est recommandé qu'un parent soit présent dans la salle au moment de l'examen. Le patient, allongé sur une table d'examen, reçoit par voie intraveineuse une dose de pertechnétate radioactif. Un premier examen consiste à observer le flot sanguin de la région immédiatement après l'injection du technétium. Puis, on procède aux clichés statiques en vue de détecter des structures anormales éventuelles. La durée totale de l'examen est de l'ordre de 45 minutes.

Scintigraphie thyroïdienne

RÉSULTATS NORMAUX DU SCINTIGRAMME

Forme, dimensions, emplacement et intensité normale et uniforme de la radio-activité

SIGNIFICATION D'IMAGES ANORMALES

Zones chaudes ou froides : kystes, carcinomes, zones d'inflammation, métastases, maladie d'Hashimoto

FACTEURS AFFECTANT LES RÉSULTATS

⇑ TSH, barbituriques, lithium, phénothiazine, cirrhose, déficience rénale, grossesse

⇓ Alimentation riche en iode, médicaments contenant de l'iode, médication antithyroïdienne, nombreux autres médicaments, agents radio-opacifiants à base d'iode, diarrhée, malabsorption

*C*et examen permet de déterminer la forme, la position et les dimensions de la glande thyroïde et de déceler des zones anormales dans sa masse.

Après administration par voie orale d'une quantité précise d'iode radioactif, on s'attend normalement à ce qu'une partie substantielle (de 5 à 25 %) de cet iode soit absorbé par la glande, information qui nous est donnée par le test de fixation de l'iode radioactif (voir ce test), que l'on effectue concurremment ; le présent examen nous donne par scintigraphie la répartition de la radioactivité dans la masse de la glande : normalement celle-ci est uniforme. Il peut être effectué quelques heures après le test de fixation ou après injection intraveineuse de technétium 99m.

S'il y a, dans la glande, des nodules, cancéreux ou non, tels adénomes, goitres locaux, kystes, lymphomes, zones localisées d'inflammation, ceux-ci apparaîtront à la scintigraphie comme des zones chaudes (plus de radiation) ou comme des zones froides (moins de radiation), selon la nature physiopathologique du nodule.

INTÉRÊT CLINIQUE

Masses au cou, à la base de la langue, au médiastin

CONTRE-INDICATIONS (RELATIVES)

Femmes enceintes, femmes allaitant

ENSEIGNEMENT AU PATIENT

Expliquer dans ses mots au patient le principe de cet examen et lui indiquer quelles en seront les étapes et la durée. L'examen est tout à fait sécuritaire et sans douleur. Le rassurer quant à l'innocuité de cet examen : il ne sera soumis qu'à de faibles doses de radiations. De plus, la substance radioactive est éliminée de l'organisme assez rapidement (la plus grande partie après quelques heures). Le patient n'aura pas à se priver de nourriture avant l'examen.

PROTOCOLE

Cet examen est administré par le personnel technique du service de médecine nucléaire et les images sont analysées par un médecin spécialiste de la médecine nucléaire.

Les scintigraphies sont habituellement obtenues 10 à 15 minutes après injection de l'agent radioactif. La durée du test est d'environ 30 à 45 minutes.

Scintimammographie

RÉSULTATS PATHOLOGIQUES POSSIBLES
Cancer du sein, dysplasie fibreuse, métastases axillaires

FACTEURS AFFECTANT LES RÉSULTATS
Phase du cycle menstruel (hyperplasie pré-menstruelle), présence de radio-activité résiduelle suite à un examen récent, extravasation lors de l'injection

*L*a scintimammographie est un examen aidant à détecter ou à investiguer les tumeurs du sein, venant en cela s'ajouter à la mammographie de routine. Elle utilise comme marqueur radioactif le technétium 99m, le MIBI ou autres.

INTÉRÊT CLINIQUE

La scintimammographie est pratiquée en vue de : 1) mettre en évidence une tumeur du sein en absence de certitude provenant de la mammographie de routine ; 2) déterminer la malignité d'une tumeur connue ; 3) détecter des métastases ganglionnaires de la région axillaire adjacente ; 4) suivre l'évolution d'une tumeur. Cet examen est utile, également, comme suite à une biopsie, à une chirurgie, à la radiothérapie ou à la chimiothérapie.

CONTRE-INDICATIONS (RELATIVES) DE LA SCINTIMAMMOGRAPHIE

Grossesse, allaitement, allergie au marqueur

ENSEIGNEMENT À LA PATIENTE

Expliquer dans ses mots au patient le principe de cet examen et lui indiquer quelles en seront les étapes et la durée. L'examen est tout à fait sécuritaire et sans douleur. Le rassurer quant à l'innocuité de cet examen : il ne sera soumis qu'à de faibles doses de radiations. De plus, la substance radioactive est éliminée de l'organisme assez rapidement (la plus grande partie après quelques heures). Le patient n'aura pas à se priver de nourriture avant l'examen.

PROTOCOLE

L'examen est pris en charge par le personnel spécialisé du service de médecine nucléaire.

La substance radiopharmacologique sera injectée par voie intra-veineuse dans le bras contralatéral, ou dans un pied si les deux seins sont à examiner. Plusieurs scintigrammes seront pris en différentes positions, le tout durant 30 à 60 minutes.

Sensibilité à la tuberculine

RÉSULTAT POSITIF

Zone d'érythème et d'induration d'un diamètre de 5 mm chez l'immunodé-
primé et 10 mm chez le sujet à immunité normale

SIGNIFICATION D'UN RÉSULTAT POSITIF

Présence du bacille tuberculeux à l'état actif ou à l'état dormant; plus la zone
d'érythème est étendue, plus la probabilité de la présence du bacille est grande.
Une réaction positive en présence des signes cliniques de la maladie la confirme. Chez une personne sans symptômes de la maladie, un test positif peut
signifier un épisode récent de tuberculose, la présence de formes latentes du
bacille ou la présence d'une forme non tuberculeuse de *Mycobacterium*.

FACTEURS AFFECTANT LES RÉSULTATS

Faux négatifs: infection trop récente (moins de 10 semaines), produit mal entreposé, passé date.

Atténuation ou suppression de la réaction: stéroïdes, vaccin récent (4–6 semaines)
de la rubéole, de la rougeole, des oreillons, de la polyomyélite, patients âgés,
malades, immunodéficients.

*L*e test de sensibilité à la tuberculine sert à dépister les individus atteints
d'une infection à *Mycobacterium tuberculosis* ou porteurs de la bactérie. Il consiste à injecter sous la peau une petite quantité de dérivé protéique pur du bacille
(PPD, ou *Pure Protein Derivative*) et d'observer, après quelques jours, s'il y a réaction
érythémateuse et induration au site d'injection, signes de la présence de lymphocytes sensibilisés à l'antigène, et donc de la présence de *Mycobacterium tuberculosis*
à l'état actif ou dormant.

INTÉRÊT CLINIQUE

1. Dépistage ou confirmation d'une infection par le bacille tuberculeux chez les
   personnes suivantes:
   • personnes présentant des signes cliniques de tuberculose ou des radiographies
     pulmonaires suggérant la présence de lésions tuberculeuses
   • personnes étant entrées en contact rapproché, récemment, avec des cas de
     tuberculose active, soit dans leurs activités professionnelles, soit par la fréquen-
     tation d'une personne atteinte
   • immigrants provenant de régions à risque, selon les rapports des autorités
     compétentes

2. Diagnostic différentiel de maladies à symptômes apparentés: coccidioidomycose,
   blastomycose, histoplasmose

ENSEIGNEMENT AU PATIENT

S'il y a lieu et si les circonstances s'y prêtent, vérifier l'état des connaissances de
la personne sur le sujet et les compléter, minimalement. Expliquer le protocole,
notamment la nécessité pour le patient de revenir pour la lecture des résultats.
Aviser le patient qu'il pourrait éprouver une certaine démangeaison au site du
test et de ne pas se gratter.

PROTOCOLE

Choisir un site approprié (propre, exempt de pilosités et de scarifications) sur la face externe de l'avant-bras et le nettoyer à l'alcool; laisser l'alcool s'évaporer complètement. Injecter, immédiatement sous l'épiderme et parallèlement à celui-ci, à l'aide d'une seringue à tuberculine, 0,1 ml de tuberculine (PPD). La lecture doit se faire après 48 à 72 heures.

Trousse commerciale spécialement conçue à cet effet : suivre les directives du manufacturier.

Sinus – Radiographie

*C*et examen permet la visualisation par les rayons X de la paroi et de l'intérieur des sinus paranasaux, qui sont des cavités creusées dans les os de la face et annexées aux voies aériennes ; on distingue le sinus frontal, le sinus maxillaire, les sinus sphénoïdaux et les sinus ethnoïdaux.

Il s'agit à la base d'une simple radiographie osseuse mais qui doit être effectuée à des angles bien contrôlés afin de bien mettre en évidence les cavités sinusales, qui sont encastrées dans une masse osseuse crânienne importante. À la radiographie, des cavités sinusales saines (ne contenant que de l'air) apparaissent comme des zones parfaitement noires.

INTÉRÊT CLINIQUE

Détection de zones inflammatoires, de masses tumorales, d'atteintes osseuses (fractures, tumeurs).

ENSEIGNEMENT AU PATIENT

Expliquer la pertinence de cette épreuve compte tenu de la situation particulière du patient. En exposer le déroulement. L'examen sera passé au service de radiologie ; aucune préparation particulière n'est indiquée.

PROTOCOLE

L'examen est effectué par l'équipe du service de radiologie et ne nécessite aucune préparation. Le patient devra enlever tout corps étranger pouvant nuire aux clichés : prothèses dentaires, bijoux, maquillage, etc.

Sodium (et chlorures) – Urine de 24 heures

VALEURS DE RÉFÉRENCE

Sodium : 40–220 mmol/24 h

Chlorures : 140–250 mmol/24 h

RÉSULTATS ANORMAUX

⇑ Na+, Cl- : Maladie d'Addison, nécrose tubulaire

⇓ Na+, Cl- : Malnutrition/malabsorption, syndrome de Cushing, aldostéronisme, insuffisance pré-rénale, déficience cardiaque, sudation extrême

FACTEURS AFFECTANT LES RÉSULTATS

Régimes forts ou faibles en sodium, diurétiques, médication, contamination du spécimen

Le dosage du sodium urinaire de 24 heures sert surtout à confirmer les valeurs trouvées au dosage du sodium sanguin, surtout si elles sont basses (voir aussi Sodium–sang). Dans tous les cas, le sodium urinaire doit être interprété à la lumière du sodium sanguin. Comme le sodium est principalement excrété par le rein, les valeurs du sodium urinaire reflètent l'équilibre entre l'ingestion de sodium dans l'alimentation et son excrétion par le rein.

Quant aux chlorures urinaires (Cl-), ils suivent le sodium (Na+) pour des raisons d'équilibre des charges électriques au rein.

INTÉRÊT CLINIQUE

Suivi avancé de l'équilibre sodique et hydrique de l'organisme, en complément aux tests sanguins

ENSEIGNEMENT AU PATIENT

Expliquer au patient que ce test sert, avec d'autres, à évaluer l'équilibre de l'eau et des électrolytes dans l'organisme. Le patient devra se prêter à une collecte de ses urines de 24 heures. Lui indiquer les modalités de cette collecte. Insister sur la nécessité d'une collecte propre et non contaminée par des matières fécales et autres substances étrangères à l'urine. Encourager le patient à boire normalement durant la période de collecte.

PROTOCOLE

Procéder à la collecte de 24 heures. Conserver l'urine au froid durant toute la période de la collecte. Expédier le tout, bien identifié, au laboratoire, sans délai ou conserver au froid.

Sodium – Sang

VALEURS DE RÉFÉRENCE
136–145 mmol/l

RÉSULTATS ANORMAUX

⇑ Hyperaldostéronisme, Cushing, pertes en eau relativement plus importantes qu'en Na^+ : sudation profuse, hyperventilation, vomissements, diarrhées, diabète insipide

⇓ Addison, diurétiques, défaut de sécrétion d'hormone antidiurétique (SIADH), pertes d'électrolytes au tube digestif avec conservation d'un bon apport en eau : diarrhée, vomissements abondants ; ascite, insuffisance cardiaque

FACTEURS AFFECTANT LES RÉSULTATS

⇑ Certains médicaments (stéroïdes, antihypertenseurs, etc.), alimentation trop salée, sudation, perfusions contenant du sodium

⇓ Déficience du régime en sodium, hyperlipémie, certains médicaments (diurétiques, etc.), perfusions sans sodium

*L*e sodium est un cation (Na^+). Tout le sodium de l'organisme provient de l'alimentation et il est excrété par les reins (aussi, mais de façon négligeable, par la sueur).

Le sodium est le plus important cation du liquide sanguin. À ce titre, il entre en jeu et est affecté au premier titre dans les mécanismes d'ajustements électrolytiques et hydriques des cellules et du sang ; il est impliqué dans la régulation de l'eau et de l'équilibre acide–base des cellules et du sang. Il faut retenir que le sodium suit l'eau : l'eau appelle le sodium et le sodium appelle l'eau. Il entre en jeu, également, dans les mécanismes neuro–musculaires de l'organisme.

Le contrôle de la natrémie fait intervenir l'aldostérone (retient le sodium au rein), l'hormone natriurétique (favorise la perte rénale de sodium) et l'hormone antidiurétique (retient l'eau au rein et le sodium suit).

INTÉRÊT CLINIQUE
Monitoring des équilibres hydrique, électrolytique et acido–basique de l'organisme ; diagnostic différentiel de problèmes rénaux et endocriniens.

ENSEIGNEMENT AU PATIENT
Expliquer au patient que ce test sert à mesurer le sodium sanguin, importante substance minérale de l'organisme. Une prise de sang est nécessaire mais il n'a pas à se priver d'eau et de nourriture avant le test.

PROTOCOLE
Prélever du sang veineux dans un tube de 5 ou 7 ml à bouchon rouge ou tigré.

Sueur : sodium et chlorures
(test de sudation, iontophorèse)

VALEURS DE RÉFÉRENCE

Sodium : < 70 mmol/l

Chlorures : < 50 mmol/l

RÉSULTATS ANORMAUX

(Sodium : > 90 mmol/l, Chlorures : > 60 mmol/l) : fibrose kystique

FACTEURS AFFECTANT LES RÉSULTATS

* Déshydratation ou œdème dans la zone cutanée utilisée
* Difficulté à provoquer une sudation satisfaisante, surtout chez le nouveau-né
* Variations physiologiques de la concentration saline de la sueur (écarts de température extrêmes, par exemple)

*L*es enfants atteints de fibrose kystique et, jusqu'à un certain point, les personnes porteuses du gène de cette maladie ont dans leur sueur des quantités anormalement élevées de sodium et de chlorures. Le présent test consiste à induire une sudation abondante, localement, par passage d'un courant électrique de faible intensité sous l'effet sudatoire de la pilocarpine et d'analyser la sueur produite pour son contenu en sodium et en chlorures.

INTÉRÊT CLINIQUE

Ce test est passablement précis et spécifique pour dépister ou confirmer la fibrose kystique et on l'administre couramment aux enfants présentant des symptômes de malabsorption ou des troubles des voies respiratoires.

ENSEIGNEMENT AUX PATIENTS

(Le sujet est le plus souvent un petit enfant) Expliquer à l'enfant ou aux parents que cette épreuve sert à détecter une maladie héréditaire appelée fibrose kystique. Leur expliquer ce qu'ils n'en savent pas déjà, dans leurs mots. L'épreuve se déroule tout à fait sans douleur ; il faut seulement rassurer l'enfant, la collaboration de la mère ou du père aidant.

PROTOCOLE

L'épreuve est habituellement administrée par un(e) technicien(ne) du laboratoire et dure de 30 à 45 minutes. La prise en charge émotive de l'enfant par une figure familière est cependant tout à fait indiquée.

En cas de résultats positifs, une démarche d'enseignement et de counselling auprès des parents doit être initiée par l'équipe de soins.

Syphilis – Sérologie

RÉSULTATS NORMAUX
Négatif, absence de réaction

RÉSULTATS PATHOLOGIQUES
Positif, réaction +, ++, +++

Positif en phase tertiaire sur le LCR : neurosyphilis

FACTEURS AFFECTANT LES RÉSULTATS

Faux négatifs

- Sujets en phase d'incubation ou au tout début de la phase primaire
- Sujets syphilitiques en phase de latence ou inactive
- Sujets ayant commencé un traitement à la pénicilline
- Immunodéficients
- Grossesse
- Consommation d'alcool 24 heures avant le prélèvement

Faux positifs aux tests non spécifiques

- Paludisme, lèpre
- Mononucléose infectieuse, lupus érythémateux
- Lymphogranulomatose vénérienne, pneumonie virale, typhus
- Hépatite, leptospirose, périartérite noueuse
- Arthrite rhumatoïde
- Tréponematoses non vénériennes : (la pinta, le pian)

*L*a syphilis est une MTS très répandue et à déclaration obligatoire causée par la bactérie spiralée *Treponema pallidum*. Cette bactérie ne vit que chez l'humain et elle ne se transmet normalement que par contact sexuel, à travers les muqueuses, ne traversant pas une peau saine. La maladie évolue en quatre phases :

Incubation

Cette phase commence au jour zéro, c'est à dire au moment du contact sexuel et demeure sans symptômes pour une vingtaine de jours. Les tests sérologiques sont négatifs durant cette phase.

Syphilis primaire

Commence à 20–25 jours, avec l'apparition d'un chancre syphilitique, ou chancre vénérien, au niveau des organes génitaux (gland, prépuce, scrotum chez l'homme, grandes lèvres, clitoris, vagin, col utérin chez la femme) ou au niveau de la bouche (lèvres, langue, amygdales) ou de la muqueuse anale ; le chancre peut demeurer inaperçu ; il se résorbe de lui-même en 4–6 semaines. Phase très contagieuse. Les tests sérologiques deviennent positifs aux jours 25 à 45, c'est à dire entre 5 et 20 jours après l'apparition du chancre.

Syphilis secondaire

Commence de un à quelques mois après le contact sexuel; le tréponème s'est disséminé par le sang dans tout l'organisme, et peut rester asymptomatique ou causer des réactions inflammatoires se manifestant par intermittence de toutes sortes de façons: fièvre, céphalées, douleurs articulaires, splénomégalie, etc. Cette phase peut durer 2 ou 3 ans. Phase contagieuse. Les tests sérologiques demeurent positifs durant cette phase, allant en diminuant avec le temps, qu'il y ait ou non antibiothérapie.

Syphilis tertiaire

Si non traitée, la maladie évolue vers cette phase, qui peut survenir (ou pas), 3 à 40 ans plus tard. Le sujet n'est plus contagieux mais les lésions qui s'y produisent (cutanées, osseuses, hépatiques, rénales, cardio-vasculaires, nerveuses, etc.) sont graves et souvent létales. Les tests sérologiques spécifiques sont positifs.

DIAGNOSTIC SÉROLOGIQUE NON SPÉCIFIQUE (VDRL, ART, RPR)

Il existe des tests sérologiques de dépistage, rapides et peu coûteux, qui sont basés sur la présence dans le plasma du malade d'anticorps anti-cardiolipines; les cardiolipines ou «réagines» sont des substances caractéristiques de toutes les espèces de tréponèmes; aussi tous les sujets infectés par *Treponema pallidum* fabriquent des anticorps anti-cardiolipines, à moins d'être immuno-déficients.

Cependant, on retrouve ces anti-cardiolipines dans d'autres situations: paludisme, lèpre, mononucléose, lupus, hépatite infectieuse, autres formes de tréponématoses, etc. Donc, les test basés sur la présence d'anti-cardiolipines ont le désavantage de présenter des faux positifs. On les utilise tout de même, comme première approche et pour fin de dépistage; leur interprétation se fait à la lumière des symptômes du sujet et les positifs doivent être confirmés par des tests spécifiques.

VDRL (Venereal disease Research Laboratory)

Ce test est positif chez 70% des sujets en phase primaire, à compter de 30 jours après le contact sexuel, et chez 99% des sujets en phase secondaire.

ART (Automated Reagin Test) et RPR (Rapid Plasma Reagin test)

Positif chez 80% des sujets en phase primaire, à compter de 30 jours après le contact sexuel, et chez 99% des sujets en phase secondaire.

DIAGNOSTIC SÉROLOGIQUE SPÉCIFIQUE (FTA, TPH)

Ces tests sérologiques sont plus coûteux et on les utilise pour confirmer un VDRL ou un ART positifs. Ils sont basés sur la présence, dans le plasma, de véritables anticorps anti-*Treponema pallidum*.

FTA-Abs (Fluorescent Treponemal Antibody absorption)

Ce test est positif chez 85% des sujets en phase primaire, à compter de 5–10 jours après l'apparition du chancre, c'est à dire environ 30 jours après le contact sexuel, et chez 100% des sujets en phase secondaire.

TPPA (Treponema pallidum Particle Agglutination) (ou MHATP)

Ce test est positif chez 65% des sujets en phase primaire, environ 10 jours après l'apparition du chancre, c'est à dire 30 à 35 jours après le contact sexuel, et chez 100% des sujets en phase secondaire.

Enseignement au patient

Expliquer au sujet ce qu'il ne sait pas déjà au sujet de la syphilis, notamment la signification précise de tests positifs et négatifs, selon qu'il s'agit d'un test spécifique ou d'un test non spécifique. Il y aura prélèvement intra-veineux mais le sujet n'a pas à se priver de nourriture auparavant; il doit cependant obligatoirement s'abstenir d'alcool 24 heures avant la prise de sang (VDRL, ART et RPR). Encourager le sujet à amener son ou sa partenaire sexuels à consulter si les résultats de l'examen sont positifs.

Protocole

Porter des gants. Prélever du sang veineux dans un tube de 7 ml à bouchon rouge.

En cas de neurosyphilis (phase tertiaire), l'examen se fait sur le liquide céphalo-rachidien.

T₄ et T₃ libres – Sang

T_4 et T_3 libres – Sang

VALEURS DE RÉFÉRENCE

T_3 : 2,3 – 4,2 pmol/l

T_4 : Adultes : 9 – 25 pmol/l
   Nouveau-nés : 25 – 75 pmol/l
   Enfants, adolescents : 10 – 25 pmol/l

RÉSULTATS ANORMAUX

⇑ T_3 : Hyperthyroïdie, toxicose à la T_3

⇑ T_4 : Hyperthyroïdie

⇓ T_4 : Hypothyroïdie

FACTEURS AFFECTANT LES RÉSULTATS

Examen récent aux radioisotopes, administration d'hormones de remplacement, autre médication

Les hormones thyroïdiennes sont la triiodothyronine (T_3) et la tétraiodothyronine (T_4) ou thyroxine. Elles constituent ensemble ce que l'on appelle l'hormone thyroïdienne ou thyroxine. Dès leur libération par la thyroïde, ces hormones sont prises en charge dans le sang par une protéine, la TBG (*Thyroxine Binding Globulin*), seulement une très faible proportion demeurant libre dans le sang. Mais ce sont ces T_3 et T_4 libres qui sont vraiment actives, les autres étant pour ainsi dire mises en réserve.

Plusieurs sont donc d'avis qu'il faut doser les T_3 et T_4 libres, malgré leur coût élevé et la mise en jeu d'une technologie spécialisée, pour avoir un portrait de l'efficacité réelle de la fonction thyroïdienne, surtout lorsque le patient est hypoprotéinémique ou hyperprotéinémique, ce qui fait varier artificiellement les résultats du test des T_4 et T_3 totales, par exemple (ce test mesure l'hormone libre *et* l'hormone liée aux protéines).

INTÉRÊT CLINIQUE

Investigation de la fonction thyroïdienne

ENSEIGNEMENT AU PATIENT

Expliquer l'utilité du test. Le patient doit subir une prise de sang, sans jeûne prétest obligatoire.

PROTOCOLE

Prélever du sang veineux dans un tube de 7 ml à bouchon rouge.

T₄ et T₃ totales – Sang

VALEURS DE RÉFÉRENCE

T_4: Nouveau-nés: 130–280 nmol/l
  Enfants: 65–190 nmol/l
  Adultes: 50–155 nmol/l

T_3: Nouveau-nés: 100–740 ng/dl
  Enfants: 80–210 ng/dl
  Adultes: 70–205 ng/dl

RÉSULTATS ANORMAUX

⇑ Hyperthyroïdie primaire et secondaire, thérapie de remplacement trop agressive; T_3 seule: toxicose à la T_3

⇓ Hypothyroïdie primaire ou secondaire

FACTEURS AFFECTANT LES RÉSULTATS

Les résultats peuvent être brouillés si le patient vient de subir une radiographie avec opacifiants à l'iode.

⇑ Grossesse, médication, hyperprotéinémie

⇓ Médication, hypoprotéinémie

*T*étraiodothyronine (T_4), et triiodothyronine (T_3) sont les deux formes de ce que l'on appelle communément l'hormone thyroïdienne ou thyroxine. Elles sont élaborées par la glande thyroïde, sous la stimulation de la THS (*Thyroid Stimulating Hormone*) de l'hypophyse. L'action de ces deux hormones consiste à réguler le métabolisme et la croissance. La T_4 compte pour plus de 90% de la production et la T_3 pour moins de 10%.

La plus grande partie de ces 2 hormones est liée à une protéine, la TBG (*Thyroid Binding Globulin*, voir ce test), le reste est libre et c'est sous cette forme libre qu'elles agissent dans l'organisme. Le présent test mesure la T_4 totale (libre et liée) et la T_3 totale (libre et liée). Chacun de ces deux paramètres reflète approximativement, en une première approche, l'état du fonctionnement de la thyroïde.

Cependant, les résultats au test des T_4 et T_3 totales doivent être interprétés à la lumière de ceux de la TBG (voir ce test) et du T_3U (voir ce test). On lui préfère aujourd'hui le test des T_4 et T_3 libres (voir ce test).

INTÉRÊT CLINIQUE

Évaluation de la fonction thyroïdienne; suivi de la thérapie de remplacement

ENSEIGNEMENT AU PATIENT

Expliquer que ce test sert à évaluer la fonction thyroïdienne. Une prise de sang sera nécessaire mais le patient n'a pas à s'abstenir de manger avant le prélèvement.

PROTOCOLE

Prélever du sang veineux dans un tube de 7 ml à bouchon rouge. Expédier immédiatement au laboratoire. Pédiatrie: prélèvement au talon/papier filtre.

TBG (*Thyroxin Binding Globulin*) – Sang

*L*a TBG est une des protéines (la plus importante) qui lient les hormones thyroïdiennes, T_4 et T_3, dès leur sortie de la glande thyroïde et qui sert à transporter et entreposer ces hormones. Au-delà de 95 % des hormones thyroïdiennes sont ainsi liées à des protéines, dont la TBG, le reste étant libre dans le sang.

Une augmentation des TBG d'origine étrangère à la fonction thyroïdienne peut fausser les résultats de la T_4 totale ou de la T_3 totale, donnant l'impression d'une fonction thyroïdienne abaissée ou augmentée, d'où l'intérêt de ce test.

INTÉRÊT CLINIQUE

Investigation de la thyroïde

ENSEIGNEMENT AU PATIENT

Expliquer au patient que ce test sert à l'investigation de sa thyroïde. Une prise de sang sera nécessaire, mais il n'est pas nécessaire d'être à jeun.

PROTOCOLE

Prélever du sang veineux dans un tube de 5 ou 7 ml à bouchon rouge.

Temps de céphaline activée (TCA) ou PTT

VALEURS DE RÉFÉRENCE
24–31 secondes

RÉSULTATS ANORMAUX

⇑ Déficience acquise ou héréditaire de l'un des facteurs de la coagulation mentionnés en introduction (notamment l'hémophilie A et B)
Problème hépatique (cirrhose), qui empêche l'absorption de la vitamine K, déficience en vitamine K
Leucémie
Héparinothérapie
Maladie de von Willebrand
Hypofibrinogénémie

⇓ Cancer avancé

FACTEURS AFFECTANT LES RÉSULTATS

⇑ Antihistaminiques, vitamine C, chlorpromazine, salicylates

Aussi appelée Temps de thromboplastine partielle activée (PTT), cette épreuve est un élément de l'analyse de la coagulation. Elle mesure le temps de formation d'un caillot de fibrine dans un échantillon de plasma après addition de calcium et de phospholipides en conditions contrôlées. Classiquement, le TCA évalue la voie intrinsèque de la coagulation. Comme il met en jeu presque tous les facteurs de la coagulation, il constitue un excellent moyen de dépister un trouble de la coagulation. Les facteurs déterminants du temps de céphaline activée sont le I (fibrinogène), le II (prothrombine), le V, le VIII, le IX, le X, le XI et le XII. Si l'un de ceux-ci est déficient, le temps de céphaline activée sera prolongé.

Les facteurs I, II, V, IX et X sont fabriqués au foie, et parmi ceux-ci les facteurs II, IX et X sont dépendants, pour leur synthèse, de la vitamine K d'origine alimentaire. Cette vitamine K, liposoluble, nécessite l'action des sécrétions biliaires pour son absorption par la muqueuse intestinale.

Donc, le temps de céphaline activé, en plus de dépendre de la capacité foncière du sujet de fabriquer les facteurs mentionnés plus haut, dépend aussi de la capacité de synthèse du foie et du bon fonctionnement des voies biliaires, en plus, évidemment de la présence de vitamine K dans l'alimentation.

Par ailleurs, l'héparine, qui bloque l'activité de la prothrombine, influence de façon marquée les résultats de ce test. C'est avec le TCA que s'effectue le monitoring de l'anticoagulothérapie avec l'héparine standard.

INTÉRÊT CLINIQUE
Dépistage d'un trouble de la coagulation (notamment avant une intervention chirurgicale) ; contrôle de l'héparinothérapie

ENSEIGNEMENT AU PATIENT

Expliquer au patient l'objectif de cette épreuve, en rapport avec sa situation clinique. S'il est sous héparinothérapie, on aura à répéter ce test plusieurs fois à intervalles réguliers. Il y aura prélèvement de sang intraveineux mais aucune restriction alimentaire n'est indiquée.

PROTOCOLE

Prélever du sang veineux dans un tube de 7ml à bouchon bleu. Remplir le tube à capacité ; mêler, délicatement mais complètement, le sang et l'anticoagulant du tube. Expédier immédiatement au laboratoire, sur glace. Surveiller le site de ponction après le prélèvement.

Temps de fibrinolyse
(temps de lyse de l'euglobuline)

*L*a fibrinolyse est la dernière étape du processus normal de l'hémostase. Elle survient quelque temps après la formation d'un caillot stable et consiste en sa dissolution, par lyse (destruction) du réseau de fibrine, grâce à l'action de la plasmine.

Ce processus, physiologique, constitue une sorte de retour à la normale après un épisode de saignement ou de traumatisme ; cependant, s'il se produit trop tôt (moins d'une heure ou deux après la formation du caillot), le processus de coagulation n'a pas assez de temps pour achever son rôle hémostatique et il y a danger d'hémorragies.

La présente épreuve consiste simplement à déterminer le temps que prend le plasma du sujet à dissoudre un caillot de fibrine.

INTÉRÊT CLINIQUE
Détection d'un disfonctionnement du système de fibrinolyse

ENSEIGNEMENT AU PATIENT
Expliquer au patient que ce test sert à détecter un trouble possible de son système de coagulation. Il y aura une prise de sang mais aucun jeûne préalable n'est indiqué.

PROTOCOLE
Prélever du sang veineux dans un tube de 7 ml à bouchon bleu. Remplir le tube à capacité ; mêler, délicatement mais complètement, le sang et l'anticoagulant du tube. Expédier immédiatement au laboratoire, sur glace. Surveiller le site de ponction après le prélèvement.

Temps de Quick ou
temps de prothrombine (PT)

VALEURS DE RÉFÉRENCE

Temps de Quick : 11 à 13 secondes

INR (*International Normalised Ratio*) : < 1,1 (valeur de référence désormais utilisée)

NB : Se référer aux valeurs de référence spécifiées sur la feuille de résultats

RÉSULTATS ANORMAUX

⇑ Déficience en facteurs I, II, V, VII ou X (héréditaire ou acquise)
 Déficience en vitamine K
 Déficience hépatique (hépatite, cirrhose, etc.)
 Obstruction biliaire
 Intoxication aux salicylates

FACTEURS AFFECTANT LES RÉSULTATS

⇑ Anticoagulothérapie au dicoumarol, alcoolisme

⇓ Alimentation riche en vitamine K et en lipides

⇑, ⇓ Nombreux médicaments

*L*e temps de Quick est un élément de l'analyse de la coagulation. Cette épreuve mesure le temps que prend un échantillon de plasma à former un caillot de fibrine en conditions contrôlées après addition de calcium et de thromboplastine. Classiquement, le temps de Quick évalue la voie extrinsèque de la coagulation. Il met en jeu les facteurs I (fibrinogène), II (prothrombine), V, VII et X. Une déficience d'un de ces facteurs allongera le temps de Quick.

Les facteurs I, II, V, VII, et X sont fabriqués au foie, et parmi ceux-ci les facteurs II, V et X sont dépendants, pour leur synthèse, de la vitamine K d'origine alimentaire. Cette vitamine K, liposoluble, nécessite l'action des sécrétions biliaires pour son absorption par la muqueuse intestinale.

Donc, le temps de Quick, en plus de dépendre de la capacité foncière du sujet de fabriquer les facteurs mentionnés plus haut, dépend aussi de la capacité de synthèse du foie et du bon fonctionnement des voies biliaires, en plus, évidemment, de la présence de vitamine K dans l'alimentation.

Par ailleurs, un anticoagulant d'usage courant, la coumarine (dicoumarol et autres), bloque l'étape terminale de la production des facteurs II, VII et X actifs, influant de façon marquée sur le temps de Quick.

INTÉRÊT CLINIQUE

Dépistage de déficiences en fibrinogène, en prothrombine et en facteurs I, II, V, VII et X. Contrôle de l'anticoagulothérapie au dicoumarol (Coumarin).

ENSEIGNEMENT AU PATIENT

Expliquer au sujet l'intérêt que présente cette épreuve dans sa condition clinique particulière. Il devra subir un prélèvement de sang intraveineux, qui devra peut-être se répéter dans le cas de contrôle de l'anticoagulothérapie. Aucune restriction alimentaire préalable n'est requise.

PROTOCOLE

Prélever du sang veineux dans un tube de 7 ml à bouchon bleu. Remplir le tube à capacité ; mêler, délicatement mais complètement, le sang et l'anticoagulant du tube. Expédier immédiatement au laboratoire, sur glace. Surveiller le site de ponction après le prélèvement.

Temps de saignement
(méthode de IVY)

VALEURS DE RÉFÉRENCE
2–7 minutes

RÉSULTATS ANORMAUX
⇑ Thrombocytopénie, anomalies des plaquettes
Troubles vasculaires, fragilité capillaire
Maladie de von Willebrand, hypofibrinogénémie
Coagulation intravasculaire disséminée
Avitaminose C (scorbut)

FACTEURS AFFECTANT LES RÉSULTATS
⇑, ⇓ Profondeur de l'incision, température ambiante, perturbation mécanique
du site de l'incision au cours de l'épreuve, œdème, cyanose, irrégularités
du tégument, méthode de désinfection

⇑ Aspirine, activateurs du plasminogène, certains autres médicaments, alcool, âge

*C*ette épreuve met en jeu les deux premiers mécanismes du processus complexe de l'hémostase: lorsqu'un petit vaisseau sanguin est ouvert par lacération, il y a d'abord constriction du vaisseau puis agglomération de plaquettes sur le site du traumatisme, ce qui a pour effet de fermer la brèche et d'arrêter le saignement.

Ce sont ces deux processus qui sont évalués par l'épreuve du temps de saignement; ce temps sera normal (2 à 7 minutes) si le nombre de plaquettes du sujet est suffisant, si ses plaquettes fonctionnent normalement et si la constriction des vaisseaux s'opère normalement.

Il est important de noter que le temps de saignement n'est pas affecté par l'ensemble des facteurs de la coagulation à l'exception du facteur de von Willebrand, des plaquettes et, parfois, du fibrinogène.

INTÉRÊT CLINIQUE
Dépistage de problèmes de saignement (ex.: maladie de von Willebrand).

NB: Ce test a une variabilité importante et est souvent peu spécifique; il est en voie de remplacement par le PFA–100, plus précis et plus reproductible.

ENSEIGNEMENT AU PATIENT
Expliquer au patient que ce test sert à évaluer le risque de saignement avant l'opération ou l'état de son système plaquettaire selon le cas. Lui expliquer aussi le protocole du test et le prévenir qu'il pourra ressentir une légère douleur mais qu'elle ne sera que passagère. Aucune restriction alimentaire n'est requise avant le test.

PROTOCOLE
Ce test est habituellement mené par un(e) technicien(ne) formé à cet effet.

Après désinfection de la région, on pratique une petite incision sur la peau de l'avant-bras interne à l'aide d'une lancette stérile, en même temps que l'on déclenche le chronomètre. Un brassard est maintenu à 40 mmHg au bras pour toute la durée du test. Le sang est absorbé par un papier filtre pour éviter qu'il ne s'accumule au site. À l'arrêt du saignement on arrête le chronomètre : c'est le temps de saignement.

Temps de survie des globules rouges (scintigraphie)

VALEURS DE RÉFÉRENCE

Demi-vie: 25 à 35 jours

Ratio scintimétrique rate/foie: 1:1

SIGNIFICATION DE RÉSULTATS ANORMAUX

⇓ Demi-vie: anémie hémolytique, anémie falciforme, leucémie granulocytaire, anémies héréditaires telles l'hémoglobinose C, la sphérocytose

⇑ Ratio rate/foie: splénomégalie

FACTEURS AFFECTANT LES RÉSULTATS

Transfusions, saignements, prises de sang multiples durant la période de l'étude, divers facteurs de nature hématologique (taux d'hémopoïèse, plaquettes, etc.), variables spléniques diverses, variables de nature technique, etc

*L*a durée de vie des globules rouges chez l'homme et la femme est exprimée quantitativement en terme de demi-vie: la demi-vie correspond au temps au terme duquel 50% des cellules sont encore en vie; normalement et en moyenne elle est de 30 à 35 jours. Chez les sujets atteints de différentes formes d'anémie hémolytique, les globules rouges meurent prématurément et cette demi-vie est réduite.

Le présent test sert à calculer cette durée de vie des globules rouges: on prélève une quantité précise de sang que l'on incube avec du chrome radioactif (^{51}Cr) afin d'en marquer les globules rouges; on réinjecte ce sang puis, à intervalles déterminés pendant trois à quatre semaines on prélève des spécimens de sang pour en mesurer la radioactivité, ce qui permet avec des calculs simples de déterminer la demi-vie des globules rouges. On procède aussi parfois à la scintigraphie de la rate et du foie pour tenter de déterminer si la rate n'est pas le site où s'effectue cette destruction accélérée des globules rouges comme il arrive souvent.

INTÉRÊT CLINIQUE

Investigation d'anémies hémolytiques; ce test prendra toute sa signification, évidemment, en conjonction avec une batterie de tests et calculs hématologiques et biochimiques.

CONTRE-INDICATIONS

Enfants, femmes enceintes, femmes allaitant, personnes en hémorragie et personnes recevant des transfusions sanguines

ENSEIGNEMENT AU PATIENT

Expliquer dans ses mots au patient le principe de cet examen et lui indiquer quelles en seront les étapes et la durée. L'examen est tout à fait sécuritaire et sans douleur. Le rassurer quant à l'innocuité de cet examen: il ne sera soumis qu'à des doses infinitésimales de radiations, en fait moins qu'au cours d'une radiologie conventionnelle. De plus, la substance radioactive est éliminée de l'organisme après quelques jours. Aucune restriction alimentaire n'est indiquée.

PROTOCOLE

Cet examen est administré par le personnel technique du service de médecine nucléaire.

On effectuera un prélèvement de 20 à 30 ml de sang veineux que l'on incubera en présence de l'isotope 51 du chrome pour en marquer radioactivement les globules rouges. Le sang sera immédiatement réinjecté puis des prélèvements intraveineux seront programmés pour une durée de quelques jours à quatre semaines selon les résultats des comptages radioactifs. Dans certains cas, on procédera aussi à la scintigraphie du foie et de la rate.

Temps de thrombine

VALEURS DE RÉFÉRENCE
7–12 secondes (varie d'un laboratoire à l'autre)

ÉCARTS POSSIBLES
⇑ Hypofibrinogénémie, dysfibrinogénémie (fibrinogène dysfonctionnel)
   Héparinothérapie, accélérateurs de la fibrinolyse ;
   Urémie, maladies hépatiques graves
⇓ Hyperfibrinogénémie

*C*ette épreuve est un élément de l'analyse de la coagulation. Elle mesure le temps que prend un échantillon de plasma à former un caillot lorsqu'on y ajoute de la thrombine. Cette thrombine agit à l'avant-dernière phase de la coagulation en transformant le fibrinogène en fibrine, la substance constituant le caillot.

La formation du caillot nécessite la présence de fibrinogène, fabriqué au foie et donc dépendant d'un foie fonctionnel ; par ailleurs, elle est influencée par la présence d'héparine qui est un anti-thrombine, ainsi que par les médicaments activateurs de la plasmine (streptokinase, urokinase) qui accélèrent la dégradation de la fibrine et du fibrinogène. Autant de facteurs qui auront une influence sur le temps de thrombine.

INTÉRÊT CLINIQUE
Diagnostic de l'hypofibrinogénémie, contrôle de l'anticoagulothérapie.

ENSEIGNEMENT AU PATIENT
Expliquer au patient que cette épreuve sert à mesurer sa capacité de coagulation ou à moduler son traitement aux anticoagulants, selon le cas. L'épreuve nécessite une prise de sang mais aucune restriction alimentaire n'est indiquée avant le prélèvement.

PROTOCOLE
Prélever du sang dans un tube de 7 ml à bouchon bleu ; veiller à remplir le tube à capacité. Mêler délicatement mais complètement le sang et l'anticoagulant du tube. Surveiller le site de ponction après le prélèvement. Envoyer immédiatement l'échantillon au laboratoire.

Tolérance au lactose – Sang

RÉSULTATS NORMAUX

La glycémie augmente de 25% ou plus (ou de 1,7 mmol/l) 15 à 60 minutes après l'ingestion de la solution de lactose. Un test des selles au bâtonnet réactif, si prescrit, montre un contenu en glucose très faible et un pH de 7.

RÉSULTATS ANORMAUX

Une augmentation de la glycémie inférieure à 15% (ou 1,1 mmol/l), des selles acides (< 5,5), du glucose au-delà de 1+ dans les selles signent une intolérance au lactose.

FACTEURS AFFECTANT LES RÉSULTATS

Non observance des restrictions pré-test; test mal administré; troubles intestinaux, sédentarité, grand âge

Le lactose est un disaccharide, c'est à dire un sucre constitué de deux sucres simples liés, le glucose et le galactose. Tel quel, ce disaccharide n'est pas ou peu absorbé par la paroi intestinale. Il doit au préalable être scindé en ses deux unités de base par une enzyme intestinale, la lactase.

Certaines personnes ne fabriquent pas de lactase, à cause d'une déficience héréditaire, d'un trouble fonctionnel du tube digestif, d'une baisse de l'activité physique ou d'un âge avancé. Chez ces sujets, le lactose n'est pas digéré, n'est pas absorbé et reste dans l'intestin, où il est fermenté par les bactéries intestinales, avec production de crampes, de gaz et de diarrhée.

Chez le nouveau-né génétiquement déficient en lactase, les symptômes apparaissent très tôt et sont une entrave au développement normal.

Le test de tolérance au lactose consiste à faire ingérer au sujet une grande quantité de lactose et à en suivre l'effet sur la glycémie après 30, 60 et 120 minutes. Si la glycémie demeure inchangée, on en conclut que le sujet est déficient en lactase.

INTÉRÊT CLINIQUE

Confirmation d'une intolérance au lactose

ENSEIGNEMENT AU PATIENT

Expliquer que ce test sert à confirmer une intolérance au lactose. Le sujet devra subir quelques prises de sang et 8 heures avant l'épreuve devra se garder à jeun et éviter l'activité physique intense.

PROTOCOLE

Prélever d'abord un échantillon–témoin de sang veineux, l'identifier comme tel et noter l'heure. Demander au sujet de boire en entier une solution de lactose (adultes: 50 g dans 200 ml d'eau; enfants: 2 g/kg); noter l'heure. Prélever des échantillons de sang veineux après 15 min, 30 min, 45 min, 60 min et 90 min, soigneusement identifiés

Tomodensitométrie (TDM, *CT SCAN*)

Tomodensitométrie cérébrale

- Néoplasies : méningiome, métastase, glioblastome, kyste...
- Traumatismes : hémorragie, hématome, œdème, corps étranger...
- Vasculopathies : infarctus, anévrisme, malformation vasculaire...
- Maladies dégénératives : atrophie, sclérose en plaque, hydrocéphalie
- Infections : encéphalite, sinusite

Tomodensitométrie du rachis

- Tumeurs : neurinomes, méningiomes
- Hernie discale
- Spondylose cervicale
- Sténose lombaire
- Malformations vasculaires
- Méningocèle, myélocèle, spina bifida

Tomodensitométrie thoracique

- Tumeurs, nodules, kystes, granulomes
- Anévrisme de l'aorte
- Adénopathies
- Épanchement pleural
- Tumeur de l'œsophage
- Thymome et autres tumeurs médiastinales
- Hernie hiatale
- Pneumonie

Tomodensitométrie abdomino-pelvienne

- Ascite, hémorragies intrapéritonéales, lymphadénopathies
- Foie : abcès, kystes, hématomes, carcinomes, hypertrophie, atrophie, cirrhose
- Voies biliaires : dilatation, calculs, tumeurs
- Pancréas : pancréatite œdémateuse ou nécrosante, carcinomes, cystadénomes, cystadénocarcinomes, abcès, phlegmons, pseudokystes, dilatation ou calcification des canaux pancréatiques, hémorragie
- Rate : tumeur, hématome, thrombose, fracture
- Utérus et trompes : tumeurs, abcès tubo–ovarien, salpingite
- Ovaires : tumeur, kyste,
- Prostate : tumeur, hypertrophie
- Tube digestif : appendicite, diverticulite, perforation, tumeur, sténose, abcès

Tomodensitométrie rénale

- Surrénales : adénome, néoplasie primaire et secondaire, hémorragie, phéochromocytome
- Reins : calculs, kystes, tumeurs, obstruction des voies urinaires

Angioscan de l'aorte thoracique ou abdominale

- Anévrisme, rupture, dissection, hématome, athéromatose, occlusion

Tomodensitométrie musculo-squelettique

- Tumeurs primaires et métastases osseuses, malformations articulaires, hématomes, tumeurs des tissus mous...

Tomodensitométrie des orbites

- Lymphomes, méningiomes, hémangiomes, gliomes, carcinomes, affections du nerf optique, fractures, affections de la paroi orbitale (érosion, expansion)

Tomodensitométrie des sinus
- Sinusite, polypose, mucocèle, tumeur, érosion osseuse, malformations, obstruction au drainage

Angioscan pulmonaire
- Embolie pulmonaire, thrombus en aigü, thrombus mural et dilatation des artères pulmonaires en chronique

Arthroscan
- Souris intra-articulaire, fracture ostéo-chondrale

Myéloscan
- Hernie discale, tumeur, malformations congénitales, malformations vasculaires, arachnoïdite

*L*a tomodensitométrie est une technique d'imagerie médicale utilisant les rayons X et l'analyse par ordinateur de leur absorption différentielle par les tissus, permettant la reconstitution d'images en coupe d'organes ou de parties du corps.

Des séries de faisceaux étroits de rayons X sont émis par des tubes se déplaçant en cercle autour du sujet dans un plan donné. Un analyseur, situé très précisément dans l'axe de chaque faisceau, mesure son degré d'absorption par les tissus situés dans cet axe et le transmet à un ordinateur qui le numérise.

Le degré d'absorption dans chacun des axes dépend de la densité totale des tissus qui y sont traversés. L'ordinateur, connaissant l'ensemble des valeurs d'absorption dans les multiples axes de ce plan, détermine par calcul matriciel les densités relatives à chacun des points du plan et les convertit en tons de gris, reconstituant une image fidèle du plan analysé.

Cette image est visible sur un écran vidéo, elle peut être reproduite sur film photographique ou simplement imprimée sur papier et en tout temps conservée sur support magnétique (disques, bandes, etc.).

Si l'on effectue cette analyse densitométrique sur plusieurs plans successifs du corps ou d'un organe particulier, on arrive à obtenir des images tridimensionnelles extrêmement révélatrices. De plus l'ordinateur, connaissant la densité de chaque point dans chacun des plans successifs, peut reconstituer une image de l'organe dans n'importe quel plan de l'espace.

On peut faire varier le diamètre des faisceaux de rayons X pour obtenir des images plus ou moins globales, représentant des tranches (*tomo*) plus ou moins épaisses. Par exemple, l'analyse fine de plans successifs permet jusqu'à l'examen de structures vasculaires.

Par ailleurs, l'utilisation d'opacifiants radiologiques (iode, baryum) permet, comme en radiologie conventionnelle, de mieux voir les structures creuses (vaisseaux sanguins, tube digestif).

Les organes que l'on peut observer à l'aide de la tomodensitométrie sont nombreux:

Tête et cou
La voûte cranienne, les orbites, les sinus, l'arachnoïde, le cerveau entier et ses parties, les ventricules cérébraux, le cervelet, le tronc cérébral, les vertèbres cervicales, la moelle épinière, la trachée, l'œsophage, la thyroïde, les vaisseaux sanguins, les yeux, l'oreille interne et moyenne, etc.

Rachis

Les corps vertébraux et les éléments postérieurs, l'arachnoïde, la moelle épinière, le canal spinal, les nerfs rachidiens et les ganglions nerveux paravertébraux

Thorax

Poumons, plèvres, cœur, gros vaisseaux, œsophage, système lymphatique, cage thoracique, rachis

Abdomen

Estomac, intestins, pancréas, foie, vésicule biliaire, canaux biliaires, rate, reins, uretères, vessie, vaisseaux sanguins abdominaux, système lymphatique, rachis

Membres supérieurs et inférieurs

Os, articulations, muscles, nerfs, vaisseaux, système lymphatique

INTÉRÊT CLINIQUE

Il n'y a presque pas de limites aux lésions et anomalies macroscopiques que l'on peut mettre en évidence avec la TDM : thromboses, anévrismes, hémorragies, hématomes, infarctus, tumeurs, obstructions, anomalies structurales, fractures osseuses, infiltrations, abcès, traumatismes, kystes, inflammation, calcification, etc.

ENSEIGNEMENT AU PATIENT

Expliquer au patient que cet examen permet une étude très détaillée des structures anatomiques grâce aux rayons X et à leur analyse par ordinateur ; cette technique d'imagerie médicale permet notamment de détecter des anomalies, des lésions qui échappent à la radiologie conventionnelle.

Cependant, cet examen n'est pas plus douloureux qu'une radiologie conventionnelle et utilise des doses de radiations comparables.

Lui expliquer que cet examen sera effectué au service de radiologie. On le fera coucher sur une table qui se meut à l'intérieur d'un grand anneau où sont situés des sources de rayons X qui enverront de multiples faisceaux (indolores) en se déplaçant autour d'une partie de son corps de façon circulaire. Si possible, lui montrer une photo ou un schéma de l'appareil. L'examen pourra prendre entre 15 et 60 minutes.

Le prévenir qu'il pourra entendre des bruits de machine qui pourront lui apparaître bizarres et qui sont normaux. Lui demander s'il se sent nerveux ou s'il a des tendances à la claustrophobie, auquel cas on pourra lui administrer un sédatif léger.

Aviser le patient qu'il devra se départir de tout objet métallique avant l'examen.

Si l'examen nécessite l'usage d'opacifiants à base d'iode, le patient devra s'abstenir de manger 4 heures avant l'examen. Le prévenir que l'injection d'opacifiants entraîne parfois des effets secondaires tels : bouffées de chaleur, nausée, goût salé ou métallique.

Si l'examen nécessite l'usage d'opacifiants au baryum (par voie orale), le patient devra être à jeun depuis douze heures. Préciser que le baryum n'a pas d'effets secondaires physiques.

PROTOCOLE

L'examen tomodensitométrique est effectué au service de radiologie de l'hôpital ou de la clinique par une équipe de radiologistes et de technologues en radiologie. La seule préparation requise consiste à :

- vérifier, s'il y a lieu, si le sujet est allergique à l'iode et le noter
- voir à ce que les indications de jeûne préalable soient respectées
- faire l'enseignement approprié (voir ci-haut)
- en milieu hospitalier : voir à ce que tous les objets métalliques soient laissés à la chambre

ToRCH test

RÉSULTATS NORMAUX ET PATHOLOGIQUES
Voir aux rubriques Toxoplasmose, Rubéole, Cytomégalovirus et Herpès.

ToRCH est l'acronyme de Toxoplasmose, Rubéole, Cytomégalovirus, Herpes. Voilà quatre infections causant possiblement des dommages au fœtus ou au nouveau-né et pour lesquelles un dépistage, chez la mère et chez le nouveau-né, est indiqué, et pratiqué en bloc (le ToRCH) dans certains établissements.

INTÉRÊT CLINIQUE, ENSEIGNEMENT AU PATIENT
Voir les rubriques séparées, dans cet ouvrage, pour chacune des infections.

PROTOCOLE
Chez la mère : prélever du sang veineux dans un tube de 5 ml à bouchon rouge. Fœtus et nouveau-né : suivre le protocole de prélèvement de l'établissement.

Toxoplasmose – Sérologie

RÉSULTATS NORMAUX

IgG–IFA : négatif ou faiblement positif

IgM–IFA : négatif

RÉSULTATS PATHOLOGIQUES

IgG–IFA : fortement positif ou en croissance : infection ou réactivation récente (ne répond qu'après 1 ou 2 mois)

IgM–IFA : positif ou en croissance : infection ou réactivation actuelle ou récente (répond après quelques jours)

*L*a toxoplasmose est une maladie causée par *Toxoplasma gondii*, un proto-zoaire parasite intracellulaire obligatoire. Le toxoplasme se transmet à l'Homme par ingestion de viandes de porc ou de bœuf crues ou mal cuites, ou par le chat, lui–même contaminé par ses aliments : oiseaux, souris, nourriture domestique mal cuite. La transmission se fait aussi par transfusion sanguine et par passage transplacentaire si la mère développe une infection active pendant sa grossesse.

C'est une affection extrêmement fréquente chez l'Homme, mais qui passe inaperçue la plupart du temps, laissant des traces sérologiques (anticorps) chez un grand nombre d'individus.

La primo–infection, habituellement asymptomatique, survient typiquement dans la petite enfance et peut par la suite se réactiver. Chez l'adulte immunodéficient, cette réactivation peut être grave, donnant entre autres encéphalite focale, sep-ticémies, myocardite, pneumonie, hépatite. Chez le fœtus ou le nouveau–né, l'in-fection, acquise de la mère, peut avoir des suites de gravité variable, allant de l'ictère néo–natal à la mort fœtale.

DIAGNOSTIC SÉROLOGIQUE

Le diagnostic est basé sur la présence des anticorps IgG et IgM et leur titre, dosés par IFA (*Indirect Fluorescent Antibodies*) :

Anticorps IgG (IgG-IFA)

Augmente dans les semaines suivant l'infection active puis se stabilise à un niveau plus bas

Anticorps IgM (IgM-IFA)

Augmente dès les premiers jours, avec un pic à 2–4 semaines, puis revient à des valeurs très faibles après 1 ou 2 mois

INTRÉRÊT CLINIQUE

Diagnostic différentiel de la mononucléose, dépistage chez la femme enceinte (voir Torch test), évaluation du risque chez les immunodéficients

ENSEIGNEMENT AU PATIENT

Expliquer au patient ou à la mère (dans les cas de grossesse) la pertinence de cette épreuve, selon les circonstances cliniques. Un prélèvement intraveineux sera nécessaire, mais le patient n'a pas à être à jeun au préalable.

Transit du grêle

IMAGES PATHOLOGIQUES POSSIBLES
- Tumeurs
- Polypes
- Diverticule de Meckel
- Hernies intra-abdominales
- Obstruction, atrésie, invagination de la paroi
- Maladie inflammatoire du petit intestin (Crohn)
- Signes de malabsorption : œdème, segmentation ou floculation de la colonne de baryum

FACTEURS AFFECTANT LA MOTILITÉ INTESTINALE

⇓ Opiacés : morphine, codéine
Diabète non controlé

⇑ Crainte, anxiété
Nausée

*C*ette méthode d'examen radiologique du petit intestin fait appel aux propriétés opacifiantes d'une émulsion de sulfate de baryum que le sujet ingère avant et pendant la prise d'une série de clichés.

Le transit de l'agent opacifiant permet d'examiner la paroi interne du petit intestin, la progression de son contenu et sa vitesse, et son péristaltisme. L'intestin grêle commence à la valve duodénojéjunale et se termine à la valve iléocœcale.

La méthode de base est la même que pour le repas baryté et le présent examen peut lui faire suite. Cependant, à cause de sa longueur, il est généralement pratiqué séparément. De plus, on souhaite la plupart du temps injecter le baryum directement dans le grêle par tube (entéroclyse), ce qui donne de meilleures images et diminue la durée de l'examen, qui est déjà passablement long.

EXAMEN À L'AGENT DE CONTRASTE HYDROSOLUBLE
Le sulfate de baryum étant contre-indiqué chez certains sujets, on peut utiliser plutôt un agent hydrosoluble tel la Gastrografine, qui, par ailleurs, peut être indiqué de préférence au baryum pour des raisons techniques dans certains cas.

INDICATIONS
Douleurs intestinales, troubles du transit, syndrome de malabsorption, maladie de Crohn

ENSEIGNEMENT AU PATIENT
Expliquer au patient la pertinence de cet examen et son déroulement. Il devra se conformer à un série de mesures préparatoires ; les lui expliquer et le rassurer quant à l'innocuité de l'ensemble de l'examen, malgré qu'il s'agit d'un examen relativement élaboré pour le patient.

PROTOCOLE
Suivre les indications de l'établissement et du radiologiste pour la préparation du patient. L'examen est effectué au service de radiologie par une équipe spécialisée selon le protocole du service.

Triglycérides – Sang

VALEURS DE RÉFÉRENCE

Les valeurs normales augmentent avec l'âge, de l'enfance à l'âge avancé. Les résultats doivent être interprétés à la lumière des autres données cliniques.

♂ : 0,40–1,80 mmol/l

♀ : 0,35–1,50 mmol/l

RÉSULTATS ANORMAUX

⇑ Hyperlipémie primaire (héréditaire) ou secondaire, hypothyroïdie, diabète, syndrome néphrotique, IRC

⇓ Malabsorption/malnutrition, hyperthyroïdie, hypolipémie

FACTEURS AFFECTANT LES RÉSULTATS

⇑ Alimentation riche en lipides et en glucides, consommation d'alcool, grossesse
Médicaments : œstrogènes, contraceptifs oraux, cholestyramine, corticostéroïdes, furosémide

⇓ Médicaments : clofibrate, vitamine C, colestipol, niacine

*L*es triglycérides sont des lipides constitués d'acides gras et de glycérol. Ce sont les lipides les plus abondants de l'organisme : ils sont les constituants des tissus adipeux (la graisse sous–cutanée par exemple) et on en trouve dans le sang circulant liés à des protéines. Un niveau élevé des triglycérides sanguins constitue le premier signe (et le plus facile à déceler) d'une hyperlipémie, c'est à dire une augmentation des lipides sanguins.

La détermination des triglycérides, du cholestérol et des lipoprotéines constitue ce que l'on appelle le bilan lipidique qui évalue un des facteurs de risque de maladie coronarienne.

INTÉRÊT CLINIQUE

Bilan de santé, évaluation des facteurs de risque de maladie coronarienne, dépistage de l'hyperlipémie, syndrome néphrotique

ENSEIGNEMENT AU PATIENT

Expliquer au patient l'intérêt que présente ce test dans un bilan de santé ou dans les circonstances qui l'ont amené à consulter. Le patient doit être à jeun depuis 12 à 14 heures. Il peut boire de l'eau seulement.

PROTOCOLE

Prélever du sang veineux dans un tube de 5 ou 7 ml à bouchon rouge, jaune ou tigré. Expédier le spécimen au laboratoire dès que possible.

Troponine cardiaque – Sang

VALEURS DE RÉFÉRENCE
< 0,3 mg/l

RÉSULTATS CONFIRMANT L'INFARCTUS
> 3 mg/l

*L*a troponine est une protéine associée aux myofibrilles du muscle cardiaque, que l'on trouve donc dans les fibres musculaires du cœur. Lors de l'infarctus du myocarde, de la troponine est déversée en quantités inhabituelles dans la circulation sanguine. On peut constater son augmentation dans le sang dès 4 heures après l'infarctus, et elle atteint un pic à 36 heures pour retomber à un niveau normal après 10–20 jours.

Le niveau de la troponine sérique augmente même après de petits infarctus et il a la propriété d'être très spécifique, contrairement à d'autres indicateurs de l'infarctus, tels la CK (voir ce test).

INTÉRÊT CLINIQUE
Confirmation précoce d'infarctus; mesure de la guérison d'un infarctus

ENSEIGNEMENT AU PATIENT
Expliquer au patient que ce test sert à confirmer un infarctus du myocarde et à suivre le rétablissement post–infarctus. Le test nécessite un prélèvement intraveineux.

PROTOCOLE
Prélever du sang veineux dans un tube de 5 ml à bouchon rouge.

Trou anionique – Sang

VALEURS DE RÉFÉRENCE
8–16 mmol/l

RÉSULTATS ANORMAUX

⇑ Acidose lactique, acétocétose métabolique, insuffisance rénale, intoxication aux salicylates, au méthanol

⇓ Hypoalbuminémie, perte de bicarbonates

NB : une valeur normale peut cacher des anomalies du métabolisme des chlorures et des bicarbonates

FACTEURS AFFECTANT LES RÉSULTATS
De nombreux facteurs peuvent affecter les résultats de ce test, dans les deux sens : hémolyse de l'échantillon, nature du régime alimentaire, certains médicaments, etc.

Théoriquement, la somme des ions chargés positivement (cations) et la somme des ions chargés négativement (anions) dans le sérum devraient être égales, le sérum sanguin étant électriquement neutre. Or, si l'on ne tient compte que des ions habituellement mesurés en routine (sodium, potassium pour les cations, puis chlorures, bicarbonates (HCO_3^-) pour les ions chargés négativement, on arrive à un «trou», lequel correspond aux ions non mesurés :

$$Na^+ + K^+ = Cl^- + HCO_3^- + \text{TROU ANIONIQUE}$$

Ce trou anionique correspond normalement à des ions présents mais non nécessairement mesurés tels les sulfates, les phosphates, les lactates et les protéines (celles-ci ont une charge nette légèrement négative). Les anions du trou équivalent normalement à 12 mmol/l. Si ce trou dépasse la valeur normale, on conclut que des anions sont présents en plus grandes quantités que la normale : il peut s'agir des anions précités, mais aussi d'acides organiques tels les cétoacides du diabétique. Par ailleurs, le trou ionique peut avoir une valeur normale s'il y a, par exemple, une plus grande excrétion de bicarbonales aux reins.

INTÉRÊT CLINIQUE
Préciser la cause d'une acidose métabolique. Les résultats de ce test (ils peuvent aussi être calculés plutôt que mesurés) n'ont d'intérêt que si interprétés à la lumière d'autres paramètres biochimiques.

ENSEIGNEMENT AU PATIENT
Expliquer que ce test sert à déterminer la cause d'un dérangement acido-basique. Il y aura prise de sang mais aucune nécessité d'être à jeun.

PROTOCOLE
Prélever du sang veineux dans un tube de 5 ou 7 ml à bouchon rouge.

TSH, ou thyréostimuline, ou hormone thyréostimulante – Sang

VALEURS DE RÉFÉRENCE

Adulte : 0,3–5 U/l

Nouveau-né : atteint 3–20 µU/ml à l'âge de 3 jours

RÉSULTATS ANORMAUX

⇑ Hypothyroïdie primaire, adénome de l'hypophyse. Nouveau-né : hypothyroïdie primaire congénitale si les T_4 sont bas

⇓ Atteinte de l'hypothalamus ou de l'hypophyse, hyperthyroïdie (thyroïdite, maladie de Grave). Nouveau-né : hypothyroïdie secondaire congénitale si les T_4 sont bas

FACTEURS AFFECTANT LES RÉSULTATS

Médication, examen récent aux radioisotopes

La TSH (*Thyroïd Stimulating Hormone*) est une hormone fabriquée par l'hypophyse. Elle exerce son action sur la glande thyroïde en y stimulant la production et la libération d'hormone thyroïdienne, nécessaire à la régulation du métabolisme et à la croissance.

La TSH est produite sous l'effet d'une substance hypothalamique, le TRF (*Thyroxin Releasing Factor*) ; la sécrétion de TRF par l'hypothalamus répond négativement à l'accumulation d'hormone thyroïdienne dans le sang, créant une boucle de rétroaction :

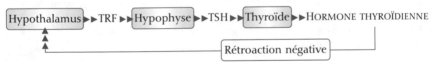

Il est donc fréquent d'observer une hyperproduction de TSH dans les cas où il y a déficience ou absence de fonction thyroïdienne

INTÉRÊT CLINIQUE

Diagnostic de l'hypo–ou de l'hyperthyroïdie, suivi de patients recevant des hormones thyroïdiennes de remplacement, investigation de l'hypophyse. Dépistage de l'hypothyroïdie congénitale chez le nouveau-né

ENSEIGNEMENT AU PATIENT

Expliquer au patient que ce test sert à évaluer le fonctionnement de deux glandes importantes, l'hypophyse et la thyroïde. Il y aura prise de sang mais aucune restriction alimentaire n'est nécessaire avant le prélèvement. Il doit demeurer au repos une heure avant le prélèvement.

PROTOCOLE

Prélever du sang veineux dans un tube de 7 ml à bouchon rouge, tôt le matin si possible.

En pédiatrie : prélèvement au talon et collecte sur un papier filtre, ou ponction intraveineuse.

Urée sérique ou azotémie – Sang

VALEURS DE RÉFÉRENCE
2–9 mmol/l

RÉSULTATS ANORMAUX

⇑ Diminution de la perfusion rénale (insuffisance cardiaque, hypotension); insuffisance rénale aiguë, chronique; régime riche en protéines

⇓ Dysfonction hépatique, malnutrition, hémodilution; (peu d'intérêt clinique)

FACTEURS AFFECTANT LES RÉSULTATS
Qualité de la nutrition (⇑, ⇓), grossesse avancée (⇑), nombreux médicaments (⇑, ⇓)

L'urée présente dans le sérum sanguin constitue la majeure partie de l'azote sanguin libre. C'est pourquoi on utilise le terme d'azotémie lorsque l'on parle de la mesure de l'urée sérique. Cette urée provient du catabolisme des acides aminés. Ces acides aminés apparaissent dans le sang suite à la décomposition des protéines dont se débarrassent les tissus et suite à la digestion intestinale des protéines alimentaires et à leur absorption par le sang.

Les acides aminés présents en excès dans le sang sont catabolisés au foie, avec production d'ammoniac, puis d'urée. Cette urée est ensuite destinée à l'excrétion par le rein. L'urée constitue donc le produit d'excrétion de l'azote des protéines et des acides aminés.

Par conséquent, il est important de se rappeler que l'urée est fabriquée au foie, ce qui a pour effet d'augmenter l'azotémie, mais excrétée aux reins, ce qui a pour effet de diminuer l'azotémie. Le niveau d'azotémie résulte donc des effets combinés du foie et des reins.

INTÉRÊT CLINIQUE
Examen de la fonction rénale

ENSEIGNEMENT AU PATIENT
Expliquer au patient que ce test renseigne sur l'état du fonctionnement des reins. On devra lui prélever un spécimen de sang. Il n'a pas à se priver de boire ni de manger avant le prélèvement.

PROTOCOLE
Prélever du sang veineux dans un tube à bouchon rouge. Prendre soin d'éviter l'hémolyse de l'échantillon.

Urétéropyélographie rétrograde

L'urétéropyélographie, parfois appelée urétérographie ou pyélographie, permet l'examen aux rayons X de l'appareil collecteur du système urinaire : calices, bassinet, uretères et, au passage, l'intérieur de la vessie, après injection par cathéter d'un opacifiant radiologique à base d'iode au niveau du bassinet. (Notons que l'iode, ici, n'est pas injecté i–v, éliminant en principe mais pas de façon absolue le problème de la sensibilité à l'iode). L'examen se fait avec ou sans anesthésie générale.

La méthode d'analyse suppose les étapes suivantes : 1) installation du patient en position gynécologique ; 2) examen de l'intérieur de la vessie par cystoscopie ; 3) passage d'un cathéter à travers l'urètre, la vessie et l'uretère pour atteindre le bassinet droit (puis le gauche) ; 4) injection de l'agent de contraste ; 5) retrait du cathéter.

Tout au long de cette manœuvre, des clichés sont pris à différents niveaux de remplissage par l'iode et dans différents plans.

INDICATIONS

Détection d'anomalies des conduits et d'obstructions du système collecteur

ENSEIGNEMENT AU PATIENT

Expliquer la pertinence de cette épreuve compte tenu de la situation particulière du patient. En exposer le déroulement. L'examen sera passé au service de radiologie ou d'urologie ; aucune préparation particulière n'est indiquée si l'examen se fait sans anesthésie ; sinon, le patient doit être à jeun 8 heures auparavant.

PROTOCOLE

L'examen est effectué par l'équipe du service de radiologie ou d'urologie (voir plus haut). Administrer la prémédication prescrite.

SOINS ET SURVEILLANCE APRÈS L'EXAMEN

Surveiller les signes vitaux à toutes les 15 minutes pour les quatre premières heures, puis à toutes les heures pour les quatre heures suivantes, puis à toutes les quatre heures pour les 24 heures suivantes. Surveiller les signes d'hématurie : la présence de sang après trois mictions est à noter et reporter.

Urographie intraveineuse
ou pyélographie intraveineuse

IMAGES PATHOLOGIQUES POSSIBLES

Fonction rénale globale : • Retard de l'apparition du colorant à un rein ou aux deux
• Retard de coloration du bassinet par rapport à la zone capsulaire du rein

Affections rénales : • Glomérulonéphrite
• Pyélonéphrite
• Traumatisme
• Tumeur, kystes, hématome
• Lithiases

Affections du système collecteur : • Hydronéphrose
• Calculs
• Traumatismes
• Tumeurs, kystes, hématomes
• Anomalies anatomiques, déplacements
• Hypertrophie de la prostate

L'urographie intraveineuse est un examen radiologique qui consiste à injecter par voie veineuse périphérique un opacifiant radiologique iodé et à en suivre le cheminement dans les reins. L'opacifiant radiologique utilisé pour cet examen est filtrable au rein ; il se retrouvera dans l'urine et c'est pourquoi on peut en suivre le cheminement, le tout nous offrant des renseignement évidents sur le fonctionnement des deux reins.

Des clichés, pris à différents temps suivant l'injection, renseignent sur la vitesse de filtration du sang dans chacun des deux reins, donnant un indice de la qualité de la fonction, droite et gauche.

La méthode comporte les étapes suivantes : 1) installation d'une ligne intraveineuse périphérique ; 2) injection du colorant ; 3) prise de clichés après 1, 5, 10, 15 minutes ; 4) miction puis cliché final. On peut, au cours du test, créer une compression des uretères par pressions mécaniques exercées sur la paroi abdominale afin de retarder la descente de l'urine dans la vessie, ce qui permet un remplissage plus complet des bassinets rénaux ; on peut aussi, dans certaines institutions, effectuer des tomographies rénales au cours de cette épreuve afin de détecter la présence de lithiases.

INDICATIONS

Évaluation de la fonction rénale globale (reins droit et gauche) ; détection d'anomalies du système urinaire (traumatismes, tumeurs, lithiases, malformations, etc.)

ENSEIGNEMENT AU PATIENT

Expliquer la pertinence de cette épreuve compte tenu de la situation particulière du patient. En exposer le déroulement.

Le prévenir des effets possibles de l'injection de l'opacifiant : sensation de chaleur au moment de l'injection, légère céphalée, goût salin ou métallique au niveau de la bouche, nausée légère après l'injection.

L'examen sera passé au service de radiologie; il nécessite un jeûne depuis minuit la veille et il peut durer au delà d'une heure.

PROTOCOLE

L'examen est effectué par l'équipe du service de radiologie (voir plus haut). Préparer le patient en fonction des directives du service de radiologie. Le patient doit normalement être à jeun depuis 8 heures et il doit vider sa vessie avant de se rendre à la salle d'examen.

Uroporphyrinogène synthétase – Sang

Cette enzyme est nécessaire à la synthèse du groupe hème de l'hémoglobine. Elle est normalement présente dans les cellules de la lignée érythrocytaire, et aussi dans les lymphocytes, dans le foie et ailleurs. Un déficit de production de cette enzyme, de nature héréditaire, entraîne l'accumulation de porphyrines au foie et ailleurs, pouvant causer des troubles abdominaux, neurologiques et psychiatriques, et de l'hémolyse.

Cette *porphyrie aiguë intermittante* est le plus souvent latente, sans symptômes, et se déclenche subitement sous l'effet de barbituriques ou de différents autres facteurs.

INTÉRÊT CLINIQUE

Diagnostic de la porphyrie aiguë intermittante, latente ou active ; diagnostic différentiel avec d'autres formes de porphyrie

ENSEIGNEMENT AU PATIENT

Expliquer que ce test sert à déceler une anomalie enzymatique héréditaire. Le patient devra se prêter à un prélèvement sanguin, qui nécessite un jeûne préalable de 12 heures. Il devra éviter de prendre de l'alcool durant ce temps, mais aucune restriction sur l'eau n'est indiquée.

PROTOCOLE

Prélever du sang veineux dans un tube de 10 ml à bouchon vert. Mettre l'échantillon sur glace et expédier immédiatement au laboratoire.

Virus de l'immunodéficience humaine (VIH) – Sérologie

RÉSULTATS NORMAUX

Test de dépistage : négatif

Test de confirmation : négatif ; non–séropositivité

PCR : négatif ; non–séropositivité

RÉSULTATS PATHOLOGIQUES

Tests de dépistage positif

N'est positif qu'après plusieurs semaines suivant l'infection ; des personnes ayant été en contact avec le virus sans développer la maladie et sans être actuellement porteuses du virus, peuvent être positives à ce test. Peut être négatif chez une personne immunodéficiente (SIDA déclaré).

Tests de confirmation positifs

Confirment une séropositivité

PCR (Polymerase Chain Reaction) positif

Résultats quantitatifs permettant de vérifier la progression de la maladie ou l'efficacité du traitement

---

e syndrome d'immunodéficience acquise (SIDA) est causé chez l'Homme par les virus de l'immunodéficience humaine VIH 1 et VIH 2. Le virus est présent dans le sang et dans les sécrétions (salive, sécrétions vaginales, lacrymales, sperme) des personnes atteintes de la maladie ou porteuses du virus. Il se transmet d'une personne à l'autre par transfusion sanguine, par échange de seringues, par contact sexuel, par passage placentaire, par l'allaitement maternel et dans des contextes de grande intimité ou de promiscuité (plus difficile).

Le SIDA doit être considéré comme la phase ultime, non obligée, d'une infection à HIV, laquelle peut se manifester par plusieurs états plus ou moins successifs et de durées très variables :

1) Primo-infection, peu ou pas symptomatique, très contagieuse, qui peut durer 2 semaines ; à ce stade, les anticorps ne sont pas détectés dans le sang car ils prennent de 2 à 8 semaines à apparaître, mais les antigènes du VIH sont détectables

2) Infection asymptomatique à sérologie positive, avec légère modification de la formule sanguine, qui, sans traitement, peut durer 10 ans avant de produire les symptômes du SIDA et même demeurer sans suites

3) Syndrome lymphadénopathique à sérologie positive : ganglions lymphatiques, modification de la formule sanguine, pouvant durer plusieurs mois

4) SIDA déclaré, avec tout le tableau clinique.

TEST DE DÉPISTAGE

Il est fondé sur la présence d'anticorps anti–VIH dans le sérum, qui n'apparaissent que 2 à 8 semaines après la contamination ; ce test ELISA est très sensible (95 % des personnes atteintes sont positives en dedans de 6 mois) mais souffre de faux positifs (maladies auto–immunes, vaccins anti–hépatite ou antigrippal récents, femmes multipares, etc.).

TESTS DE CONFIRMATION

Les tests WB (*Western Blot*) ou à l'immunofluorescence (IFA), plus spécifiques, doivent confirmer un test de dépistage positif ou incertain.

Le test PCR (*Polymerase Chain Reaction*) permet de déceler des quantités infimes de matériel provenant du virus, permettant une sur-confirmation des autres tests, un suivi du traitement et de confirmer la présence du virus sans anticorps sériques chez les personnes immunodéficientes (SIDA avancé). Ce test est souvent prescrit sous l'appellation CHARGE VIRALE VIH.

INTÉRÊT CLINIQUE

Dépistage auprès des donneurs de sang ou d'organe. Confirmation d'une séropositivité ou d'une non-séropositivité. Counselling auprès de sujets à risque.

ENSEIGNEMENT AU PATIENT

Vérifier les connaissances du patient à propos du VIH et les compléter au besoin si les circonstances s'y prêtent et si le patient exprime le besoin d'éclaircissements, ou exprime de l'inquiétude et veut s'en ouvrir.

PROTOCOLE

Porter des gants. Prélever du sang veineux dans un tube de 10 ml à bouchon sécuritaire. Observer la plus grande confidentialité à propos de l'état présumé ou confirmé du patient. Respecter les normes de sécurité et de confidentialité de l'établissement.

Vitamine A et carotène – Sang

VALEURS DE RÉFÉRENCE

Vitamine A : 0,7 – 1,75 µmol/l

Carotène : 1,5 – 7,4 µmol/l

RÉSULTATS ANORMAUX

Vitamine A

⇓ Troubles de l'absorption des lipides : maladie cœliaque, hépatite infectieuse, fibrose kystique du pancréas, jaunisse obstructive
Malnutrition/malabsorption
Néphrite chronique

⇑ Ingestion exagérée de suppléments vitaminiques ou d'aliments riches en carotène ou en vitamine A
Hyperlipémie du diabète sucré non contrôlé

Carotène

⇓ Troubles de l'absorption des lipides

⇑ Ingestion exagérée d'aliments riches en carotène

FACTEURS AFFECTANT LES RÉSULTATS

⇓ ⇑ Régime alimentaire

⇓ Grossesse

⇑ Contraceptifs oraux, glycocorticoïdes

*L*a vitamine A, ou rétinol, est une vitamine liposoluble présente, telle quelle, dans le jaune d'œuf, dans le poisson (foie de morue) et dans la fraction lipidique du lait ; son précurseur la carotène provient des légumes verts, jaunes et orangés (carottes, navets, épinards, courges, etc.) et des fruits jaunes et orangés (orange, cantaloup, abricots, pêches) ; l'organisme est capable de transformer le carotène des aliments en vitamine A.

Cette vitamine est nécessaire à la vision, à la santé de la peau et à la croissance osseuse.

INTÉRÊT CLINIQUE

Xérophtalmie, troubles de la vision nocturne, maladies de la peau, malnutrition/malabsorption

ENSEIGNEMENT AU PATIENT

Expliquer que cette épreuve sert à vérifier le niveau de vitamine A de l'organisme. L'épreuve nécessite un prélèvement sanguin et le patient doit être à jeun depuis 8 heures.

PROTOCOLE

Prélever du sang veineux dans un tube de 7 ml à bouchon rouge ou bleu royal ; couvrir le tube afin de le protéger de la lumière ; expédier au laboratoire immédiatement.

Vitamine B$_2$, ou riboflavine – Sang

a vitamine B$_2$, ou riboflavine, est une vitamine hydrosoluble de couleur jaune présente dans la levure, les céréales et les légumes. Elle entre dans la composition de co-enzymes intervenant dans les processus majeurs d'oxydo-réduction du métabolisme. C'est une vitamine nécessaire au bon fonctionnement des cellules et à la croissance de l'organisme.

INTÉRÊT CLINIQUE
Détection d'une déficience en vitamine B$_2$.

ENSEIGNEMENT AU PATIENT
Cette épreuve sert à vérifier si l'organisme dispose d'une quantité suffisante de vitamine B$_2$. Il devra s'alimenter normalement les jours précédant l'épreuve. Un prélèvement intraveineux sera nécessaire.

PROTOCOLE
Prélever du sang veineux dans un tube de 7 ml à bouchon bleu royal. Ne pas réfrigérer le spécimen mais l'expédier immédiatement au laboratoire.

Vitamine B_{12}

VALEURS DE RÉFÉRENCE
200–650 ng/l

RÉSULTATS ANORMAUX

⇑ Dommages hépatiques importants, leucémie myéloïde, urémie

⇓ Anémie pernicieuse, malnutrition, malabsorption, affections gastriques, gastrectomie

FACTEURS AFFECTANT LES RÉSULTATS

⇑ Contraceptifs oraux, vitamine C

⇓ Qualité de la nutrition, végétarisme, éthylisme, médication

*L*a vitamine B_{12} est essentielle à la formation de globules rouges normaux et fonctionnels ainsi qu'à la fonction neurologique. Sans elle, des globules rouges normaux n'arrivent pas en nombres suffisants dans le sang circulant et il s'ensuit une anémie dite anémie pernicieuse.

La vitamine B_{12} est normalement présente dans l'alimentation humaine (viandes, lait, œufs) liée à des protéines. Ce complexe est défait dans l'estomac sous l'action de l'acide chlorhydrique sécrété par la paroi gastrique, libérant la vitamine à l'état absorbable. Cette vitamine libre est ensuite absorbée par la paroi du petit intestin grâce à une substance fabriquée par la paroi gastrique, appelée *facteur intrinsèque* et sans laquelle il n'y a pas d'absorption, puis gagne la circulation sanguine.

Quatre conditions sont donc requises pour éviter l'anémie à B_{12}:

• Présence de la vitamine dans l'alimentation
• Sécrétion de quantités suffisantes d'acide chlorhydrique par la paroi gastrique
• Sécrétion du facteur intrinsèque par la paroi gastrique
• Bon fonctionnement des mécanismes d'absorption au petit intestin

INTÉRÊT CLINIQUE
Diagnostic de l'anémie à déficience en vitamine B_{12}

ENSEIGNEMENT AU PATIENT
Expliquer au patient le rôle de cette vitamine. Un prélèvement sanguin est nécessaire; le test requiert un jeûne préalable de 8 heures.

PROTOCOLE
Prélever du sang veineux dans un tube de 5 ou 7 ml à bouchon rouge ou doré.

Vitesse de sédimentation

$\mathcal{E}$n présence d'un anticoagulant et laissé au repos dans une éprouvette, un échantillon de sang a tendance à sédimenter, c'est à dire que les globules rouges qu'il contient se déposent au fond du tube, étant plus lourds que le plasma. Dans un tube gradué et en conditions contrôlées, on peut mesurer à quelle vitesse se fait cette sédimentation des globules rouges et l'exprimer en millimètres par heure.

Chez certains malades, cette vitesse de sédimentation est augmentée de façon marquée, sans que l'on puisse en expliquer précisément la cause. On croit que la présence de certains types de protéines dans le sang de ces malades facilite l'adhésion des globules rouges les uns aux autres, formant des amas de cellules dont la densité est plus lourde que celle des globules rouges isolés et accélérant leur sédimentation.

Ce paramètre n'est spécifique, rigoureusement, à aucune pathologie mais on le voit souvent associé à des maladies en développement ou à des maladies bien établies, telles les maladies inflammatoires, les maladies du collagène et, de façon non spécifique, à de nombreux autres dérangements.

INTÉRÊT CLINIQUE

La détermination de la vitesse de sédimentation est un élément de la formule sanguine complète dans plusieurs laboratoires. L'augmentation de ce paramètre est considéré par plusieurs comme un signe important de maladie, et son retour à la normale comme un signe de rétablissement.

ENSEIGNEMENT AU PATIENT ET PROTOCOLE

Voir Formule sanguine complète

Index

H

$\mathcal{T}$

Notes